BERTHE MORISOT

Le secret de la femme en noir

Journaliste et écrivain, Dominique Bona est l'auteur de romans (*Malika*, prix Interallié 1992 ; *Le Manuscrit de Port-Ebène*, prix Renaudot 1998) et de biographies (*Romain Gary*, 1987, Grand Prix de la biographie de l'Académie française ; *Gala*, 1995 ; *Stefan Zweig*, 1996).

DOMINIQUE BONA

Berthe Morisot

Le secret de la femme en noir

GRASSET

« Nous mourons tous avec
notre secret. »

BERTHE MORISOT.

L'énigme du bouquet de violettes

C'est une femme en noir : le chapeau, dont les rubans s'enroulent autour de son long col de cygne, et la robe à peine échancrée sur sa peau mate ont l'éclat lustré des ailes du corbeau. Le noir a coloré les yeux, sans pour autant effacer leur reflet d'or : le regard qu'ils portent sur la vie est mordoré et chaud, étranger à tout cet attirail funèbre que la femme arbore avec élégance et désinvolture. Un linge blanc transparaît sous le corsage, laissant un triangle de peau nue. Tandis que les cheveux châtains, en désordre, pleins de mèches rebelles, s'échappent du chapeau, la bouche aux lèvres charnues ébauche une petite moue, mi-câline, mi-boudeuse. Le teint doré, comme le fond des yeux, évoque le soleil, l'Espagne, on ne sait quel passé à Tolède ou à Cordoue. Sur sa poitrine, au lieu d'un bijou, elle porte un bouquet de violettes.

Il y a de la fierté dans ce visage de femme qui ne sourit pas, dans ce port de tête altier, dans ce regard calme et sûr. Une fierté que le bouquet de violettes pourrait démentir, mais il sied à son air à la fois sincère et farouche. Sans panache ni arrogance, sans pose ni mièvrerie, cette femme a une manière particulière d'être soi, en toute simplicité. Comme la violette en somme, sans faste mais sans

chichis. Le costume, la robe et les rubans, le chapeau, la coquetterie, tout cela importe peu. Ce qui
retient, c'est la forte personnalité du modèle. Et,
dans tout ce noir si noir, un rayonnement. Une
lumière.

Le regard surtout fascine, à la fois doux et
sévère. On n'en finirait pas de tenter d'analyser les
nuances qu'il exprime. Il est en lui-même une
énigme et ressemble à un gouffre. Ce qu'il laisse
deviner, ou au moins entrevoir, c'est un tempérament. Il y a du feu dans ces pupilles, mais un feu
maîtrisé, un feu qui brûle en dedans et communique au-dehors, malgré une grande réserve,
beaucoup d'ardeur, beaucoup d'intensité.

Ce tableau d'Edouard Manet — *Berthe Morisot
au bouquet de violettes* — est un mystère. Mystère
d'une femme. Mystère d'une vie. Mystère d'une
histoire secrète entre un homme et une femme,
sur la nature de laquelle on s'interroge toujours.

Le peintre l'a complété d'un autre, plus petit, qui
est son prolongement, sinon sa fin, et le para-
chève, formant avec lui un indissociable tout : *Le
Bouquet de violettes*. Il représente, en gros plan, ce
minuscule bouquet dont Berthe Morisot a orné
son corsage, sur son portrait en deuil. Mais il est
le seul sujet de la toile, débarrassée de son modèle
vivant et concentrée sur ce détail, qui résume ou
exalte son inspiratrice, sa muse du moment — la
femme-violette. Accompagne le bouquet une lettre
manuscrite, qui contient la dédicace de l'œuvre
et la personnalise : « A Mlle Berthe Morisot,
Edouard Manet », a écrit le peintre, sans autre
commentaire, comme sur une carte de visite. Le
bouquet de violettes s'adresse à une personne
unique : c'est le cadeau du peintre, et son galant
hommage.

Lorsque Edouard Manet, en 1872, a peint ce

tableau devenu célèbre, il n'en est pas à son premier essai. Il a déjà demandé à cette amie qui est peintre elle-même, du groupe des Impressionnistes, de poser pour lui. Berthe Morisot a été par sept fois déjà son modèle. Femme en blanc dans *Le Balcon*, enveloppée d'une robe de mousseline des plus délicates et des plus vaporeuses, elle a l'air, déjà, d'une énigme. Il va tenter à plusieurs reprises de saisir sa personnalité. Un an plus tard, dans *Le Repos*, il la peint encore en blanc, langoureusement allongée sur un canapé, et s'attache à quelques détails chastes, non moins sensuels, de son anatomie : sa taille fine, son joli pied, ses longues mains fuselées. S'il aime sa jeunesse, sa fraîcheur, sa minceur de jeune fille en fleur, c'est en noir qu'il la préfère. Le noir va à son teint, à son style, à sa sombre ardeur. Elle a ainsi par cinq fois posé pour lui : « de profil », « au manchon », « à l'éventail », « à la voilette », puis « au soulier rose ». Jamais il ne l'a représentée nue, fût-ce à peine dévêtue.

Aucune autre femme n'aura autant posé pour Edouard Manet que Berthe Morisot. Après le bouquet de violettes, il fera encore (en noir) trois portraits d'elle — l'admirable *Berthe Morisot étendue*, lascive, presque abandonnée ; *Berthe Morisot en chapeau de deuil à long voile*, où elle apparaît en figure de cauchemar, à la Goya ; enfin *Berthe Morisot tenant un éventail* —, ce qui monte à onze le total de ses représentations (onze huiles), auxquelles il faut encore ajouter une aquarelle d'après *Berthe Morisot de trois quarts* et deux lithographies d'après *Berthe Morisot au bouquet de violettes* — au total quatorze portraits.

Rue Guyot, puis rue de Saint-Pétersbourg où travaillait Edouard Manet, dans ce quartier dit de l'Europe, cher aux artistes de la fin du XIXe siècle, non loin des Batignolles où il habitait, elle a remplacé les modèles professionnels, à dix francs la séance, qu'il avait l'habitude de peindre, les filles faciles, légères, dont il aimait s'entourer, et dont l'atelier devait garder le parfum de musc et d'ambre. Par quels hasards est-elle arrivée là ? Elle, une grande bourgeoise. Qui n'a jamais eu besoin de gagner sa vie, mais qui pour autant n'achète pas encore les toiles pour lesquelles elle pose. Elle, une artiste. Non pas peintre du dimanche, des heures libres ou creuses, des loisirs insignifiants. Mais peintre de vocation et de métier, qui expose et qui tient sa place à l'avant-garde prochainement nommée impressionniste. Ces longues heures de pose — Manet travaillait lentement et exigeait de la part de ses modèles d'interminables séances — ont eu lieu au détriment de son propre travail ; tout ce temps où elle pose, elle cesse de peindre. Pourtant, s'il ne se lasse pas de son visage sombre et ardent, de son style à la fois sensuel et fier, elle semble ne pas se lasser de le voir à l'œuvre. Et tandis qu'il est à son dessin, à ses couleurs, elle le regarde peindre. Aucune impatience ne filtre de ses portraits. Dans *Le Repos*, elle a cet air comblé, de paresse et d'extase qu'expriment ses propres toiles mais qu'elle cache pour elle-même, sous une réserve, une pudeur défensives. Entre le peintre et son modèle qui est peintre elle-même, entre le peintre et le peintre, en se fiant aux regards de Berthe Morisot et aux multiples portraits qu'en fit Edouard Manet, on peut déduire dès le premier abord un mélange de séduction et d'admiration réciproques. Et une probable, une profonde complicité. Quelque chose comme une amitié amoureuse. Un amour ?

La même année que *Berthe Morisot au bouquet*

de violettes et que *Le Bouquet de violettes*, Manet a peint Berthe assise — évidemment vêtue de noir —, la jupe largement relevée sur la cheville, montrant ses bas et l'un de ses pieds chaussé d'un soulier rose : une pose audacieuse en un temps où cette partie du corps était plus taboue que les seins. Elle tient devant elle un éventail, noir. Il dissimulerait entièrement son visage, s'il ne laissait échapper entre les nervures, sous la dentelle, un peu de cette lumière dorée qui est tout à elle.

Qui est-elle, cette femme mystérieuse, cette femme au bouquet de violettes ? Pour qui, pour quoi est-elle encore si vivante, sur tous ces tableaux qui portent la trace d'une passion, d'une vérité perdues ? Et quelle fut son histoire ?

L'atelier caché de Berthe

Tous les peintres ont toujours eu un atelier, et les amis de Berthe n'échappent pas à la règle. Plus ou moins vaste ou lumineux, orienté au nord, envahi de soleil ou n'ouvrant sur le ciel que par un maigre vasistas, luxueux ou misérable, pris sur le logement principal ou établi hors du foyer, ce local qui tient selon les cas du hangar, de la grange, de la remise à outils ou de la caverne d'Ali Baba, et qui peut parfois se réduire à une chambre d'hôtel ou de bordel, à une cellule de moine, ou aux murs de planches d'un clapier, est toujours le royaume du peintre. Son domaine. Son chez-soi. Bien plus que sa maison ou son appartement, l'atelier ressemble à son occupant. Il reflète ses mœurs, son style et ses couleurs.

Celui d'Edouard Manet a souvent changé d'adresse. Sans pour autant paraître différent. Comme si, d'une rue à l'autre, Manet transportait avec lui son propre décor. C'est une pièce plutôt délabrée ; mais spacieuse et baignée de lumière, sobrement meublée d'un lit de repos, de quelques chaises, d'un banc de jardin. Les accessoires du peintre — chevalets, toiles, couleurs, pinceaux, chiffons — ainsi qu'au mur les innombrables tableaux étonnent moins que les bouquets de fleurs disposés aux quatre coins de la pièce, dans des vases, des verres ou des seaux. Pivoines, roses, lilas, chardons : l'atelier de Manet embaume en toute saison et regorge de couleurs. C'est un univers gai et sensuel.

De son tout premier atelier, rue Lavoisier, qu'il partageait avec Albert de Balleroy, peintre de tableaux de chasse, il garde le plus mauvais souvenir. Un jeune garçon, d'une famille très pauvre, qu'il employait pour laver les brosses et racler les palettes, et qui lui a servi de modèle pour *L'Enfant aux cerises* (aujourd'hui à la Fondation Gulbenkian) — cet enfant blond avec un sourire coquin, gourmand, de petits doigts courts et potelés, qui porte une blouse grise de travail et une toque rouge, un vrai gamin, un enfant de la rue —, s'est pendu à une poutre du local. Manet l'avait réprimandé la veille pour une histoire stupide de palette mal nettoyée et menacé de le renvoyer chez ses parents. Le garçon s'appelait Alexandre ; il avait quinze ans. Edouard Manet fuira vite cette atmosphère lourde où le suicide d'Alexandre et les trophées de chasse de Balleroy lui semblent être de trop mauvais augures.

Le voici désormais, dès les années soixante et pour toute la vie, installé aux Batignolles. Manet aime le confort, ses aises. Il aime déambuler sur les grands boulevards. Il aime aussi aller à pied de son appartement à l'atelier, où il reste jusqu'au soir. Il a d'abord vécu chez ses parents, avenue de Clichy ; après son mariage il habitera 34 boulevard des Batignolles, lequel boulevard débouche sur la place de Clichy ; puis après la mort de son père, avec sa femme et sa mère, 45 rue de Saint-Pétersbourg, à deux pas de la précédente adresse ; ses habitudes ne changeront pas plus que ses itinéraires. De la maison à l'atelier, avec une extension vers les brasseries qu'il fréquente, il a dessiné son cercle. Il s'y tiendra, évoluant à l'intérieur, fidèle à ses repères qui sans doute lui sont nécessaires pour peindre, pour être heureux. Jusqu'à la guerre de 1870, il travaille au 81 de la rue Guyot — l'actuelle rue Médéric — et y reçoit ses amis à partir de cinq heures. D'autres artistes habitent le coin et connaissent ses rites. Ils savent que la porte leur est toujours ouverte avant dîner, et viennent partager avec lui les bocks qu'il fait monter de la brasserie la plus proche. Des filles pimpantes et bien en chair croisent les visiteurs du jour, Nadar, Baudelaire, Claude Monet ou Fantin-Latour. Leurs parfums se mêlent à celui des fleurs et du tabac brun, leur babil aux plaisanteries, aux poèmes qu'on récite, aux discours et aux disputes à propos de l'art. La soirée se prolonge au café Guerbois, qui est à deux pas, sur l'avenue de Clichy, alors nommée Grand-Rue des Batignolles. Le vendredi, tout le monde est là... Manet y fait la connaissance, entre autres amis écrivains ou artistes, d'Edgar de Gas (Degas).

Un tableau de Fantin-Latour, datant de 1870, *Un atelier aux Batignolles* (musée d'Orsay), représente ce royaume de Manet, consacré à la fois à la peinture et à l'amitié : Manet, en pantalons clairs, assis devant un grand chevalet, une palette dans la main, est en train de peindre le portrait de son ami Zacharie Astruc, assis à sa gauche — lequel, à la fois poète et peintre, sculpteur et critique d'art, loge aussi dans le quartier, rue Darcet — parmi un groupe d'amis. Debout derrière lui se tiennent Auguste Renoir, Emile Zola, Claude Monet ainsi qu'Edmond Maître, Frédéric Bazille et Otto Scholderer, des peintres, des écrivains, des journalistes. Fantin-Latour, qui a son atelier rue des Beaux-Arts et y héberge Otto Scholderer, et Edmond Maître, qui réside rue de Seine, ont seuls traversé la Seine, pour passer un bon moment chez Manet. Tous les autres habitent le coin. Cette fois-là, Fantin a choisi de fixer sur la toile les visages et l'allure de ces hommes qui forment non pas une école, mais un aréopage. Curieusement, l'artiste a concentré la lumière sur la seule figure de Manet.

Rue Guyot, Manet peint ses premiers chefs-d'œuvre : *Le Buveur d'absinthe, Le Déjeuner sur l'herbe, Le Fifre, Olympia,* et le premier portrait de Berthe Morisot — *Le Balcon.* Il peint aussi ses premières scènes tauromachiques, dont *Le Torero mort,* qui lui valent, entre autres railleries, celles du *Journal amusant,* qui le baptise « Don Manet y Zurbarán de las Batignollas » — le surnom lui restera quelque temps, faisant référence à son quartier de prédilection. Le quartier donnera son nom à son style et à celui de ses amis qui fréquentent à la fois son atelier et le café Guerbois — Las Batignollas, oui, Manet des Batignolles. Et Manet du Guerbois. C'est là qu'est né, presque sans le savoir, l'impressionnisme.

Après la guerre de 1870, lorsque l'immeuble de la rue Guyot et le café Guerbois auront été en partie détruits — les violents combats du pont Cardinet et de la rue des Dames ont saccagé les Batignolles —, Manet, qui avait mis ses tableaux à l'abri, s'installe un peu plus au sud dans le cercle, au 4 de la rue de Saint-Pétersbourg, à l'angle de la rue Mosnier (l'actuelle rue de Berne), dans une ancienne salle d'armes. Il y transporte ses habitudes, sous le plafond de vieux chêne noirci. Même lumière douce qui pénètre par les verrières de ce rez-de-chaussée, ouvert sur la place de l'Europe. Le chemin de fer passe tout près, et à chacun de ses passages le sol de l'atelier tressaille. La tribune, d'où l'on jugeait autrefois les combats d'escrime, dessert un petit salon et l'on doit s'y frayer un chemin parmi les pots de couleurs. Le soir, les mêmes peintres et les mêmes poètes se retrouvent à La Nouvelle-Athènes, un café de la place Pigalle qui jouxte au numéro 9 le cabaret du Rat Mort.

La rue de Saint-Pétersbourg, qui s'achève place de Clichy, commence place de l'Europe, étoile dont elle est avec les rues de Madrid, de Vienne, de Londres, de Liège et de Constantinople, l'une des six branches. Tracé à l'emplacement des jardins Tivoli, le quartier de l'Europe a sa personnalité. Proche de la gare Saint-Lazare, qui permet aux peintres de rejoindre la campagne, Argenteuil, Honfleur ou Pontoise, où ils peignent volontiers aux beaux jours, en plein air, c'est un curieux mélange de gros immeubles et de maisons à jardinets, que la petite bourgeoisie affectionne et qui garde, comme les Batignolles, un air « prolo » dans une atmosphère cossue. Habitent là des retraités et des petits-bourgeois, des commerçants, et quelques femmes entretenues dans de luxueux hôtels. Tout en offrant l'avantage d'être au cœur de Paris, les loyers y sont moins chers que sur la rive gauche ou dans l'autre moitié du XVIIe arrondissement, plus aristocratique, plus snob, le XVIIe de Marcel Proust, Courcelles et les Ternes. Pour Manet, mais aussi pour Bazille, pour Jongkind, pour Monet, pour Sisley, pour Renoir, pour Whistler, pour Puvis de Chavannes, qui y auront, à un moment ou à un autre de leur vie, un atelier, pour Zola qui n'habite pas loin (rue Moncey), pour Mallarmé, qui logera successivement et fort modestement 89 boulevard des Batignolles, 29 rue de Moscou, puis 89 rue de Rome, les Batignolles sont une aubaine. S'y rassemblent à la fin du siècle dernier de très nombreux artistes. Elles seront bientôt une bannière et un lieu de rallie-

ment. Avant de se regrouper sous le terme
d'*impressionnisme*, les Impressionnistes auront
pour la plupart été « de l'école des Batignolles »
— c'est-à-dire du groupe des amis de Manet. Du
groupe du Guerbois et de La Nouvelle-Athènes. Or,
Manet se souciait peu de devenir un chef d'école :
très libéral, il ne souhaitait pas peser le moins du
monde sur les conceptions d'autrui.

Quoique personnalité d'exception dans l'impressionnisme, il refuse longtemps d'en être et préfère
continuer d'exposer dans les salons officiels ;
quand ces derniers lui ferment leurs portes, il fait
cavalier seul plutôt que de s'enrégimenter dans le
club. Il tentera à plusieurs reprises de dissuader
Berthe Morisot d'y adhérer. « Ces petites chapelles
m'ennuient tellement ! » lui dira-t-il.

Pour avoir une vision de l'atmosphère chaleureuse et sincère qui entoure Manet, il n'est que de
regarder le tableau de Frédéric Bazille, exposé au
musée d'Orsay, qui représente *Un atelier*. La scène
se déroule 9 rue de La Condamine, à deux pas de
chez Manet, donc toujours aux Batignolles, mais
cette fois c'est Manet qui est en visite et Bazille qui
reçoit. A l'époque, Bazille partageait son atelier
avec Renoir. Il l'avait précédemment partagé avec
Monet, lequel a provisoirement rallié celui de Fantin-Latour, rive gauche. Voici donc, à nouveau
réunis, Renoir, Zola, Monet, Bazille et Edmond
Maître, donc toujours les mêmes, entourant Manet,
sa barbe blonde et son œil joyeux, qui concentre
une nouvelle fois la lumière. Edmond Maître est au
piano ; Zola, penché sur la rampe d'escalier,
s'adresse à Renoir, nonchalamment assis sur le
rebord d'une table ; Manet et Monet regardent la
toile que Bazille leur montre. Bazille est aussi
grand que le chevalet. Et si Bazille est en effet
l'auteur du tableau, Manet l'a peint lui-même, tel

un géant près de son chevalet : « Je me suis amusé à peindre mon atelier et Manet m'y a fait moi-même », écrit Bazille à ses parents. Pour tous ces peintres, l'amitié, l'amour sont peut-être le sel de la vie, mais l'atelier en est le cœur. Décor souvent des plus dépouillés, qui serait nu sans les tableaux, il leur est un havre. Il abrite leur travail. Il concentre et stimule leurs recherches. Il leur permet ces réunions d'hommes, si agréables et propices à leur bonne humeur. Il leur donne une liberté totale : hors du foyer, une liberté de mœurs et d'imagination, une liberté de fréquenter qui bon leur semble. Les amis — sans parler des amies — ne sont pas tous reçus à la maison.

Rue de Saint-Pétersbourg, Manet aura peint *Le Repos,* cette Berthe Morisot étendue et détendue, en robe blanche, ainsi que tous les autres portraits de sa sombre muse. Après avoir défrayé la chronique avec une exposition de ses chefs-d'œuvre, comme — par exemple — *Le Linge,* et s'être fait chasser de son cher atelier par son propriétaire, il peint deux toiles fameuses, en regardant par la fenêtre — *La Rue Mosnier pavoisée* et *Les Paveurs rue Mosnier.* Puis il transporte son matériel et ses pénates dans l'atelier que lui prête un ami suédois, Otto Rosen. Un jardin d'hiver, qu'on utilise comme une serre, jouxte le local proprement dit et inspire à Manet plusieurs toiles. L'endroit, des plus étonnants — un atelier dans l'atelier —, offre de nouveaux jeux de lumières. Ce n'est qu'en 1879 que le peintre s'installe au 77 rue d'Amsterdam, où vécut en son temps Alexandre Dumas. Ce sera son tout dernier refuge. Situé dans une rue commerçante et animée, il a pour seul avantage d'être tout près de son appartement, désormais 49 rue de Saint-Pétersbourg, et de lui éviter de trop longues marches — il souffre de plus en plus souvent de douleurs dans les jambes, signes précurseurs de son ataxie. Ce qui ne l'empêche nullement de continuer jusqu'à la fin à mener la vie qu'il aime. Datent de l'époque de la rue d'Amsterdam, *Chez le père Lathuille*, *La Serveuse de bocks*, *Un bar aux Folies-Bergère* : pas plus qu'aux belles filles, il ne renonce aux chaudes atmosphères des cafés, des brasseries, ou des cabarets. Il mourra dans son appartement de la rue de Saint-Pétersbourg, fidèle jusqu'à la fin à son quartier de l'Europe. Comme à son style de vie.

Au milieu de ces hommes qui, riches ou pauvres, bourgeois ou bohèmes, possèdent, occupent ou au moins partagent un atelier, Berthe Morisot, qui les connaît tous, qui les fréquente, qui expose ses toiles avec les leurs, est la seule à ne pas en avoir. Elle peint dans son salon.

C'est un décor très clair, où dominent le blanc et le bleu, avec de grandes fenêtres, des plafonds à moulures, une cheminée et des meubles Empire — un décor bourgeois, conventionnel, comme chez Degas d'ailleurs. C'est le salon de ses parents, à chacune de leurs adresses. Ce sera le sien, plus tard. Elle n'y possède, tout à elle, qu'un placard. Dans ce placard, elle range son chevalet, ses toiles et ses couleurs. Elle peint le matin, puis après déjeuner. Mais le salon ne lui appartient pas : lorsque sa mère reçoit une amie pour le thé, elle s'interrompt, range son matériel, et vient faire sa révérence de jeune fille bien élevée. Quand elle consentira à se marier, ce seront ses amies et sa famille, les amis de son mari ou de sa fille qui interromptront son travail. Elle manque cruellement de ce que Virginia Woolf appellera « une chambre à soi ». Un lieu à soi, si petit, si modeste fût-il, pour protéger ses rêves. Protéger son travail. Et lui permettre de soutenir l'effort de la création.

Berthe Morisot s'efface. Berthe range et classe. Berthe cache. Berthe ouvre et ferme sans cesse, jour après jour, le placard. Mais elle ne perd jamais le fil. Et jamais ne se lasse. Sans rébellion, conforme au monde qui est le sien, elle poursuit une inexorable tâche, et jamais — quels que soient les obstacles — elle ne renoncera.

Lorsqu'elle habite chez elle, dans ses meubles, elle est encore chez son mari. La tradition du placard demeure. Mais le salon se transforme : il devient le salon-atelier. Les toiles de ses amis, de plus en plus nombreuses, ornent les murs. Elle n'expose que peu des siennes, chez elle. Le chevalet reste plus souvent dressé, hors du placard. Et les commodes Empire se chargent de carnets, de palettes ou de boîtes de crayons de couleur. Pourtant la tradition, si tôt acquise, impose toujours son ordre, son harmonie, son élégance. Un paravent vient relayer le placard. Berthe le déploie pour cacher son travail en cours, ou dissimuler son bric-à-brac, puis continue à servir le thé, les petits-fours, dans ce qui ressemble si peu à un décor bohème.

Elle ne se préoccupe pas de se donner le genre artiste. Son quartier, c'est Passy. Rue des Moulins, l'actuelle rue Scheffer, à l'angle de la rue Vineuse, puis rue Franklin, logée chez ses parents jusqu'à son mariage, elle vit très loin des grands boulevards et de la place de Clichy, très loin du chahut, des brasseries et des mondanités des Batignolles, sur la colline ombragée et verdoyante du Trocadéro. Passy est alors un village, poussé en plein décor champêtre, avec des villas blanches aux toits de tuiles, clairsemées parmi un curieux mélange de parcs aux arbres centenaires, de jar-

Drôle de bourgeoisie

Elle est issue d'une famille en apparence des plus conventionnelles. Son père est un ancien préfet. Si Berthe est née à Bourges — le 14 janvier 1841 —, c'est parce que Edme Tiburce Morisot, nommé préfet du Cher, après deux postes de sous-préfet à Yssingeaux et à Valenciennes, venait tout juste d'y être promu. Berthe a fait ses premiers pas en province : à Limoges, à Caen, puis à Rennes. Elle a d'ailleurs moins connu, enfant, les ciels de la Haute-Vienne, du Calvados ou de l'Ille-et-Vilaine, que les appartements solennels des préfectures, où résonnent les pas de messieurs importants, en uniformes ou jaquettes de cérémonie. A Limoges, elle aurait pu croiser Auguste Renoir, né la même année qu'elle et dont le logement modeste — son père était tailleur — se trouvait à deux rues de la préfecture. Il deviendra plus tard l'un de ses plus fidèles amis. A Caen puis à Rennes, les ennuis de Monsieur le préfet commencent : monarchiste, de tendance orléaniste, ce grand serviteur de l'Etat se voit révoqué par la République en 1848. Rétabli dans ses fonctions après quelques interventions haut placées, il en est à nouveau démis, cette fois par l'Empire, après le coup d'Etat du 2 décembre 1851, lequel met fin à ses ambitions dans la Préfectorale. Il doit à sa belle-famille, qui a le bras long dans l'Administration, d'avoir été nommé dès l'année suivante, à l'âge de quarante-neuf ans, conseiller référendaire de deuxième classe à la Cour des comptes. Il suivra le cursus normal : conseiller référendaire de première classe en 1858, puis conseiller maître en 1864, il continuera d'assurer à sa femme et à ses quatre enfants une vie confortable. Sans grand éclat, peut-être. Mais honorable et bourgeoise. Où l'on peut tenir son rang, sans se compromettre dans les affaires ni dans quelque autre activité trop lucrative. Une espèce de dignité en col blanc enveloppe cette famille de hauts fonctionnaires.

Fils d'ébéniste — l'un des rares préfets de l'époque à ne pas sortir d'une famille de la haute bourgeoisie —, Edme Tiburce Morisot a la belle allure de sa fonction. Un portrait de Georges Ardant du Masjambost, datant de 1848, le représente dans l'uniforme du préfet, l'épée au côté, la Légion d'honneur épinglée au-dessus du cœur. Il se tient droit, torse bombé, comme au garde-à-vous, fixant à l'horizon une hiérarchie impavide. Avec ses rouflaquettes blondes, très louis-philippardes, et sa silhouette élancée, il se tient tel un valeureux et méritant haut fonctionnaire, sanglé dans l'apparat, et conscient de porter sur ses minces épaules de lourdes responsabilités. On remarque ses mains : ce seront les belles et longues mains de sa plus jeune fille.

Très sérieux, et même grave, c'est ce qu'on appelle un homme de devoir. Honnête, irréprochable. Dévoué à la France et à sa famille. Dès le premier regard, on n'en peut douter : cet homme-là, si bienveillant soit-il, exerce une autorité. D'une grande susceptibilité — l'un de ses ministres de tutelle l'invite à en moins montrer —, il est cassant par le style et d'un caractère aigri.

Il souffre d'un complexe social. La famille de sa femme — Marie-Cornélie Thomas — est beaucoup plus huppée que la sienne et plus solidement assise. Elle compte un général. Et assume, avec une lignée de trésoriers-payeurs généraux, une longue tradition dans la fonction publique. Le grand-père maternel de Berthe, Joseph Thomas — le père de sa mère —, est inspecteur général des Finances, et exerce les fonctions de directeur du personnel de ce prestigieux ministère. Dans le milieu conservateur des Thomas, des Morisot, on croit au rang et à la carrière et on respecte les hiérarchies. La Loi, l'Ordre ne sont pas de vains mots. On les révère, on les craint. On croit aussi aux vertus du travail, à une juste ambition. Une ambition honnête bien sûr, une ambition qui se fonde sur le mérite. L'argent n'est ni le but de la vie ni le mètre étalon du jugement. Ce qui importe, c'est la famille, son honnêteté, sa respectabilité, son éducation et ses bonnes mœurs. Moins le nom ou l'honneur — notions aristocratiques — que le sens du devoir et de la respectabilité. Ce sont des valeurs strictes qui président à l'éducation de Berthe et de ses sœurs ; des valeurs bourgeoises, plutôt désuètes aujourd'hui, mais qui ont régné longtemps dans les familles françaises. Le dialogue, la concertation, la contestation ne sont pas du monde de Berthe.

Dans cette famille, étrangère en apparence aux fièvres et aux démons de la création artistique, il est d'étonnants symptômes de fantaisie.

D'abord, le père. Monsieur le préfet, le conseiller maître, a fait faillite, dans sa jeunesse. Avant d'épouser Marie-Cornélie, il a même rêvé d'être architecte. Diplôme d'ingénieur en poche, il a fondé une revue d'architecture avec quelques amis potaches, qui sont partis avec la caisse, le laissant

seul responsable, criblé de dettes à l'âge où d'ordinaire on se range. A vingt-huit ans, il a dû fuir le
déshonneur, et il a passé plusieurs mois en Grèce
— séjour dont on ne parle guère chez lui et dont
les traces ont disparu avec les secrets de famille.
Edme Tiburce n'a postulé, sur le tard, à la fonction publique que pour plaire à sa belle-famille et
épouser la douce et brune Marie-Cornélie, une
enfant de seize ans, à peine ! Un coup de foudre,
la passion. S'il est un mari heureux, le préfet Morisot est un artiste frustré. Dans son sang coulent les
gènes de ses ancêtres artisans. Il a le goût du travail bien fait, des beaux meubles, des beaux objets
et des dessins. Il aime les commodes, les sièges,
les guéridons que son père, l'ébéniste, a sculptés.
Et la nuit, au lieu de ressasser les mornes dossiers
de la Cour des comptes, il est probable qu'il rêve
des chefs-d'œuvre qu'il n'a pas construits.

C'est lui, ce père aux yeux rêveurs, qui incitera
ses filles à prendre des cours de dessin. Edme
Tiburce est amateur d'art. A la maison, très tôt,
l'art occupe une grande place.

Il n'est d'ailleurs pas le seul préfet à avoir engen-
dré un peintre. Le père de Delacroix l'était — et
même un grand préfet. Quant au père de Manet,
il occupe au ministère de la Justice le même poste
que le grand-père de Berthe aux Finances. La
fonction publique réserve de ces surprises à ses
meilleurs serviteurs.

Du côté paternel s'ouvre une autre fenêtre,
inattendue, insolite, sur le rêve et sur l'art. La mère
d'Edme Tiburce Morisot — Elisabeth Duchêne —,
l'épouse de l'ébéniste, descend en effet du peintre
Fragonard, dont elle serait par la famille Isnard, de
Grasse, une sorte de petite-nièce. La filiation est un

peu compliquée. Il en demeure cet éclairage particulier : sur le nom des Morisot rejaillit la lumière du grand Fragonard. Elisabeth Duchêne, la grand-mère paternelle de Berthe, a posé pour son portrait par Alexandre-Evariste Fragonard (1780-1850), fils et élève de Jean-Honoré. Mais c'est bien sûr à ce dernier que commence la légende de Berthe — ou plutôt son histoire d'avant sa naissance.

La peinture la plus délicieuse, la plus légère, la plus coquine, du siècle le plus exquis, le plus léger, le plus coquin, surgit ainsi comme par effraction, dans un monde solide et un peu trop bourgeois. Voici les scènes galantes, les jupons soulevés, les rires et les soupirs, les Grâces et les Amours, les baisers à la dérobée, les boudoirs, l'escarpolette. Un soulier rose s'envole vers les buissons où se cache un amant... On dit que les familles ont leurs secrets et que ces secrets, même soigneusement gardés, pèsent sur leur descendance. Berthe aura peut-être hérité de ce vieil oncle génial, que l'histoire de l'art présente toujours comme un personnage lascif et frivole, non seulement par son goût, sa passion de peindre, mais par son penchant irrépressible, irraisonné, pour les souliers (et les bas) roses.

Le voici, le grand ancêtre des Impressionnistes. Jean-Honoré Fragonard était déjà, bien avant eux, un maître de la lumière, dont il n'a jamais cessé d'étudier, en virtuose, tous les éclats, tous les reflets. De Fragonard à son arrière-petite-nièce, à un siècle d'écart, une même fascination, une même obsession : pour les sujets réputés légers, et pour la lumière.

La belle-sœur de Fragonard, la plus jeune sœur de sa femme, habitait chez lui, à Grasse — Jean-Honoré avait épousé la fille d'un parfumeur. Cette belle-sœur se nommait Marguerite Gérard.

Peintre elle aussi, elle fut l'élève de Fragonard qui lui a donné ses premières leçons de dessin, et peut-être d'amour. Brune, avec de beaux yeux noirs et fiévreux comme ceux de Berthe, elle fut non seulement douée et précoce, cette artiste oubliée, mais connut le succès en son temps : il paraît même que sous l'Empire, elle vendit plus de tableaux que son beau-frère, maître et amant. Selon Charles Oulmont, qui lui consacra quelques pages dans son livre sur les femmes peintres du XVIIIe siècle, en 1828, Vivant-Denon lui remit une médaille d'or de la part de Napoléon !

A seize ans, elle peint l'eau-forte d'un chat emmailloté, puis son neveu, Fanfan, jouant avec un Polichinelle. Avec sa *Jeune fille effeuillant une marguerite,* son *Jeune homme déclarant son amour à une dame dans son salon* ou son *Heureuse Famille,* elle est l'aïeule émancipée et coquine, dont on est à la fois fier et honteux dans la famille. On cite avec admiration les portraits qu'elle a laissés de sa sœur — Mme Fragonard —, de Mme Tallien et de Mme Récamier, avec un peu de gêne celui du peintre des Baisers dérobés, auquel elle adressait des billets sensuels et enflammés. Cette audacieuse fait aussi partie de la famille : si ce n'est pas d'elle en droite ligne que Berthe Morisot descend, il est sûr qu'elle figure dans sa généalogie imaginaire.

Trois sœurs sur la ligne de départ

Elles sont trois sœurs. L'aînée, Yves, porte un nom d'homme. Elle a vu le jour trois ans après le mariage de ses parents, le 5 octobre 1838, à Valenciennes. La seconde, née le 13 décembre 1839, également à Valenciennes, se prénomme Edma — le féminin d'Edme. Yves et Edma ont des cheveux châtain clair et des teints de blonde — la carnation de leur père. Tandis que Berthe, qui vient au monde le 14 janvier 1841, naît comme un petit cygne noir : très brune, comme sa mère.

Si les trois sœurs ont en commun une même forme carrée du visage, un menton fort, une silhouette élancée et un buste menu, qui leur donnent un air de famille, leur ressemblance s'arrête là. Chacune a son style. Yves, malgré son nom d'homme, la plus lente et la plus docile, a moins de tempérament que les deux autres. Son regard, sans trouble ni profondeur, ne s'émeut pas souvent et sa bouche, en accent circonflexe, montre du dépit ou bien de la tristesse — est-ce d'être toujours tenue à l'écart par ses sœurs ou de porter sur ses frêles épaules la charge de l'aînée ? C'est une fille concrète et raisonnable. Elle a de l'allure, une certaine élégance, un calme de douairière. Un jour, Degas fera son portrait.

Edma, avec ses petites mèches comme un duvet

sur le front, a le regard rêveur du père ; cette douceur qu'il veut garder secrète, ce vague à l'âme
d'artiste contrarié habitent Edma tout entière.
Avec sa peau claire et ses yeux pers, ses mines lan-
goureuses, son collier de velours noir, elle évoque
une héroïne romantique. Elle a moins de classe
qu'Yves mais infiniment plus de charme. Elle est
la grâce même. Sa seule présence détend l'atmosphère, car elle apporte avec elle un parfum de
boudoir et de nursery, sa fraîcheur perverse de
femme-enfant. Elle sera le modèle préféré de
Berthe Morisot qui, dans sa peinture, ignorant
superbement l'aînée, n'a qu'une sœur : Edma.

Petite dernière, que sa mère nomme son
« Bijou », sa « Bichette », Berthe a la jolie silhouette de ses sœurs. Elle est de loin la plus mince
des trois — elle se nourrit à peine. La moindre
contrariété lui coupe l'appétit ; elle souffre d'une
anorexie légère, quoique persistante et chronique.
Sa beauté n'est ni celle, classique, d'Yves, ni celle,
romantique, d'Edma. Elle tient à son regard de
braise, à l'intensité de sa présence, et à ce port de
tête inégalable, à ce long cou qui la fait comparer
à un cygne et lui donne un air de fierté. Aussi vive
et nerveuse qu'Yves peut être lente et Edma pacifique, Berthe affirme son caractère. Elle est des
trois la moins facile à vivre. Mais aussi la plus
volontaire.

Quoiqu'un an à peine sépare Yves d'Edma,
comme un an sépare Edma de Berthe, l'alliance
s'est très tôt dessinée entre les deux plus jeunes.
Dans le groupe, il y a une aînée, et deux insépara-
rables. Si complices, si soudées l'une à l'autre
qu'Yves se sent souvent exclue. Edma ne fait
rien sans Berthe, ni Berthe sans Edma. Elles
s'entendent sur tout, partagent les mêmes goûts,
et aiment à vivre ensemble : pas une ombre ne sur-

girait entre elles. Yves n'entre pas dans leur complicité. Edma est la plus proche de sa mère, la plus calme, d'humeur la plus égale. Berthe, née ténébreuse, pique des colères, répond du tac au tac. Souvent insolente, acide ou carrément butée, elle se heurte à l'autorité du père, quand Edma sait mieux la contourner. Edme Tiburce a le don d'exaspérer Berthe qui, dans ces moments-là, se renfrogne, s'enferme dans un mutisme hostile et se venge à table en refusant de manger. Quelle que soit la cause de la dispute, Berthe est sûre d'avoir une alliée : Edma se range toujours de son côté, sans hésiter, dans la bataille engagée.

Trois sœurs et leur mère : chez les Morisot, les femmes sont la majorité. D'autant que vit longtemps avec eux la grand-mère — Mme Thomas née Mayniel —, et que s'ajoute encore au groupe la servante de la maison. Le cocon est très féminin : parfums, chuchotements, courses en jupons, toilettes qu'on essaie ou qu'on s'échange, fous rires ou crises de nerfs, sonates à quatre mains. On en oublierait presque les deux hommes — le père et le fils —, si le premier n'était l'objet des soins constants de la maîtresse de maison et si le second, prénommé Tiburce lui aussi, tellement plus jeune que ses sœurs — il est né en 1848 —, n'était aussi agaçant. Au fond, les hommes gênent plutôt. Ce sont des visiteurs encombrants, dont on supporte les manies ou les commandements. Mais ils n'ont jamais coloré l'atmosphère. Les filles se préfèrent entre elles, avec Maman.

A leur naissance, Mme Morisot est presque adolescente. Ses filles la vouvoient, comme dans les bonnes familles, tandis qu'elle les tutoie. Elle a pour elles trois, et en particulier pour ses cadettes, la complicité sévère d'une grande sœur. Si elle les élève avec beaucoup de soins, c'est pour qu'elles

soient heureuses et qu'elles s'épanouissent. Le mot
est d'elle, tellement rare dans sa génération, tellement incongru dans un XIXᵉ siècle plutôt allergique dans l'ensemble à l'épanouissement féminin
et plus préoccupé d'inculquer aux filles un esprit
de sacrifice ou de dévouement. Mme Morisot veut
absolument que ses « chères petites » aient une
personnalité et qu'elles l'affichent.

Marie-Cornélie — née Thomas — est un petit
bout de femme énergique et optimiste, sûre d'elle,
du genre à donner son avis sur tout. Ses cheveux
noirs en bandeaux encadrent un visage à l'ovale
parfait. Coquette, très soucieuse de son apparence, elle a le goût de la toilette et celui des mondanités. Elle a peu d'instruction, mais du bon sens
et l'esprit fin. Elle aime sortir, elle aime recevoir :
elle ouvre sa maison tous les mardis à ses amis, à
ceux de ses enfants, mais on peut y venir chaque
jour à l'heure du thé. L'hospitalité est une règle de
vie, chez les Morisot. Mariée à seize ans, Marie-
Cornélie a fait un mariage d'amour et en tire sans
doute ce rayonnement, cette plénitude, que sa plus
jeune fille ignorera toujours. On dit, dans la
famille, que Berthe tient son caractère difficile de
sa grand-mère maternelle. Les grosses colères de
Mme Thomas, dans lesquelles elle jurait comme
un homme, ont eu beau étonner sa petite-fille, elle
a hérité de sa violence et de son feu. Peu commode
et ombrageuse, et quoique incapable de jurer ou
de proférer des insultes, elle aura elle aussi de ces
crises de fureur. Sa violence, elle ne l'exprime pas
à l'encontre des autres, mais contre elle-même.
C'est à elle qu'elle s'en prend de ses contrariétés,
ou des injustices de la vie. Dans quelques années,
elle détruira ses toiles, à coups de couteau. Il ne
reste rien de son travail de jeunesse. Raffinée, maîtrisée, ayant horreur des épanchements et de la

vulgarité, Berthe n'en brûle pas moins d'une sauvage impétuosité. La colère l'envahit souvent, et peut la dévaster ; ou bien le désespoir l'abat. Berthe est sujette aux sentiments extrêmes. Aussi sa mère fait-elle, près d'elle, figure de bon ange. Calme et solide, enjouée, rieuse, elle est celle qui encourage et rassure, qui chasse les démons. Elle a le sens de l'humour. Et il lui en faut beaucoup, pour apprivoiser le caractère passionné et secret de Berthe.

Les trois sœurs ont reçu une éducation de filles, à la maison. Elles n'ont pas connu le pensionnat. A Caen, une institutrice, Mlle Félicie, venait à la préfecture leur enseigner l'orthographe, l'histoire, l'arithmétique, un peu de géographie. A Paris, elles ont fréquenté le Sacré-Cœur, rue de Varenne, puis le cours de Mlle Désir, rue de Verneuil. Mais l'essentiel de leur éducation, comme il était alors d'usage dans leur milieu, consiste dans ce qu'on appelle les arts d'agrément — ces arts qui rendent la jeune fille agréable aux yeux des futurs prétendants : la musique, le chant, la broderie, les bonnes manières, l'art des bouquets de fleurs et, accessoirement, le dessin — activité plus marginale, conçue pour désennuyer les demoiselles, dans leurs longs moments d'oisiveté et considérée bien sûr comme un loisir, une fantaisie salutaire, propice à la détente et à la bonne humeur.

Ce qui importe surtout, pour une jeune bourgeoise, c'est de savoir jouer du piano. Mme Morisot, qui a jadis rêvé d'être musicienne mais qui connaît à peine ses gammes, a mis ses trois filles très tôt devant l'instrument, pièce maîtresse de la décoration du salon. Elle leur a fait donner des leçons. Yves se débrouille. Edma déteste. Berthe rayonne : elle semble avoir des prédispositions. Le compositeur Rossini, ami des parents Morisot, l'écoute volontiers jouer pour lui, le soir, et l'encourage. Du coup, Marie-Cornélie envoie Yves et Berthe se perfectionner chez un grand professeur, Stamaty fils. C'est là que Berthe, de la manière la plus inattendue, éprouve sa première émotion d'artiste. La vision d'un dessin d'Ingres au mur, représentant *La Famille Stamaty*, la fascine plus que les notes ou les portées. Elle ne peut en détacher les yeux. Le dessin d'Ingres l'absorbe au point de la rendre imperméable à Chopin, mais elle n'en souffle mot à sa mère.

« Puisque tu as de bonnes dispositions pour le piano, étudie avec soin et persévérance, tu verras comme plus tard tu seras contente de pouvoir faire plaisir aux autres et te donner à toi-même de bons moments, écrit Marie-Cornélie à son Bijou. J'ai dit plusieurs fois que j'aurais consenti à avoir une infirmité quelconque et pouvoir me donner un talent en musique. » Maman est elle aussi une artiste frustrée. Tout au regret de n'avoir pas été capable de se distinguer comme interprète, elle a transféré son désir sur ses filles. Elle se voit, elle s'entend à travers elles, jouant du piano à merveille devant un public d'amis et de parents éblouis... Au fond, c'est une double vocation manquée qui préside à l'éducation des trois sœurs : celle du père, le non-architecte, et celle de la mère, la musicienne inachevée, pèsent sur leurs trois destinées. Yves esquivera le problème, en se montrant surtout douée pour la couture, et en se mariant jeune. Edma mettra fin précocement, sous le prétexte d'un mariage, à sa carrière de peintre. Et c'est Berthe qui finalement osera faire ce que personne avant elle n'a osé dans la famille : aller jusqu'au bout d'un rêve. Et être ce que nul autre n'a été, depuis les Fragonard : artiste peintre.

Dans l'esprit de Maman, l'apprentissage du dessin n'a pas d'autre but que de parfaire une éducation soignée. Ses filles pourraient un jour, pense-t-elle, crayonner des croquis dans un cahier ou faire des aquarelles. Lorsque Mme Morisot s'entiche de ce nouveau projet, Yves a dix-neuf ans, Edma dix-huit et Berthe seize et demi. Les voici en marche vers le cœur de Paris pour rejoindre, rue de Lille, l'appartement du premier professeur que leur mère a choisi. Il s'appelle Geoffroy-Alphonse Chocarne, et enseigne, rideaux tirés, dans un appartement sinistre, d'après des sujets à l'antique. C'est un miracle si, entre deux poses d'un modèle drapé dans un faux péplum et assis sur un parterre de marguerites en papier, il ne les a pas dégoûtées à vie de la peinture ! Monsieur le préfet, qui renoue avec ses ambitions de jeune homme, les conduit lui-même chez ce vieux bonhomme dont l'appartement sent l'huile rance. La famille croit au bénéfice des efforts suivis. A raison de quatre heures d'enseignement trois fois par semaine, ce n'est pas un vernis qu'on veut donner aux filles mais une solide formation. Pour regagner Passy, il faut marcher jusqu'à la place de la Concorde, et attendre l'omnibus à chevaux qui dessert Saint-Cloud. Au bas du Trocadéro, où les dépose l'omnibus, il reste encore à gravir la colline plantée en quinconce, jusqu'à la rue des Moulins. Une expédition harassante pour un triste et morne apprentissage : au bout de quelques mois, Yves résiste encore mais Edma et Berthe déclarent forfait.

A leur demande, exit Chocarne, avec ses vieux pinceaux, ses rideaux tirés, ses drapés à l'antique ! Mais Mme Morisot a plus d'un tour dans son sac :

si Yves abandonne la peinture, Berthe et Edma y montrent plus de dispositions que pour la couture ou le piano. Elle se met donc à la recherche d'un nouveau professeur. Comme Passy est un village, que tout le monde se connaît, elle le trouve à deux pas de chez elle : il est l'époux de la directrice d'un petit pensionnat de jeunes filles situé rue des Moulins et a notamment exécuté plusieurs panneaux monumentaux pour Notre-Dame-de-Grâce de Passy, paroisse des Morisot ! D'origine lyonnaise, ami d'Horace Vernet qu'il a connu à Rome, et parisien de fraîche date, il se présente comme un élève d'Ingres et de Delacroix. Autant dire un révolutionnaire, en comparaison du terne et poussiéreux Chocarne. Joseph-Benoît Guichard, de l'avis unanime des deux sœurs qui apprécient son travail et ses conseils, est « un véritable artiste ». Or, c'est cela qui les intéresse. Non pas gribouiller, avec goût et même avec talent, de petits croquis pour leur père ou les amis de leurs parents, mais voir un artiste à l'œuvre, et suivre avec passion son enseignement, avant de s'élancer ensemble sur cette voie qu'elles ont choisie, dès avant leurs vingt ans. Non pas l'art d'agrément, mais l'art : une vocation des moins conventionnelles pour deux jeunes filles aussi convenables, aussi bourgeoisement éduquées.

Guichard ne s'y est pas trompé. Il a aussitôt décelé chez ses élèves cet authentique appel, cette volonté, cette flamme, qui font la différence avec les amateurs. Il a même cru de son devoir d'en avertir la mère et, pour mieux mesurer ses mots, il lui a écrit cette lettre : « Avec des natures comme celles de vos filles, ce ne sont pas des petits talents d'agrément que mon enseignement leur procurera ; elles deviendront des peintres. Vous rendez-vous bien compte de ce que cela veut dire ? Dans le milieu de grande bourgeoisie qui est le vôtre, ce sera une révolution, je dirais presque une catastrophe. Etes-vous bien sûre de ne jamais maudire un jour l'art qui, une fois entré dans cette maison si respectablement paisible, deviendra le seul maître de la destinée de vos deux enfants ? »

On ne saurait mieux dire, ni mieux augurer de l'avenir. Mme Morisot, inquiète de la tournure que prennent les événements, aime cependant à sentir ses enfants joyeuses et enthousiastes. Pour toute réponse, elle se contentera de sourire et continuera à jouer les chaperons pendant leurs cours. Il y a chez cette mère si tranquille un indéniable goût du risque et même une sorte de défi : ses filles pourraient bien la consoler de son rêve perdu de musicienne, lui offrir sa revanche sur une vocation d'artiste sacrifiée sur l'autel du mariage et de la bourgeoisie.

Pendant les séances de travail, assise à l'écart, elle brode, elle coud. Elle écoute les leçons, se forgeant une culture toute neuve, apprenant en même temps qu'Edma et Berthe la théorie de la gamme des valeurs et le maniement des pinceaux. Elle communie avec ses filles, elle tente de partager leur passion, elle s'abreuve à la même source. Elle vit de la vie de ses filles. En 1869, Berthe la représentera sur l'une de ses toiles (National Gallery de Washington), avec sa sœur Edma. Elle la baptisera *La Lecture* mais les Américains lui ont donné aujourd'hui un autre titre, *La Mère et la Sœur de l'artiste*. Mme Morisot lit quelque page d'un livre tandis qu'Edma l'écoute. Une extraordinaire intimité se dégage de ce tableau : on en ressent, physiquement, la profonde impression de paix, et l'on devine, à l'on ne sait quoi d'à peine exprimé, à une sorte de lumière sereine, à un calme infini que le pinceau suggère, l'amour généreux, patient de cette mère, et l'harmonie, la chaude complicité qui la lient à ses enfants.

Le modèle préféré de Berthe, ce sera Edma. Parmi les nombreux portraits de famille qu'elle exécutera, Yves n'apparaîtra qu'à de rares occasions, Edme Tiburce et Tiburce fils pas une seule fois. Edma sera longtemps la vedette de sa peinture avant que Berthe ne s'attache à peindre sa propre fille, ou les enfants d'Yves et d'Edma.

Contrairement à la légende qui veut que les artistes aient un passé maudit, de solitude ou de désamour, Berthe n'aura jamais connu que l'excès d'amour. Très tôt plongée dans un univers de douceur et de complicité, elle en devine la force et aussi la rareté. Son drame, elle le porte en elle : une espèce de difficulté à vivre, confrontée à ses propres démons, dans l'exigence, dans la passion. Toute sa vie, dans des couleurs délicates et d'un pinceau léger, elle peindra ce qu'elle a toujours connu : le bonheur familial, l'amour d'une mère, l'innocence candide des jeunes filles — la fragilité d'un monde qui ressemble à un paradis perdu.

A la maison, on passe sa vie à peindre. Berthe et Edma ne cessent de déplacer leurs petits chevalets, d'ouvrir et de fermer le placard aux couleurs, aux cahiers, aux boîtes d'aquarelle. La première leçon de Guichard a porté sur le blanc — voici le premier pastel de Berthe : un paysage où paissent des moutons. Le maître veut cependant développer chez ses élèves le sens du dessin. Il leur donne à copier, à la sépia, une série de dessins de Gavarni dont il a trouvé des reproductions dans la bibliothèque de M. Morisot — lequel suit leurs progrès avec l'attention d'un connaisseur. Guichard ne néglige aucun élément pour former ses élèves ; or, il sait bien que la couleur ne suffit pas au peintre, que le dessin précède et soutient la peinture, donne sa force au tableau. Edma et Berthe passent de longues et austères semaines à copier Gavarni, dans cette teinte brunâtre tirée de la seiche, qui tient du noir, du marron, du violet, et qui est la non-couleur par excellence. Exercice d'épuration et d'exigence. Les jeunes filles s'y montrent non seulement patientes mais habiles. Conscientes de pénétrer dans les arcanes de l'art, elles s'appliquent à réussir le passage : la couleur sera la récompense de tant d'heures consacrées à une ascèse.

Guichard va, enfin, leur permettre d'aller copier les chefs-d'œuvre au Louvre. Le grand musée leur offre leur première émancipation. Berthe et Edma s'y rendent ensemble, escortées de Maman.

Le Louvre : entre le temple
et la maison de rendez-vous

L'Ecole des Beaux-Arts, bastion du sexe fort, n'accueillera les femmes qu'à partir de 1897 — deux ans après la mort de Berthe. Il faut être un homme pour obtenir le diplôme de la rue Bonaparte, et suivre l'enseignement qu'y donnent des professeurs triés sur le volet, pour la plupart membres de l'Institut, parfois même de l'Académie française, comme Cogniet, Meissonier ou Gérôme. Les « chers Maîtres », ainsi qu'on les nomme, habitent pour la plupart le beau XVIIᵉ arrondissement, boulevard Malesherbes ou rue de Prony, ils sont riches et célèbres. Mission leur est confiée de former des générations de peintres officiels, auxquels l'Etat passera commande de peintures, de fresques, de sculptures, ou de bâtiments. Les femmes ne sont pas jugées dignes de ces hautes responsabilités — même si certaines ont pu, ont su se glisser au milieu des hommes, sous la Coupole, non à l'Académie, mais au moins à l'Institut des Beaux-Arts : elles ne sont que de rares exceptions à confirmer la quasi totale exclusion de leur sexe du monde hiérarchisé des arts.

A l'Ecole, le cours d'anatomie et celui d'histoire et d'archéologie constituent les bases de l'enseignement. On étudie le dessin d'après l'antique, en reproduisant dans des poses hiératiques, solennelles, des Achilles, des Hectors ou des Iphigénies en Tauride. Les professeurs de la rue Bonaparte, imbus de culture classique, ne proposent pas d'autre source d'inspiration que les héros et les déesses de la mythologie, leurs hauts faits, leurs légendes. Le naturel comme la vie quotidienne sont bannis des beaux-arts officiels. Certains professeurs, qui fondent leur réputation sur le nombre de médailles obtenues aux Salons, ont ouvert des ateliers privés, où ils préparent la nouvelle génération à leur ressembler. Il y a beaucoup de raideur, beaucoup de tyrannie dans l'air de ce temps-là — de la part des artistes célèbres ou au moins reconnus, une volonté de passer la jeunesse au moule, de la voir peindre comme eux-mêmes, selon les mêmes règles et les mêmes schémas. Un jeune homme, qui a la vocation, s'il veut apprendre le dessin, la couleur, la perspective, doit en passer par là.

Les futurs Impressionnistes ont, pour la plupart, été élèves des Beaux-Arts. Aucun n'en possédera jamais le diplôme. Monet ou Degas ne firent qu'y entrer et en sortir. Monet — comme Degas — ne fréquenta l'atelier de Charles Gleyre (1806-1874), situé rue Notre-Dame-des-Champs, que quelques semaines à peine. Il détestait le travail qui y était proposé et, bien que Gleyre offrît un enseignement plutôt libéral pour l'époque, il avait hâte de se débarrasser des contraintes. Il avait déjà tout appris, disait-il, de son maître et ami Eugène Boudin, au Havre et à Honfleur. « Filons d'ici, l'endroit est malsain », aurait-il lancé à ses amis parisiens, qu'assommait la routine de l'atelier, et presque tous le suivirent ce jour-là en forêt de Fontainebleau. Renoir, Bazille, Sisley, Whistler ont travaillé chez Charles Gleyre. Renoir, qui ne put cependant s'offrir la scolarité jusqu'à la fin, devait même décrocher la première place aux examens de fin d'année de sa classe. Ce vieux bonhomme du canton de Vaud, que ses élèves appelaient « Glaire », bien sûr, timide et presque aveugle, affichait des opinions républicaines qui nuisirent à sa carrière. Il était l'auteur du *Soir ou les Illusions perdues*, inspiré par les paysages d'Egypte, un des francs succès du Salon de 1843.

Manet fit d'abord bande à part. Lorsque son père, furieux qu'il ne devienne pas magistrat, lui donna l'autorisation d'apprendre le dessin, il choisit de préparer les Beaux-Arts (où il n'entra jamais) rue de Laval (aujourd'hui rue Victor-Massé), dans l'atelier de Thomas Couture (1815-1879), alors au faîte de sa gloire, auteur d'une toile monumentale, cent fois primée, *Les Romains de la décadence*, qu'on peut voir aujourd'hui à la place d'honneur, dans la nef du musée d'Orsay. La devise du maître, aussi fort en gueule que Gleyre se montrait effacé, était « Idéal et Impersonnalité » ! Manet travailla pendant six ans chez ce tyran, grognant et se rebellant, avant de claquer la porte.

La chance de Berthe Morisot est peut-être d'avoir échappé à cet enseignement sclérosé et passéiste, tout en principes de fer, en théories antiques, visant à brider imagination et personnalité pour couronner l'imitation, la solennité du sujet, l'Ecole. Il y avait bien quelques femmes chez Gleyre, qui pour ne pas offenser leur pudeur, lors des séances de nus, ordonnait à ses modèles masculins de poser en caleçon ; mais elles n'étaient pas de la même origine sociale que Berthe, jeune fille de bonne famille. L'atmosphère grivoise des ateliers, leurs traditions de bizutage, le langage qui y régnait, les mœurs des rapins, tout cela en faisait un monde d'hommes à la fois dangereux, et peu recommandable aux filles : la vertu des demoiselles exigeait des milieux plus fréquentables !

L'Académie Julian n'a pas encore ouvert son atelier aux femmes, passage des Panoramas, lorsque Berthe apprend à dessiner. Ni n'ont encore ouvert pour elles les ateliers de Carolus-Duran, quai Voltaire, d'Alfred Stevens, avenue Frochot, ou d'Edouard Krug, boulevard de Clichy. L'enseignement particulier que leur donne Guichard est donc le seul qu'elles puissent alors recevoir, hors les ateliers mixtes, aussi rares que de sulfureuse réputation. Car l'école publique, fondée par Juliette et Rosa Bonheur, les filles du peintre Raymond Bonheur, pour toutes celles qui voulaient apprendre la peinture sur porcelaine, la miniature ou les motifs de broderie, formait des professionnelles : la fréquentaient des jeunes filles qui avaient besoin de gagner leur vie. Edma ou Berthe n'auraient jamais ce souci. Elles pouvaient se permettre de peindre pour peindre. La situation de leurs parents les mettait à l'abri de la nécessité. Contrairement à Manet, Degas, Sisley, Bazille, Cézanne, également fils de la bourgeoisie, mais dont les pères espéraient qu'ils deviendraient comme eux, haut fonctionnaire, banquier, négociant, sénateur ou notaire, les jeunes filles n'auraient dû avoir qu'un seul souci : trouver un bon mari.

Or elles vont mettre beaucoup d'acharnement à peindre — un peu trop au goût de leurs parents, effrayés soudain de les voir franchir le seuil de la maison pour s'en aller côtoyer la bohème. Le Louvre est, avant 1900, la seule « école » ouverte non seulement à tous mais à toutes. Ici, on apprend en copiant. Aux jours autorisés aux copistes, une foule d'hommes et de femmes, de tous âges et de toutes conditions, prend d'assaut les salles, et s'installe dans un joyeux désordre devant les chefs-d'œuvre de Véronèse, de Rubens, de Boucher ou de Titien — on a le choix. Le plus modeste vient avec son pliant, son cahier et sa boîte de couleurs. Certains plus ambitieux, ou visant des tableaux haut perchés, sont pourvus de hauts chevalets et d'échelles. Le Louvre se transforme alors en atelier géant. Une atmosphère de ruche, inhabituelle, s'installe dans ces salles d'ordinaire moins visitées et plus silencieuses ; le temple s'anime. Il n'y a plus seulement les toiles aux murs, dans leurs cadres dorés, mais des yeux qui les regardent, des mains qui les reproduisent, des voix qui les commentent. Des groupes se forment puis se défont, des exclamations, des rires fusent ici ou là. On travaille, puis on se déplace pour aller voir ce que peint un voisin ; on passe d'un chevalet à l'autre, d'une salle dans la suivante, et on revient à sa toile, à son modèle, à sa copie. Il y a de la passion dans l'air, mais aussi un parfum d'excitation, un parfum de fête. Ces gens, étrangers les uns aux autres, et qui travaillent dans des styles très divers, se sentent liés par un même appel, une même vocation ; l'art les rassemble et les rapproche soudain, comme s'ils faisaient partie d'une grande famille. Berthe et Edma s'assoient côte à côte, devant Raphaël ou Rubens de préférence. Mme Morisot a apporté son pliant et sa couture, elle brode en suivant du regard le progrès du dessin, bientôt de la couleur, sur la toile blanche des filles. Il y a beaucoup de femmes au Louvre. Certaines sont venues là pour reproduire aussi finement que possible les principaux chefs-d'œuvre, dont elles feront commerce : les touristes et beaucoup de Parisiens sont friands de copies.

C'est la première fois que les deux sœurs travaillent en public et que les curieux peuvent jeter un œil par-dessus leur épaule. Comme elles sont jolies, dans leurs robes blanches, les hommes s'approchent et, sous le prétexte d'admirer ou de critiquer leur travail, tentent de nouer une conversation. Mme Morisot, qui n'est pas farouche, laisse faire. Mais elle ne perd pas une miette de ce qui se dit ou de ce qui se murmure. Elle reste sur ses gardes : ces jeunes peintres, venus au Louvre, elle ne sait pas qui ils sont. Ni surtout s'ils sont fréquentables. En voici justement un qu'elle a déjà vu hier, qui revient, qui insiste, qui semble n'avoir rien de mieux à faire que de parler couleurs avec Edma, et avec Berthe. Mais surtout avec Edma. C'est un jeune homme plutôt timide ou réservé, avec une tête de faune, une barbe blonde, et une élégance peu fréquente chez les étudiants des Beaux-Arts. Il a vingt-trois ans en cette année 1859, qui voit les débuts des sœurs Morisot au Louvre. Il s'appelle Henri Fantin-Latour. Sa mère est russe et son père, Théodore Fantin-Latour, peintre de motifs religieux. Qu'il ait peint des Vierges et des saintes, des Christs et des apôtres, dans la tradition sulpicienne, cela rassure-t-il Marie-Cornélie Morisot ? Le fils, quoique d'éducation bourgeoise et d'allure discrète, paraît beaucoup moins confit en dévotion. Est-il du même monde ? Et quelles promesses sont les siennes ? Il fréquente d'autres peintres, comme lui anciens élèves d'ateliers où ils ne vont plus, préférant buissonner au Louvre, sans professeurs, sans guides. Il vient tout juste d'abandonner les Beaux-Arts — en même temps que Degas, son aîné de deux ans —, et il semble heureux de cette formidable conquête : sa toute neuve liberté. Le couple si juvénile que forment Berthe et Edma ne peut que lui rappeler les deux êtres qui lui sont les plus chers au monde : ses deux sœurs précisément — Marie et Nathalie —, dont il a peint le portrait (*Portrait de mes deux sœurs*), aujourd'hui en Amérique. Leurs délicieux visages, un peu mélancoliques, veillent sur lui quand il travaille ou quand il rêve, dans son atelier de la rue des Beaux-Arts. Marie lit, Nathalie brode. N'est-ce pas le sort de toutes les jeunes filles, dans l'attente de leur vie de femme ?

Fantin est le recordman toutes catégories de la reproduction de chefs-d'œuvre : à sa mort, on recensera dans son atelier vingt-deux copies de Véronèse — dont cinq *Noces de Cana* ! Et il vend déjà un bon prix, à la stupéfaction des Morisot, ses Poussin, ses Rubens, surtout ses Véronèse. Le meilleur ami de Fantin se nomme Félix Bracquemond. Il est peintre, mais surtout graveur : mince et petit homme que son étrange histoire a d'abord conduit dans un manège, pour y devenir écuyer. Des chevaux à la gravure, il a franchi le pas grâce à Joseph Guichard qui habitait jadis le même immeuble que sa mère et l'a beaucoup encouragé à pratiquer l'eau-forte. C'est Guichard qui lui a donné ses premières leçons. Et peut-être Guichard qui l'a amené aux deux sœurs, au Louvre, s'amusant à présenter ses élèves, hors de ses leçons particulières, dans ce temple du rendez-vous. Est-ce lui qui a, à son tour, présenté Fantin à Edma et à Berthe, ou Fantin s'est-il approché de lui-même, captivé par le duo ? Bracquemond fait déjà partie de la bande. Il est lié à Degas, Baudelaire, Whistler, Manet qui dessine et grave ses traits, et dont il fera lui-même un dessin.

Fantin-Latour connaît et apprécie Gustave Courbet, qui est leur grand ancêtre, leur premier chef de guerre. Un indépendant. Très provocateur.

Qui se moque pas mal des stricts préceptes des
Beaux-Arts. Un peintre de la vie. Un réaliste. Un
homme libre, selon Fantin, et qui lui a toujours
dit : « Fais ce que tu vois, ce que tu sens, ce que
tu voudras. »

Les sœurs Morisot doivent ouvrir tout grand
leurs oreilles à ces préceptes délicieux. C'est bien
la première fois qu'elles entendent pareil programme, pareil conseil de vie. Fais ce que tu vois,
ce que tu sens, ce que tu veux ! Elles n'ont pas
encore rencontré celui qu'on appelle déjà, dans les
ateliers, dans les salons, « le maître d'Ornans »
— parce qu'il est né dans cette petite ville du
Doubs —, et qui suscite autant de ferveur que de
mépris, d'engouement que de haine. Mais elles le
découvrent à travers les discours enthousiastes de
Fantin-Latour, qui fut quelque temps son élève et
qui répand sa bonne parole. Le grand tableau de
Courbet *L'Enterrement à Ornans* (Paris, musée
d'Orsay), refusé au Salon de 1855, soulève l'admiration des Impressionnistes futurs : il leur donne
des ailes pour affronter l'Ecole, sa vision caduque
et figée de l'art. Dans le cœur de Berthe, la petite
phrase de Courbet, sitôt entendue, résonnera toujours.

Fantin-Latour est le cœur du cercle des peintres.
Grâce à lui, l'horizon des deux sœurs tout à coup
s'élargit. Le monde n'est plus confiné au village de
Passy, aux collines du Trocadéro, aux jardins des
Tuileries. Dans son sillage, le monde fait irruption
dans leur microcosme. Voici l'ami américain de
Fantin : James Whistler. Né dans le Massachu-
setts, ancien étudiant à West Point, il s'amuse en
cette année 1859 à représenter au crayon *Fantin
dessinant dans son lit* : on voit le peintre travailler
au lit, sans doute parce qu'il gèle dans l'atelier,
emmitouflé d'une écharpe et coiffé d'un haut-

de-forme ! Voici son ami allemand : Otto Scholderer, chez lequel Fantin a travaillé à Francfort. Fantin l'héberge, lors de ses séjours à Paris.

Henri Fantin-Latour, le cœur toujours sur la
main, s'est attaché deux autres artistes, qui travaillent la gravure au Louvre : Alphonse Legros
vient de Dijon et traîne sa misère avec panache
— Baudelaire lui a acheté un tableau de *Chats*. Et
Antoine Vollon, qui vient de Lyon et aime peindre
surtout les natures mortes — les chaudrons, les
potirons, ou l'intérieur des maisons. Il existe, au
musée du Petit Palais, à Paris, un portrait de
Manet par Legros. Et, au musée d'Orsay, un portrait de Vollon par Fantin. Les amis s'entre-
peignent.

Les sœurs Morisot ne sont plus seules. Avec Fantin, avec Bracquemond, elles nouent de premières
amitiés, sinon de premiers flirts. Le hasard les met
au cœur d'un cénacle, qui n'a pas de lois, de codes,
mais rassemble des personnalités diverses, autour
d'une certaine idée de la liberté de l'art. Liberté de
créer ou d'être soi. Elles auraient pu fréquenter
des académiciens, se lier à des peintres officiels, à
des diplômés de l'Ecole des Beaux-Arts. Ou tomber amoureuses de copistes sans talent. Faut-il
appeler hasard ou instinct le destin qui les pousse
vers ces jeunes gens sans médailles ni réputation,
mais dont elles admirent ce qu'ils font ? Assez fous
ou assez insolents pour choisir leurs maîtres hors
des voies reconnues, balisées, hiérarchisées de
l'Art officiel, ils se sont ralliés sous la bannière de
leur amitié. Cet idéal les fait-il rêver ? Il n'y a pas
de leur part de provocation dans ce choix si peu
délibéré, mais un pressentiment de ce qui leur
plaît. Elles auraient pu devenir des peintres pompiers — des Pompières en titre. Mme Morisot
l'aurait-elle souhaité, voilà que ses filles ont déjà

un pied, bientôt deux dans l'avant-garde. Elle se promet d'inviter à dîner ces jeunes gens, si sympathiques mais si peu rangés, à l'avenir tellement incertain, qui se relaient près du chevalet de ses filles. Ils sont tous vaguement amoureux de Berthe ou d'Edma.

Regard sincère et passionné de Fantin-Latour : sur les nombreux autoportraits qu'il a exécutés, poursuivant jusqu'à l'obsession sa propre vérité dans le miroir, c'est ce regard qui définit le personnage. Fantin le loyal, Fantin le fidèle. Sa biographie prouve qu'il fut curieux de tout, y compris des styles les plus différents du sien. Et qu'il savait défendre ses amis. Il ignore superbement la jalousie, ne connaît de fait que l'amitié, l'entraide. Une nostalgie incurable relie pourtant à son passé cet homme qui aime si fort la vie. Sa forte personnalité, ses liens sincères et chaleureux avec toutes les têtes de pont de la jeune et neuve peinture ne suffisent pas à le rallier au cercle. Défenseur des œuvres les plus contestées, les plus moquées du groupe, ami de tous les Impressionnistes, solidaire de leur mouvement, Fantin n'en sera pas lui-même. C'est un indépendant. Le respect de la tradition l'empêchera de rejoindre cette avant-garde dont il partage pourtant les valeurs.

Il n'épousera aucune des sœurs Morisot. Ni Edma qui aime ailleurs, ni Berthe, qui lui préfère, sans hésiter, les frères Manet. Et c'est Fantin, bien sûr, qui les lui présentera, en 1868, au Louvre, dont ils sont eux aussi des visiteurs assidus, les jours de copie — Edouard travaille souvent devant les Espagnols. Fantin connaît les Manet depuis 1861, mais il a déjà noué avec eux de ces liens solides et généreux dont il a le secret.

A peine peut-on croire qu'il éprouve quelque ombrage de ces amours manquées. Amoureux transi d'Edma, amoureux éconduit de Berthe, il verra ces deux jeunes filles, comme ses propres sœurs, Marie puis Nathalie, s'éloigner de lui. Il en tirera de la tristesse, sinon de l'amertume : dans une lettre à sa sœur, Berthe parlera bientôt de la « triste figure de Fantin ». Il tentera d'autres approches. Et il se consolera un jour avec une autre de ces jeunes filles qu'il aime peindre, idéalement douces et un peu renfrognées. Plus effacée, moins ambitieuse et passionnée que les sœurs Morisot, elle vivra dans son ombre, sans pour autant renoncer à copier au Louvre, et à peindre, sous son nom de jeune fille, des fleurs et des natures mortes. La future Mme Fantin-Latour se nomme Victoria Dubourg. Elle a à peine quelques mois de plus que Berthe. Brune, les cheveux tirés en bandeaux, d'apparence austère, elle n'est guère jolie. Berthe — est-elle jalouse ? — ne l'aime pas du tout. Dans cette lettre à Edma, elle ajoute, plutôt méchamment, à propos de Fantin que « l'abus du Louvre et la société de mademoiselle Dubourg ne lui portent pas bonheur ». On peut aller voir quelques toiles de Victoria Dubourg au musée d'Orsay, mais on peut aussi la regarder, elle, sur les portraits qu'elle a inspirés à Fantin, et d'ailleurs aussi à Degas. En contrepoint de sa fiancée et future femme, Fantin peint aussi la sœur de celle-ci, la blonde Charlotte Dubourg, une beauté pulpeuse et arrogante. Si cette blonde personne lui inspire des portraits voluptueux, la jeune fille qu'aimait Fantin ressemblait forcément à Victoria, malgré son physique ingrat. La jeune fille, pour lui, ne pouvait être que taciturne, un peu acide, une créature inachevée, prisonnière d'un cocon.

L'école de l'anticonformisme

Berthe en a assez de copier les chefs-d'œuvre : l'art de Fantin-Latour la laisse sur sa faim. Elle étouffe dans son salon. Elle s'étiole au Louvre. A force de peindre en intérieur, en suivant des principes académiques, il lui semble que la peinture menace de l'asphyxier. Elle rêve de paysages et de liberté. Surtout d'en finir avec la copie comme avec l'Antiquité ou la mythologie. Comme le dit si bien Courbet — qu'elle n'a pas rencontré mais dont la réputation est parvenue jusqu'à elle —, elle aimerait peindre ce qu'elle voit, ce qu'elle ressent ou ce qu'elle imagine. Elle est en cela en accord avec l'une des aspirations de son temps.

Fuir l'Ecole, fuir l'atelier, fuir le musée, où s'enferment les médaillés des Salons, et trouver un maître qui enseigne autre chose : le paysage, justement, et la liberté. Elle n'est ni le premier ni le seul artiste à rêver pareilles audaces. Mesure-t-elle la part de provocation que ce désir contient ? A-t-elle le sentiment de rejoindre une tendance, un courant de la peinture ? Le chemin buissonnier l'attire plus que la voie royale, l'aventure plus que les lauriers. Ou se contente-t-elle, comme elle le fera toujours, de suivre sa nature, rebelle, intransigeante ? Elle a de sa vocation, de son métier un instinct très sûr. Joseph Guichard n'a pas été un mauvais professeur. Il ne lui a pas seulement appris à dessiner, à assembler les couleurs, il l'a incitée, quoique prudemment en effet, à rapprocher l'art de la vie quotidienne. En proposant aux sœurs Morisot de copier Gavarni, le dessinateur de *La Mode* et de *L'Illustration*, qui n'a jamais peint que des scènes de tous les jours, s'inspirant de personnages des grands boulevards, des théâtres ou des jardins publics pour montrer des étudiants, des lorettes, des débardeurs, des dandys ou des lionnes — ses contemporains des années 1830 ou 1840 —, il brisait les tabous de l'Ecole. Il leur offrait l'exemple d'un de ces « peintres de la vie moderne » que Charles Baudelaire — leur contemporain à elles — appelait à grands cris dans le commentaire de ses Salons. Ce faisant, ce maître discret, respectueux des Classiques, ne s'alignait pas sur le conformisme ambiant ; il initiait déjà Edma et Berthe à autre chose. A un courant nouveau de la peinture française, interdit de musée. Lui-même, à ses heures perdues, s'aventurait à peindre, pour le plaisir, de petits tableaux de paysages, sans éclat, mais intimes, qu'on peut voir exposés au musée des Beaux-Arts de Lyon, dont ce Lyonnais fidèle sera un jour le conservateur. Il ne peut donc pas s'étonner que Berthe réclame à cor et à cri — car elle est violente — de l'air, de la vie, du vert ! Il comprend mais il se sent dépassé. Incapable de l'accompagner plus loin, sur le chemin de la rébellion.

En lisière des forêts, au cœur des jardins ou des villages de la région parisienne, sur les rives de la Seine, de l'Oise ou de la Marne, il n'y a qu'un train à prendre pour découvrir la nature et nourrir sa palette des jeux de la lumière. Aux beaux jours, chapeau de paille sur la tête, et portant sur le dos le lourd attirail du peintre, les artistes citadins, décidés à jouer les campagnards, envahissent les jolis sites proches de la capitale, jusqu'alors oubliés du monde, ou connus seulement de quelques originaux. En 1860, au moment où Berthe Morisot exprime le désir de peindre en plein air, Claude Monet a déjà travaillé aux alentours du Havre, dans la vallée de Rouelles, le long de la Lézarde, et goûté aux bonheurs de Honfleur, près de son maître et ami Eugène Boudin. Cet ancien papetier-encadreur du Havre (1824-1898), le « roi des ciels » ainsi que l'appelle un autre de ses amis et admirateurs, lui a passé sa fièvre de l'air et de l'eau. Monet racontera un jour à Berthe, devenue son amie, ce que lui confiait Boudin : « Nager en plein ciel, arriver aux tendresses de nuages, suspendre ces masses, au fond bien lointaines dans la brume grise, faire éclater l'azur ».

En 1860, Claude Monet entraîne son ami Camille Pissarro, son condisciple de l'Académie Suisse, à Champigny-sur-Marne, première escale d'une recherche éperdue de la qualité de la lumière. A Honfleur, il fait découvrir la ferme Saint-Siméon à d'autres amis parisiens, Renoir et Bazille, qu'il a connus à l'atelier de Gleyre. A Chailly-en-Bière, un village à deux kilomètres de Barbizon, que fréquente déjà Gustave Courbet, la petite bande, que rejoint bientôt Alfred Sisley, loge chez le père Paillard, à l'auberge du Cheval Blanc. Monet y entreprendra, l'année suivante, un *Déjeuner sur l'herbe,* deuxième du nom, inspiré du tableau de son presque homonyme Edouard Manet et pour lequel posent ses amis peintres.

Alfred Sisley préfère Marlotte, à deux pas de là, dont il peint les *Rues villageoises* et *La Lisière de la forêt de Fontainebleau.* Le village est très goûté de ses compatriotes. Monet vient souvent lui rendre visite, avec Renoir, à l'Auberge de la mère

Antony. Ensemble, ils posent pour Renoir, à côté de Nana, la plantureuse fille de l'aubergiste. Plus tard, Sisley s'installera à Moret-sur-Loing.

Les voici donc, tous ces contemporains de Berthe Morisot, qu'elle ne connaît pas encore, mais auxquels elle va bientôt s'associer, cherchant une inspiration dans la nature, jusque dans les coins les plus secrets du Jura ou de la Normandie. Et, au grand dam des professeurs de l'Ecole, les voici copiant les arbres et les moissons, et s'acharnant à suivre les jeux de l'aube ou du crépuscule, sur les chênes et les frênes, les ruisseaux, les fontaines. Dans ce qui n'est pas encore « le groupe », Edouard Manet et Edgar Degas se distinguent : ils préféreront toujours à la campagne les charmes de leur atelier parisien.

Question de génération ? Si les futurs Impressionnistes ont soif et faim de nature, ils ne sont nullement les premiers. Nullement novateurs, donc. A l'orée de la forêt de Fontainebleau, le village de Barbizon est devenu, dès les années cinquante, le symbole d'un anticonformisme tranquille. A la fois d'un mode de vie et d'une façon de peindre. Jean-François Millet (il est né en 1814) et Théodore Rousseau (né en 1812) s'y sont les premiers installés, entraînant auprès d'eux une cohorte de jeunes recrues, également attirées par une existence champêtre, de solides liens d'amitié et, bien sûr, les ciels nuancés d'Ile-de-France. Chaigneau, Troyon, Diaz de La Peña, Ziem, ou Daubigny, ils sont nombreux à venir ici ou dans les proches environs, chercher l'inspiration. Avant les Impressionnistes, les Barbizonnais peuvent revendiquer l'audace, et les ennuis, de toute vraie rupture. Ils auront été les premiers Refusés, les premiers exclus des Salons officiels, lesquels se tiennent une fois par an, au printemps, dans le palais de l'Industrie, aux Champs-Elysées, à peu près à l'emplacement du Grand et du Petit Palais actuels.

Encore en 1860, les critiques les plus en vue reprochent à Millet — le peintre célèbre de *L'Angélus*, où l'on aperçoit au loin le clocher de l'église de Chailly-en-Bière — de « se complaire dans le fumier ». Ses scènes de la vie rurale, comme si ce fils de paysans du Cotentin ne pouvait renier ses racines, sont loin de lui valoir la gloire. Le Salon de 1859, qui a accepté sa *Femme faisant paître une vache*, a refusé ce que la postérité considère comme un de ses chefs-d'œuvre, *La Mort et le Bûcheron*. Il lui faudra attendre quelques années et *La Bergère gardant ses moutons* pour parvenir à imposer son style. Mais ce n'est qu'après sa mort que ses toiles s'arracheront à prix d'or. Quant à Rousseau, son inséparable compère, d'ascendance jurassienne, il a peint dès 1833 les côtes de Granville et a connu Chailly, où il revient souvent. Depuis sa *Descente des vaches dans le Jura*, il n'a pas non plus cessé de se voir exclu de presque tous les Salons. Il est pourtant, à sa manière, une sorte de grand frère des Impressionnistes futurs, travaillant non seulement dans les lieux qui seront les leurs — la Normandie, Fontainebleau —, mais s'attachant à décrire les impressions passagères que lui inspirent un *Coucher de soleil* sur la forêt, la lumière tamisée d'une *Clairière*, un *Effet du soir*, ou même un *Effet de givre* — thème qui sera cher à Claude Monet.

Ainsi le désir de Berthe d'ouvrir son champ d'investigation s'inscrit-il dans un mouvement, dans une sensibilité. Tous ces peintres, si inconnus soient-ils ou débutants comme elle, se trouvent liés avant de se connaître. Les maîtres de la peinture contemporaine ont beau ériger en exemples leurs fresques historiques, eux préfèrent chercher en plein air, dans des lumières vraies, la grâce des émotions fugitives.

Joseph Guichard, leur professeur, de guerre lasse, confie Berthe et Edma à l'un de ses amis, peintre « en extérieur », Camille Corot. A soixante-quatre ans, il n'est pas vraiment en odeur de sainteté. Il n'a de vraie réputation qu'auprès de ses amis, peintres plus ou moins marginaux, ou parmi la nouvelle génération, qui adore ses paysages d'Italie et sa manière originale d'utiliser la couleur verte. Au même moment que Morisot, et sans la connaître, Pissarro va devenir, comme elle, l'élève de Corot. Et Monet, Sisley, Renoir, même Degas, si difficile, considèrent déjà — ils sont vraiment les seuls ! — que Corot a du génie.

Ce vieux bonhomme, avec sa chevelure de neige, ses longues pipes, évoque par sa patience, par ses lenteurs, un sage oriental. Il vit en solitaire, célibataire endurci, encore amoureux de sa mère, entre son atelier, rue de Paradis-Poissonnière, et sa maison de Ville-d'Avray — une *folie* XVIIIᵉ, située au bord de l'étang, au seuil de la forêt. Depuis la terrasse, Corot peut peindre cet étang sans sortir de chez lui. C'est l'ours dans sa caverne. Un homme pourtant délicat, sensible. S'il parle peu, car il se méfie des bavards et des cuistres, c'est pour mieux protéger son secret. Et entretenir le silence qui flotte autour de lui — ce silence que ses tableaux expriment comme un mirage, avec une force étonnante. Personnage mélancolique, Corot aime par-dessus tout l'Italie, les plans d'eau, les sous-bois et les moulins à vent, mais aussi les corps et les visages pleins de ces femmes dont il

saisit invariablement la même expression de tristesse.

Berthe et Edma s'éprennent de lui et lui les
aimerait sans doute s'il n'était pas si distrait, si
rêveur. Il n'a plus l'âge des chevaliers servants.
Elles suivent avec délectation le tracé de son pinceau sur la toile, elles admirent sa précision, son
audace. Elles observent aussi comment, en mélan-
geant le vert émeraude ou Véronèse avec de la
terre de Sienne brûlée, du jaune indien ou du bleu
de Prusse, il obtient ces teintes indéfinissables
— ni vert, ni gris, ni roux. Alors, elles l'invitent à
dîner chez leurs parents. Comme Fantin-Latour,
comme Bracquemond, il devient un hôte assidu
des Morisot, à Passy, où « à condition d'être auto-
risé à fumer pipette au dessert », il leur demande
de « ne jamais perdre la première impression qui
vous a émues ». Corot prête aux deux jeunes
femmes ses études d'Italie : qu'elles en tirent elles-
mêmes les leçons !

Berthe gardera de son maître le souvenir d'une
exigence austère. Cet amateur de touches subtiles,
tout en nuances, lui fait comprendre la force du
mystère dans l'art. Tout ne doit pas être dit... Elle
n'adoptera pas cependant la gamme de ses couleurs. Comme la plupart des Impressionnistes, elle
préfère le vif, le cru. Le rose, le jaune, le blanc, le
vert pomme ne lui font pas peur. Ces tons-là sont
dans sa nature.

L'été 1861, pour que leurs deux filles travaillent
près de Corot, les Morisot louent une maison à
Ville-d'Avray. L'été 1862, ils les laissent partir dans
les Pyrénées, où elles découvrent ensemble la
montagne, les troupeaux de vaches, les mœurs
rudes des autochtones, et voyagent à dos de mulet.

L'été 1863, ils louent à nouveau une maison, mais cette fois au Chou, village établi sur le chemin de halage qui relie Pontoise à Auvers. Corot a recommandé ses élèves à Achille Oudinot, auteur de *L'Automne en forêt de Sénart, effet du soir* (aujourd'hui au musée d'Alençon), qui les présente à son tour à Charles Daubigny — autre ami de Corot, un fanatique de l'élément aquatique, auteur de vues d'étangs et de ruisseaux (quelques-unes au musée d'Orsay). Oudinot veille sur leurs études au Chou. Daubigny les invite à déjeuner chez lui, à Auvers, où sa maison est, bien sûr, construite au bord de l'Oise. Daubigny a l'habitude de peindre dans une barque, baptisée « le botin » (la petite boîte) par les lavandières qui la voient passer. Elle lui sert d'atelier comme plus tard pour Monet à Argenteuil.

Corot, Daubigny, Oudinot : les sœurs Morisot auront appris à peindre auprès des meilleurs paysagistes. Elles ont beaucoup de respect pour leurs vieux maîtres, mais bien que Corot leur ait dit : « Ne pensons pas trop au papa Corot, la nature est meilleure à consulter », elles n'ont pas l'intention, toute leur vie, de camper au bord des champs ou des rivières, des sources et des étangs. Avec l'insolence de leur âge, elles cherchent encore autre chose. Elles ne savent pas vraiment quoi. Une autre voie. Une autre lumière que ces effets de soir.

De ces années-là, elles rapporteront beaucoup de toiles. Des copies de Corot, des études d'eau et des paysages qu'elles commencent de signer. Berthe, un jour, les détruira avec une rage de furie. Sauvegardées du massacre : une copie de Corot — *Vue de la Villa d'Este* — et deux Berthe Morisot — les tout premiers : *Souvenirs des bords de l'Oise* et *Vieux chemin à Auvers*. Le premier a

disparu. Le second est à Londres, chez un particulier. Ces deux tableaux, exécutés au Chou, elle
les expose au Salon de 1864. Admise avec sa
sœur, c'est un premier exploit en duo.

favorable de Corot suffisent à le prouver. Peut-être même, s'il faut en croire le peintre exceptionnel qui fut leur professeur, Edma avait-elle plus de talent que sa sœur. Le caractère fera toute la différence. La vie creusera l'écart. Non celui des cœurs — Berthe et Edma seront toujours unies, indissociables. Mais celui des destinées.

En 1863, Edma se lance dans le portrait. Elle fait poser sa sœur debout devant son chevalet. La palette sur le bras, Berthe tient de la main droite un pinceau, aussi long et fin que ses doigts. Comme un sixième doigt. De la main gauche, un chiffon blanc et un bouquet de pinceaux de rechange. Elle a alors vingt-deux ans. Une belle gravité baigne cette figure de femme, distante, inaccessible, fermée sur un rêve. Edma ne montre aucune sécheresse, aucune intellectualité chez sa sœur. Ce qu'elle a représenté, ce sont les noces de Berthe avec la peinture. Une espèce de scène sacrée. Par la finesse de la touche, par la précision du trait, ce tableau n'est pas sans évoquer l'art de Fantin-Latour : une jeune fille mélancolique, dans une pose d'une grave sensualité. Le dessin et les couleurs, déjà maîtrisés, ne sont pas d'un simple amateur. Edma a su exprimer ce que la peinture cache — le mystère de sa sœur, et cette volonté tendue, presque douloureuse, qui l'animera toute sa vie. Volonté d'exprimer ce qu'elle porte en elle, de traduire en formes et en couleurs non seulement ce qu'elle voit, mais ce qu'elle ressent au fond de son cœur et ce qu'elle imagine. Visible à l'œil nu, dès le premier regard, ce désir violent de Berthe de fixer quelque chose — une impression fugitive, un moment particulier.

La jeune fille des années 1860-1865 contient toute la femme. Sur le portrait qu'a peint Edma,

Berthe Morisot ressemble à une prêtresse célébrant un culte.

Berthe note ses pensées dans des carnets secrets. Elle y consigne en désordre, au hasard des jours, des désirs, des sensations, des projets. Ces carnets, ses confidents, révèlent un caractère volontaire, pourtant en proie au doute et aux angoisses. Ces dernières pèsent moins lourd d'être avouées. L'avenir l'inquiète, elle craint de ne pas savoir le dominer. Peu « littéraire », communiquant plus facilement avec les pinceaux qu'avec les mots, elle recopie des phrases qu'elle a entendu dire ou lues dans des ouvrages et qui lui semblent de bons préceptes de vie. Ce jour-là, c'est Baudelaire qui l'inspire. Elle fait siennes ces déclarations qui seront publiées dans *Mon cœur mis à nu* et qu'elle aura peut-être eues entre les mains avant leur parution, par un ami du poète, son propre cousin germain, Gabriel Thomas :

« Au moral comme au physique, j'ai toujours eu la sensation du gouffre ; gouffre de l'action, du rêve, du souvenir, du désir... »

« J'ai entrevu mon hystérie avec jouissance et terreur. »

« Maintenant j'ai toujours le vertige... »

Et puis :

« J'ai senti passer sur moi le vent de l'aile de l'imbécillité. »

Elle souffre, de manière chronique, d'inquiétudes qui la ravagent et provoquent chez elle toutes sortes de maux, migraines et douleurs d'estomac, montées de bile, accès d'agressivité ou de mauvaise humeur. Tantôt tempétueuse, agacée, tantôt glaciale et ironique, parfois ténébreuse, ravagée. Sa mère en perd patience. La peinture est, pour elle, une conquête. Rien ni personne ne saura l'en détourner. « Puissance de l'idée fixe, se répète-t-elle après Baudelaire, puissance de l'espérance. » Edma se laissera séduire par la vie bourgeoise et ses facilités. Elle finira engluée dans son ménage, pouponnant, confiturant, et regrettant les belles années où elle peignait. Berthe mesure la difficulté de son propre choix. Très jeune, elle s'engage dans ce qui est un véritable combat. Un combat de chaque jour contre le temps, les préjugés, les tentations — paresse, mollesse, oisiveté.

« Plus on veut, mieux on veut », écrit-elle pour se donner du cran. Avant d'enchaîner, à la même date, ce plan de vie baudelairien : « Faire ma perpétuelle volupté de mon tourment ordinaire, c'est-à-dire du travail. »

Elle appliquera toujours ce conseil : « Tout recul de volonté est une parcelle de substance perdue. Je me jure à moi-même de prendre désormais les règles éternelles de ma vie. »

Morisot s'érige une morale stoïcienne. Elle fait du courage, au moins en théorie, le pilier de sa vie. Elle ne se détournera pas du « gouffre » intérieur qui l'obsède. Elle accepte le défi, faisant en effet sa « perpétuelle volupté de son tourment ordinaire ». Fortune ? Beauté ? Dons ? Rien de tout cela ne compte à ses yeux qu'une énergie tout entière dirigée vers un seul but : peindre.

Comment, en société, cet être passionné, voué à un sacerdoce, pourrait-il être ce que les jeunes filles bien élevées sont priées d'être : dociles, exquises, décoratives, de petits caniches de salon. Souvent sombre ou acerbe, peut-être parce que le temps consacré au monde est pour elle du temps perdu, Berthe ne s'épanouit que dans la compagnie des artistes.

Brise intellectuelle sur Passy

Les maîtresses de maison ont leur jour. Mme Morisot reçoit chaque semaine le mardi, à heure fixe, au 16 de la rue Franklin. Ses trois filles assistent bien sûr au dîner, que préside Edme Tiburce. Il y a là de vieux amis des parents, comme le compositeur Gioacchino Rossini (né en 1792), l'auteur célèbre de la musique du *Barbier de Séville* et du *Stabat Mater*, ou le sculpteur Aimé Millet (aucune parenté avec le peintre de Barbizon), dont le père, miniaturiste de renom, a peint Tiburce enfant. Ces deux artistes sont des familiers de la maison et entretiennent avec les Morisot des liens d'amitié fidèle. Berthe prête alors sa belle tête antique au sculpteur pour la suite de médaillons de pierre qui doit orner comme une frise le haut du portail de l'immeuble du 14 quai de la Mégisserie. On peut toujours aller admirer, sur la rive droite de la Seine, près des marchands d'oiseaux et de plantes, son profil de vestale. Séduite par la sculpture, elle passe quelques mois à travailler près de Millet la terre et la pierre, dans son atelier du 17 rue de La Rochefoucauld. Là, elle rencontre Pauline Viardot, la cantatrice, muse de Tourgueniev, dont Millet prépare le buste, et Mme Viollet-le-Duc, dont il modèle la gracieuse silhouette. Mondanités !

Il y a là aussi les frères Ferry : Jules, le futur
député de Paris (il sera élu en 1869), et Charles,
l'homme d'affaires. Ils ont à peu près l'âge des
sœurs Morisot. Ainsi que le racontera Tiburce,
non sans ironie, c'étaient à leurs débuts « des arri-
vistes décidés ». « Jules était le bel esprit, Charles
le bel homme. Ils étaient alors inséparables, faisant ménage commun, alimenté surtout par
Charles qui, sans profession définie, gagnait de-ci
et de-là de quoi suppléer à l'insuffisance des
rentes, tandis que Jules, avocat sans cause et écrivain plaçant avec peine au *Temps* quelques rares
papiers, ne gagnait certainement pas ses modestes
frais d'entretien personnels. » Comme ses sœurs,
Tiburce trouve les deux frères Ferry plutôt rustres.
Charles courtise Edma, et Jules Berthe. Mais ils ne
trouvent auprès d'elles qu'un accueil de « politesse
distante ». Les deux sœurs sont insensibles à leur
charme.

Plus récemment introduits rue Franklin, les Riesener — père, mère et filles. Les Morisot les ont
connus en Normandie, au hasard des vacances, et
leur sont restés liés. L'été 1864, ils ont en effet loué
un moulin à Beuzeval, où les Riesener ont leur
maison de campagne. Petit-fils du célèbre ébéniste
de Louis XV et de Louis XVI, fils du peintre Henri-
François Riesener, et peintre lui-même, Léon Riesener, qui est le cousin d'Eugène Delacroix
— lequel a peint son portrait, jeune homme — et
l'élève de Gros, appartient vraiment au « milieu ».
L'Empereur apprécie ses travaux, l'Etat lui passe
des commandes. Ainsi a-t-il exécuté des fresques
pour le palais du Luxembourg et pour l'église
Saint-Eustache. Degas, dans son inestimable collection, possédera de nombreux Riesener. Quant
à Berthe, qui prise ses conseils éclairés, elle recopie dans l'un de ses carnets intimes des pensées de

Léon Riesener, extraites d'un de ses ouvrages sur
l'art.

La fille aînée du peintre, Rosalie, élève de son
père, dessine et peint aussi. Elle devient une amie
de Berthe, qui fera d'elle une aquarelle. Berthe,
Edma et Rosalie fréquenteront désormais le
Louvre ensemble. Berthe peindra aussi Louise,
l'autre sœur Riesener, la plus jeune, dont elle exécutera trois portraits à l'huile, deux en 1881, et un
dernier en 1888, alors qu'elle est déjà presque une
vieille dame. Conservé aujourd'hui au musée
d'Orsay, ce portrait de Louise Riesener, en robe du
soir, renvoie l'image des temps heureux : une
jeune femme séduisante et sûre d'elle, accoudée à
un guéridon XVIIIe, sourit, radieuse, à la vie.

C'est grâce aux Riesener que Berthe fait la
connaissance de la duchesse de Castiglione
Colonna — Adèle —, sculpteur sous le pseudo-
nyme masculin de Marcello. Amie de Sand et de
Mérimée, la duchesse est aussi une amie de Courbet, pour lequel elle pose et dont elle a acheté un
paysage, qu'on peut voir exposé avec ses œuvres,
au musée Marcello de Fribourg — la ville natale
d'Adèle. De quatre ans l'aînée de Berthe, déjà
veuve de l'aristocrate romain qui lui a donné son
nom, c'est une femme menue, à la lourde chevelure cuivrée, chaleureuse et originale. Berthe, qui
s'est liée d'amitié avec Adèle, fréquente l'atelier
que lui louent les Riesener, sur le Cours-la-Reine
— l'actuelle avenue Montaigne —, mitoyen avec
leur maison, à l'angle de la rue Bayard. Sans doute
trouve-t-elle auprès de Marcello, pour la première
fois à l'œuvre, une de ces destinées de femme telle
qu'elle les rêve, libre d'exercer son art à toute
heure du jour et de la nuit, au rythme de ses désirs.
Elle restera liée à Marcello jusqu'à la mort de
celle-ci, en 1879, et écrira alors à sa sœur Edma :

« Les amitiés ne se remplacent plus à mon âge, le vide est grand. »

Les affinités des Morisot avec le monde des arts sont-elles à ce point inscrites dans les gènes de la famille ? Le mardi, d'autres artistes fréquentent la rue Franklin, où l'accueil de Mme Morisot, « en toute simplicité et sans le moindre apparat », selon son fils, est attrayant en soi. Elle a le don de recevoir, elle met chacun à l'aise. Surtout, raconte le fils, « les intimes savaient n'avoir pas à craindre la rencontre ni de raseurs ni de fâcheux ». C'est une famille où l'on ne côtoie en effet que des gens intéressants !

Voici, pittoresque, clinquant, enveloppé dans une cape doublée de soie rouge qu'il croit du meilleur effet, Carolus-Duran — un super-pompier, dirions-nous —, Charles Durand pour l'état civil, « petit Lillois chevelu et romantique » ainsi que le dépeint le jeune Tiburce. Ses poses avantageuses, sa faconde vulgaire amusent. Ami de Manet — et même un des rares amis que Manet tutoie —, admirateur de Courbet, il se réclame du réalisme et aussi... de l'Espagne. Ses gris, ses bleus sont beaucoup moins clinquants que sa personne : Carolus-Duran est un virtuose de la couleur. Avant de succomber à la tentation du portrait commercial et des scènes de genre, il se distingue par une connaissance sensuelle et précise de la palette. Comme Manet, il aime travailler le noir. Amoureux de Berthe, dont cinq années le séparent, il figure au rang de ses prétendants et veut à tout prix lui donner des leçons de peinture. Elle écoute le peintre avec beaucoup d'attention, mais elle se moque de l'amoureux. Il n'est même pas sûr qu'elle apprécie ses talents. Elle jugera un jour « maniéré et plat », sans aucune indulgence, le portrait qu'il aura exposé, de sa femme il est vrai

(*La Dame au gant*, musée d'Orsay). « Il a rougi de toutes ses forces, dira-t-elle à Edma, moqueuse, je lui ai tendu la main, il n'a pas su dire un mot. »

Dans un autre style, voici Stevens. Ou plutôt le couple Stevens. Alfred et Marie. Elle est de la génération des sœurs Morisot, il a à peu près l'âge d'Edouard Manet, dont il est lui aussi, et restera, l'ami. Il est peintre, bien sûr. Et belge. Mais si amoureux de Paris, et d'ailleurs marié à une Parisienne, qu'il est peut-être le plus parisien de toute la compagnie. « Stevens était étourdissant de verve, dira Tiburce Morisot, sans jamais tomber dans la vulgarité de salon. » Ami de Baudelaire, qui a lu chez lui, rue de Laval, sa traduction d'Edgar Poe, élève d'Ingres aux Beaux-Arts, il a eu pour témoins de mariage Eugène Delacroix et Alexandre Dumas fils. En somme, il n'a rien à envier aux familles d'artistes qu'il côtoie. Il vit dans la peinture : son frère aîné, Joseph, est peintre animalier, son autre frère, Arthur, marchand de tableaux. C'est Arthur qui ramènera à Paris le poète des *Fleurs du mal* après son attaque d'hémiplégie, survenue à Bruxelles en 1866. Pour lors, Alfred reproche à son frère de s'intéresser un peu trop à Meissonier ! Il lui présente Manet, Fantin-Latour, Degas, Bracquemond, auxquels il est lié, et c'est sur ses conseils qu'Arthur va trouver de premiers acheteurs belges aux Impressionnistes.

Peintre à la fois intimiste et mondain, Stevens est notamment l'auteur d'une toile, aujourd'hui au musée de Bruxelles, qui représente une jeune femme allaitant à côté d'un berceau — scène dont Morisot fera l'un de ses chefs-d'œuvre. Cette toile porte un titre emblématique de cette époque et de cette société. Elle se nomme *Tous les bonheurs*.

Lors des dîners, toujours improvisés — les invitations se font au dernier moment —, Mme Morisot anime la conversation avec naturel. Comme dit son fils, « elle n'a pas seulement de l'esprit, sans le moins du monde y prétendre, elle en donne aussi à son interlocuteur ». Son mari, si renfermé d'ordinaire, se sent à l'aise au milieu de ses amis. Il retrouve alors l'enthousiasme de sa jeunesse. Il fait la cour à Mme Stevens, qui « n'accueillait pas sans plaisir, sous l'œil amusé de ma mère, les délicats et discrets hommages d'un sexagénaire encore élégant », dira Tiburce. Il parle. Il parle beaucoup. Il parle trop... C'est dans ses entretiens sans méfiance, alors qu'il est en charge à la Cour des comptes de la Ville de Paris, que Jules Ferry, « non sans quelque indiscrétion » selon la famille offusquée, puisera les éléments de son pamphlet, *Les Comptes fantastiques d'Haussmann* — titre-calembour inspiré des *Contes fantastiques d'Hoffmann*. Publié en 1868, ce pamphlet, constitué d'articles parus dans *Le Temps*, devait lancer le jeune Ferry dans la carrière politique et contribuer à la chute du dispendieux préfet de la Seine. De sorte que Berthe et Jules sont liés par une dette de scandale.

« Le vieux Paris de Voltaire, de Diderot, de Desmoulins, le Paris de 1830 et 1848, nous le pleurons de toutes les larmes de nos yeux », écrit Ferry. Dénonçant la spéculation et en particulier l'administration d'Haussmann, coupable selon lui d'avoir « immolé l'avenir tout entier à ses caprices et à sa vaine gloire » et « englouti dans des œuvres d'une utilité douteuse ou passagère le patrimoine des générations futures », Ferry demande que les députés votent chaque année le budget de la Ville de Paris. Que la Ville soit ainsi placée sous surveillance de ses élus. Et Edme Tiburce, fonctionnaire intègre, qui est d'une honnêteté scrupuleuse, approuve d'autant plus ces propos qu'orléaniste de cœur, il ne ressent guère de sympathie pour un préfet d'Empire qui a trop bien réussi. Il n'en est pas moins gêné des révélations publiques du jeune Ferry, bientôt député républicain, qui apporte chez lui sa figure toute neuve de contestataire.

Voilà jusqu'où vont les conversations chez les Morisot. Entre les débats ou potins politiques et les envolées artistiques, on ne s'ennuie pas. Jules n'est d'ailleurs pas le seul politicien à fréquenter la rue Franklin. Autre invité notoire et bien mieux implanté, depuis bien plus longtemps, que le jeune Ferry, dans la société comme dans la famille : Adolphe Thiers. L'auteur de la célèbre *Histoire du Consulat et de l'Empire*, ancien avocat d'origine marseillaise, n'en finit pas d'accompagner l'Histoire de son temps. Plusieurs fois au gouvernement et même chef du gouvernement de Louis-Philippe, élu député orléaniste après le coup d'Etat, il défend à la fois une certaine tradition et « les libertés nécessaires ». Edme Tiburce, qui est à peine plus jeune que lui et partage alors ses positions orléanistes, voit en lui l'homme d'Etat idéal. Thiers est un familier de la maisonnée, et il le restera, même parvenu au poste prestigieux de chef du pouvoir exécutif, en 1871. Preuve de son intimité avec les Morisot : il sera le témoin d'Yves, à son mariage en 1866, et celui d'Edma, en 1869.

Les trois sœurs apportent leurs charmes à ces dîners de têtes. Leurs parfums, leurs rires séduisent les plus jeunes, et devraient leur donner l'occasion de trouver un mari. Mme Morisot trouve que Berthe est un peu trop caustique, qu'elle manque de « féminité » dans ses manières. A cette époque, une jeune fille n'est pas censée exprimer ni même avoir des idées. Mais, comme toujours, la mère laisse faire. Elle accepte de voir s'épanouir les tempéraments dont la force si sou-

un ruban rouge dans les cheveux, contemple d'un air pensif, allongée sur l'herbe, son reflet dans l'eau d'un ruisseau, entre les nénuphars. Les couleurs indéfinissables, un peu jaunes, un peu vertes, à la Corot, ne sont pas encore les siennes. Elle expose aussi une nature morte dont on a perdu la trace, mais dont on sait, par une lettre de Mme Morisot, qu'elle représentait un chaudron. De son côté, Edma a fait accepter un paysage ainsi qu'un *Vase*, que Mme Morisot appelle un *Pot* (de fleurs) et auquel, n'ayant pas pour habitude d'épargner sa franchise à ses filles, elle trouve « une triste figure » ! On l'imagine arpentant le Salon de son pas décidé, achetant le catalogue, se précipitant dans la salle des M., cherchant les tableaux qu'elle a vus se faire, les détaillant dans la lumière de la galerie, observant leur effet, puis, de retour chez elle, s'efforçant d'en rendre compte aux deux artistes, qui n'ont pu se rendre à l'inauguration. Selon cette mère attentive, les organisateurs du Salon les ont plutôt négligées. Dans le catalogue, l'*Etude* de Berthe a été oubliée et n'a donc pas reçu de numéro d'ordre. Quant à l'accrochage, il laisse à désirer. Le paysage d'Edma est collé au plafond, tandis que le chaudron de Berthe, au lieu de se trouver dans la salle des M., s'est égaré au fin fond de l'exposition. Seule la femme pensive au bord de l'eau « est bien éclairée, le matin au moins, et ne fait pas mal du tout ». De manière générale, elle déplore que ses filles, dans leur hâte d'exposer leurs toiles, n'aient pas pris le temps de les vernir. Incurie fatale à la première impression : les peintures paraissent ternes. « Je crois qu'une autre fois il ne faudra pas tant dédaigner le vulgaire, n'eût-il pour organe que la voix paternelle ou maternelle. » Elle est leur critique le plus sévère, elle ne leur passe rien.

Les critiques, eux, les professionnels, ne parlent des sœurs Morisot que du bout des lèvres. Dans *La Gazette des beaux-arts*, Paul Mantz les classe sans s'attarder, avec plusieurs autres femmes, parmi les « peintres de ménage » — comme on dit femmes de ménage. Malgré sa misogynie, il ne peut s'empêcher de relever chez Berthe, déjà, « un délicat sentiment de la couleur et de la lumière », mais il a d'autres chats à fouetter. Du moins, un autre chat, qui l'exaspère... Un petit chat noir aux yeux verts, le poil hérissé et la queue en l'air. Ce détail, placé sur le coin droit d'un tableau qui ne l'exaspère pas moins et qui a déclenché sa fureur, avec celle de ses confrères, chacun le connaît et chacun vient le voir comme un symbole du mauvais goût de l'auteur. Le chat ne serait-il pas plutôt une allusion sexuelle ? La vedette du Salon de 1865, vers laquelle convergent tous les regards, celle vers laquelle on se précipite lorsqu'on vient ici, au palais de l'Industrie, et dont on parle partout dans Paris, c'est ce nu au chat : l'*Olympia* de Manet. Exposée dans la salle des M., qui est celle des sœurs Morisot, elle attire le public comme un aimant. Les murs sont pourtant couverts de toiles, à quelques mètres du sol et jusqu'au plafond, mais il en est ainsi, comme il le sera toujours, la peinture de Manet, où qu'elle soit, et qu'importe le voisinage, se détache inexorablement d'un ensemble. Encore aujourd'hui, l'expérience est facile à faire. Entrez au musée d'Orsay, parcourez les salles, promenez-vous, et vous finirez toujours par vous arrêter net devant les Manet. Leur force est attractive. Leur lumière, pour reprendre l'expression d'un spectateur d'alors, « vous entre dans les yeux comme une scie d'acier ». La phrase est d'un connaisseur : Eugène Delacroix. Mort deux ans avant le Salon d'*Olympia*, il s'est beaucoup intéressé à ce jeune peintre qui lui voue d'ailleurs, comme ses amis, une grande admiration.

Au palais de l'Industrie, on ne voit plus qu'elle. Une jeune femme brune, nue, vêtue seulement de boucles d'oreilles, d'un bracelet, d'un nœud autour du cou. Etendue sur son lit, elle tient d'une main un châle qui la découvre tout entière, de l'autre cache son sexe. Une négresse, en robe rose, lui apporte un bouquet de fleurs. Quant au petit chat, il est aux pieds de sa maîtresse, aussi noir que la négresse et que le fond du tableau.

« Qu'est-ce que cette odalisque au ventre jaune, ignoble modèle ramassé je ne sais où et qui représente Olympia ? Olympia ? Quelle Olympia ? Une courtisane sans doute. Ce n'est pas à M. Manet qu'on reprochera d'idéaliser les vierges folles, lui qui en fait des vierges sales », Jules Claretie (*Le Figaro*).

« Cette brune rousse est d'une laideur accomplie », Deriège.

« Un chétif modèle, étendu sur un drap... » Théophile Gautier (*Le Moniteur*).

« La foule se presse comme à la morgue devant l'Olympia faisandée de M. Manet. L'art descendu si bas ne mérite pas qu'on le blâme », Paul de Saint-Victor (*La Presse*).

« Un parti pris de vulgarité inconcevable », Ernest Chesneau (*Le Constitutionnel*).

« Vierge sale » et « odalisque au ventre jaune », elle sera encore traitée de « créature cocasse » et de « gorille femelle ».

Pire encore que ces jugements des critiques d'art apparaît l'attitude du public. Les gens, attirés par le tableau comme par un charme, ricanent, pouffent, gloussent, rient, ou se tiennent les côtes, dans le meilleur des cas. D'autres protestent à haute voix, prennent leur voisin à partie, pensent que le peintre se moque d'eux, qu'on les provoque. Ils s'avancent dangereusement vers la toile, menacent de la décrocher, hésitent encore à la crever de coups de cannes. La pression monte. L'attroupement est énorme, chacun veut voir *Olympia*. Alors les autorités s'alarment. On demande à deux policiers de monter la garde près de la courtisane, de la négresse et du chat. Mais la foule, toujours plus nombreuse et qui ne se lasse pas, est de plus en plus excitée, de plus en plus méchante. Manet dira, simplement : « Les huées pleuvent comme grêle. » Jamais toile n'aura été autant conspuée. Les administrateurs du Salon ordonnent de décrocher le tableau, et de l'éloigner tout au bout du palais où il sera placé hors de portée des cannes, en haut du mur, là où en toute logique, comme le petit paysage d'Edma, on devrait l'oublier. « A des hauteurs où jamais on n'a pendu la dernière des croûtes, selon Jules Claretie, au-dessus de la porte gigantesque de la dernière salle où l'on savait à peine si l'on voyait un paquet de chairs nues ou un paquet de linge. » Or l'*Olympia*, objet de scandale jusqu'à la fin du Salon, continuera d'y attirer les regards.

Bizarrement, pas une lettre n'atteste l'intérêt des Morisot pour ce tableau dont tout le monde parle, pour ce peintre dont le nom entre dans toutes les conversations des gens qui s'intéressent à l'art. Lorsqu'elle écrit à ses filles pour leur donner ses impressions, le soir même de l'inauguration, Marie-Cornélie, sans doute obnubilée par la recherche des toiles de ses filles au milieu de milliers d'autres (il y a eu 3 559 admissions, cette année-là !), ne mentionne pas l'*Olympia*, qu'elle ne peut pas ne pas avoir vue à sa place d'honneur, mais qui ne l'intéresse pas au premier chef : elle a traversé les salles, d'un pas pressé et efficace, préoccupée d'elles seules ! Amour d'une mère.

De Degas, qui fréquente Manet depuis 1859 et expose au même moment *Les Malheurs de la ville d'Orléans* (toile passée totalement inaperçue et qui n'eut droit à aucun article dans la presse), pas un mot n'est resté de ce qu'il dut lui-même éprouver devant le scandale d'*Olympia*. De Whistler, autre bête noire de la critique, dont *La Fille blanche* souleva presque autant de huées que *Le Déjeuner sur l'herbe* au Salon de 1863, et qui a depuis décidé de se tenir à l'écart des Salons, aucun écho. Silence de Whistler, silence de Degas, silence des Morisot. On ne peut que s'étonner. Et incriminer l'absence d'archives. Comment tous ces artistes n'auraient-ils pas, en effet, pris part au débat ? Comment Degas et Whistler n'auraient-ils pas parlé et reparlé entre eux d'un peintre, soudain propulsé sur la sellette, qui est un de leurs amis proches ? Comment les Morisot auraient-ils pu l'ignorer ? Le monde de l'art résonne ces années-là du nom de Manet, pour le pire mais aussi pour le meilleur. Car il n'a pas que des ennemis, même si ceux-là sont plus nombreux et se font entendre dans les milieux autorisés. Il est tout aussi improbable — bien qu'en l'absence de paroles écrites on en soit tenu à des suppositions — qu'Edma et Berthe n'aient pas déjà vu, au Salon, quelques Manet, parmi les toiles qu'exposent leurs amis et connaissances — Corot, qui n'aime pas la peinture de Manet, Fantin-Latour ou Bracquemond, qui l'adorent. Qu'ont-elles pensé du *Bain*, exposé il y a deux ans, en marge du Salon de 1863, et qui fut le premier scandale de ce peintre à scandales ? Là encore, on en est réduit à jouer les devins.

Cette année-là, à la demande expresse de l'Empereur, qui aime bien jouer au libéral, les deux mille peintres refusés au Salon se voient offrir une exposition spéciale dans l'annexe du

palais de l'Industrie, qu'on surnomme — le nom
est resté — « Salon des Refusés ». Séparée par un
tourniquet de la grande galerie, elle obtient autant
sinon plus de succès que l'officielle, sept mille personnes la visitent le premier jour. Refusés, les
meilleurs amis des sœurs Morisot, Fantin-Latour
et Bracquemond, refusé Whistler avec sa *Fille
blanche*, refusé Cézanne... Edouard Manet, quant
à lui, y expose trois tableaux : entre *Jeune Homme
en costume de majo* et *Mademoiselle V. en costume
d'espada* — deux espagnolades —, *Le Bain* a l'honneur d'être, dès l'inauguration, le plus hilarant de
ces Refusés qui font rire la foule, venue comme au
cirque s'amuser et se déchaîner. Ce *Bain*, dont le
scandale a précédé celui d'*Olympia*, on l'appelle
depuis *Le Déjeuner sur l'herbe*. Une femme nue,
assise dans un sous-bois, entre deux messieurs
habillés, tandis qu'à l'arrière-plan, au bord d'un
cours d'eau, une autre femme, en chemise, se
baigne : le peintre, avec humour, a trouvé à son
tableau, dans le secret de son atelier, un second
titre que la rumeur ne tarde pas à répandre, en
persiflant : *La partie carrée*... Ce même public, nar-
quois, aura beau jeu de reconnaître deux ans plus
tard, dans *Olympia*, la femme nue au premier plan
du *Bain* ; c'est le même modèle qui a posé pour les
deux toiles (Victorine Meurent). Les critiques ont
profondément méprisé *Le Déjeuner sur l'herbe*.
Devant lui, déjà, le public s'est tenu les côtes. Un
critique a dit qu'il était revenu exprès, jour après
jour, au Salon annexe, pour rire encore devant la
femme nue. Le rire, le mépris, la colère : Manet
déclenche chaque fois la tempête.

Qu'est-ce qui pouvait choquer à ce point dans *Le
Déjeuner sur l'herbe* ? Qu'est-ce qui choque, en
1865, dans *Olympia* ? La nudité de la femme ? Les
gens en avaient pourtant vu d'autres, de ces créa-

tures déshabillées, de plus replètes, de plus voluptueuses, de plus indécentes, chez Boucher et Fragonard, chez Rubens, chez Ingres. Ces deux
tableaux scandaleux de Manet s'inscrivaient
d'ailleurs dans la tradition : le premier en reprenant le thème du bain, très fréquent dans la peinture, s'inspire librement de Raphaël (*Le Jugement
de Pâris*) et de Giorgione (*Le Concert champêtre*),
le second, de l'aveu même du peintre, qui reprend
celui de l'odalisque allongée, copie la pose de *La
Vénus d'Urbin* de Titien et ressemble comme un
double à la *Maja desnuda* de Goya. L'époque elle-
même, cette époque bourgeoise, pudibonde, où les
hommes portent des cols empesés et où les
femmes cachent leurs chevilles, cette époque
morale et moralisante aime les Vénus lascives, aux
chairs molles et complaisamment étalées, Vénus
peintes, Vénus sculptées, Vénus de théâtres et de
cabarets, Vénus offertes et Vénus qui se pâment,
plus obscènes que chic. Au Salon de 1863, *La Naissance de Vénus* de Cabanel, avec sa longue chevelure rousse et son corps blanc, impudique et
flasque, entourée d'angelots, a déchaîné l'admiration, et le même critique qui trouvait si vulgaire
la femme nue du *Bain* jugeait cette déesse « d'un
goût exquis ». En 1865, on se presse devant les
belles déshabillées de Paul Baudry, dont les précédents succès dans le nu lui ont valu de décorer
à fresques l'hôtel particulier de la Païva, l'une des
plus grandes courtisanes de tous les temps — et
notamment sa chambre à coucher ! Baudry est le
peintre préféré de Napoléon III, qui lui a confié la
décoration du foyer de l'Opéra. Tandis qu'on
crache sur Manet, qu'on l'accuse comme Théophile Gautier de « vouloir étonner le bourgeois »,
Bouguereau (né en 1825) expose baigneuses sur
baigneuses, corps gras offerts aux regards, cuisses

énormes, ventres enflés, en battant tous les
records de vente, en raflant toutes les décorations.
Ce Grand Prix de Rome, professeur aux Beaux-
Arts, peintre officiel des Pereire et des Boucicaut,
fait à chaque Salon un triomphe. « Votre Bouguereau, c'est le dernier des jean-foutre » : Cézanne
aura beau dire, et après lui Degas et toute la
bande, les Américains qui viennent à Paris
n'achètent alors que Bouguereau et encore Bouguereau.

Est-ce parce que le modèle de Manet, dans *Le
Déjeuner sur l'herbe*, proche à les toucher de ces
deux messieurs très chic, en frac, dont l'un a gardé
un chapeau sur la tête, est placé dans un contexte
contemporain ? Et dans *Olympia*, contemporaine
encore, nue mais vivante, pas mythologique pour
deux sous ? « Effrontée », ainsi qu'on le lui reprochera dans les deux cas, arrogante à force de naturel ? Est-elle si vulgaire qu'on le dit, Victorine
Meurent, jeune femme bien ordinaire en effet et
qui ne ressemble ni à une reine ni à une déesse,
ni même à une nymphe ? Son petit corps sans
allure, son évidente absence de pudeur, son air
d'être à l'aise, bien dans sa peau, bien dans son
temps, bien dans sa morale à elle, est-ce cela qui
embête ? Ou n'est-ce pas plutôt le pinceau du
peintre qui choque, parce qu'il peint dans un style
différent de ce que les gens ont vu jusqu'alors, de
ce qu'ils sont habitués à voir ? Cette manière sincère, brutale, du dessin comme de la couleur,
dérange. Les gens y perdent leurs repères. Manet
chamboule leur conception de l'art.

Aussi les rares acheteurs de Manet et de ses
amis, qui se feront connaître, seront-ils des marginaux ou des esprits frondeurs, nullement de ces
mécènes que les époques précédentes ont connus,
des monarques, des princes, des marquises, des

grands bourgeois fortunés, mais un fonctionnaire à la Direction des Douanes (Victor Chocquet), un chanteur d'opéra (le baryton Jean-Baptiste Faure), une femme entretenue qui est une ancienne lingère (Méry Laurent), un directeur de grand magasin (Ernest Hoschedé), un journaliste (Théodore Duret), un bibliophile, propriétaire du théâtre des Variétés (Paul Gallimard), des peintres (Gustave Caillebotte ou Etienne Moreau-Nélaton), ou encore un industriel, polytechnicien, inventeur de machines thermiques, qui est lui-même peintre, élève de Corot et de Millet, Henri Rouart. Jusqu'à la guerre de 1870, Manet et ses amis, à de rares exceptions près, sont unanimement rejetés.

De là vient sans doute leur esprit de solidarité. Tandis que les critiques et le grand public se retrouvent devant *Olympia* comme devant *Le Bain*, à rire et à grincer des dents, des jeunes gens qui peignent aussi font cercle autour d'Edouard Manet. Ce cercle des amis de Manet a deux hérauts, infatigables à déclarer et à soutenir le génie du peintre : Charles Baudelaire, qui va bientôt mourir, mais a, le premier, déclenché un feu de louanges en sa faveur ; puis Emile Zola, journaliste encore à ses débuts, et ami de Cézanne — ils se sont connus à Aix-en-Provence —, qui écrit et récrit sa ferveur dans les journaux qui acceptent sa prose lyrique et violente. Baudelaire et Zola forment la garde rapprochée du peintre, qui peut compter sur leur indéfectible soutien. Ce n'est pas rien... Baudelaire, en 1865 : « Manet a un fort talent, un talent qui résistera. » Zola, en 1867 : « Je sais, moi, que vous avez réussi à faire une œuvre de peintre et de grand peintre, je veux dire à traduire énergiquement et dans un langage particulier les vérités de la lumière et de l'ombre, les réalités des objets et des créatures. » L'un et l'autre écrivent leur admiration, le premier dans sa correspondance avec tous ses amis, le second dans la presse où son esprit de polémique s'enflamme. Manet sera-t-il « le peintre de la vie moderne » que Baudelaire attend comme un messie, l'homme par lequel la peinture change pour ne plus jamais être pareille ?

Les sœurs Morisot, avec leur famille, s'apprêtent à entrer à leur tour dans ce clan, où la peinture est un combat, et l'art une vraie machine de guerre. Il leur faut savoir choisir leur camp. Reconnaître parmi la foule des peintres contemporains — dont les Salons proposent un énorme échantillonnage — leurs amis, leurs alliés, leurs frères.

En attendant, il leur faut aussi faire leurs preuves. En 1866, tandis que résonnent autour d'elles les querelles les plus virulentes, les revoici au Salon avec des scènes de plein air, d'un calme impressionnant. Thèmes d'eau pour les deux sœurs. Edma expose une *Vue de l'estuaire de la Rance* et Berthe une vue de rivière, *La Brémondière,* toile qui a aujourd'hui disparu. Mais aussi le merveilleux paysage *Chaumière en Normandie* — le premier grand Morisot —, où une chaumière, esquissée au fond de la toile, suggérée par la lumière, est moins le vrai sujet qu'au premier plan les troncs gris-bleu de fins bouleaux dressés sur l'herbe tendre. Cette année-là, on s'est battu devant le Salon. La police a chargé les manifestants : des peintres en colère. Il y a même eu un suicide, celui de Jules Holtzapfel, devant son tableau refusé. Manet, quant à lui, s'est vu renvoyer *Le Fifre* et *L'Acteur tragique*. Indigné, Emile Zola monte alors au front, en prenant la plume pour *L'Evénement* et en rédigeant le premier d'une longue série d'articles sur la peinture, où il défend

avec fougue les assaillis, en particulier Manet et
Cézanne. En guise d'ouverture, il publie une lettre
aux lecteurs intitulée « Un suicide » — c'est sa première « Affaire ».

Les deux sœurs s'évertuent à travailler en
cadence, dans les querelles et les insultes qui
pleuvent « comme grêle » autour d'elles sans les
atteindre encore, et sans qu'on sache ce qu'elles en
pensent. Mais leurs amis, leurs relations continuent d'appartenir pour la plupart au cercle des
peintres en colère. En 1867, Edma dépasse Berthe
d'une longueur. Le Salon accepte deux de ses
toiles, dont une vue de la côte d'Houlgate, contre
une seule de Berthe, *La Seine en aval du pont
d'Iéna,* où de vieilles barques amarrées côte à côte
laissent filer le regard vers la campagne — Paris,
aperçu depuis le Trocadéro, est un désert. C'est
l'année de l'Exposition universelle, celle aussi où
Manet, las des refus répétés du jury du Salon,
organise, non loin de cette vue de la Seine, et non
loin de chez les Morisot, une exposition personnelle de ses œuvres, fin mai, place de l'Alma (au
coin de l'avenue Montaigne). Personne ne l'ignorera : pour ce one-man-show, Manet dépense
18 000 francs-or, qu'il emprunte à sa mère, soit un
peu plus que le revenu annuel d'Edme Tiburce
Morisot ! Il publie un catalogue, dont il rédige lui-
même la préface à la troisième personne :
« M. Manet s'est vu trop souvent écarté par le jury
pour ne pas penser que si les tentatives d'art sont
un combat, au moins faut-il lutter à armes égales,
c'est-à-dire pouvoir montrer aussi ce qu'on fait. »
Il montre *Le Buveur d'absinthe, Le Déjeuner sur
l'herbe* et *Olympia, Jeune Homme en costume de
majo* et *Mademoiselle V. en costume d'espada, Le
Christ aux anges, Le Fifre, Le Guitarrero, Le Mata-
dor saluant, Le Combat de taureaux...* Un vrai feu

d'artifice ! « C'était un éblouissement, cette exposition », dira Antonin Proust, un ami d'enfance de
Manet — il a fréquenté autrefois l'atelier de Couture mais renoncé à devenir peintre ; il écrit des
articles dans divers journaux, dont *La Revue
blanche*, et s'apprête à entrer en politique. Cependant le public comme la presse sont sans pitié
pour son ami Manet, une nouvelle fois d'accord
pour crier au scandale et au ridicule, et marquer
du fer rouge de leur mépris ce peintre qui s'obs-
tine à les narguer. Manet ne vendra pas une seule
des cinquante-trois toiles exposées. Les gens, incapables de résister à l'attraction, ne viennent que
pour rire. Sous le second Empire, Manet joue le
rôle de l'amuseur public. Antonin Proust le
raconte dans ses *Souvenirs*, lui qui sera un jour
ministre des Beaux-Arts, dans le cabinet Gambetta : « Le public riait devant ces chefs-d'œuvre.
Les maris conduisaient leurs femmes au pont de
l'Alma. Il fallait que tout le monde s'offrît et offrît
aux siens cette rare occasion de se dilater la rate.
(...) La presse était unanime ou presque unanime
à faire écho. Jamais, en aucun temps, il ne s'était
vu un spectacle d'une injustice aussi révoltante. »

C'est seulement l'année suivante que le ton
change, que les rires s'espacent, que les critiques
s'aperçoivent que ce peintre qui les choque a peut-
être du talent. Comme ses amis en ont peut-être
aussi. Au Salon de 1868, la famille « impressionniste » — le mot n'a pas encore été inventé — est
déjà au complet. Il y a là Pissarro avec deux paysages, Renoir avec *Lise à l'ombrelle*, Monet avec un
navire sortant de la jetée du Havre, Bazille avec sa
Réunion de famille, Sisley avec une avenue de châ-
taigniers, Degas avec une danseuse. 1868, c'est
l'année fétiche de Berthe. Dans la salle des M.,
pour la première fois, Morisot et Manet ne

Il y a dans son regard une lueur caressante et chaude, mais aussi de la provocation.

La conversation s'engage, autour de la peinture. Manet qui préfère copier les Vélasquez s'intéresse au travail de Berthe, puis propose qu'on se revoie. Il ne semble pas qu'il y eût de coup de foudre entre eux, aucun document ne permet de l'affirmer. Mais ces deux personnalités se sont à l'évidence senties attirées l'une par l'autre ; leur rencontre a éveillé une curiosité réciproque et le désir de se revoir. Manet n'est guère habitué à voir des femmes peindre. Il vit au milieu d'un cercle d'artistes, tous des hommes, où les femmes sont des modèles, des amies, des compagnes — jamais des alter ego. Il ne manifeste d'abord qu'un intérêt mineur pour le travail de Berthe, il ne paraît pas captivé par sa peinture. Sans être du tout misogyne — il aime passionnément les femmes —, il souffre d'un a priori les concernant. Il est probable qu'il ne les croit pas capables, à supposer qu'elles puissent avoir une âme d'artiste, de la volonté et de la force nécessaires à la création, sinon à la carrière. Il connaît toutes les difficultés du long chemin qui conduit à l'art, il ne conçoit pas qu'une femme se lance dans un pareil combat. Il aura cette phrase, assez méprisante, dans une lettre qu'il écrit, quelques mois après la rencontre, à Fantin-Latour : « Je suis de votre avis, les deux sœurs Morisot sont charmantes. C'est fâcheux qu'elles ne soient pas des hommes. Cependant, elles pourraient, comme femmes, servir la cause de la peinture en épousant chacune un académicien, et en mettant la discorde dans le camp de ces gâteux. » De sa part, l'entrée en matière manque de flamme. Il est probable que, séduit par la femme et par ses yeux ardents — des yeux « verdâtres » selon Paul Valéry mais que lui-même a

vus noirs —, il a un peu de mal à accepter son statut d'artiste. A leur première rencontre, dans
l'esprit de Manet, le peintre c'est lui, ce ne peut pas
être elle. Le fait même qu'elle peigne ne serait-il
pas plutôt, pour lui, d'abord, un handicap ? La
situation évoluera, Manet révisera sa conception,
acceptera Berthe telle qu'elle est, avec ses pinceaux, et se prendra même à échanger avec elle
quelques avis ou quelques conseils. Un jour, sans
qu'il s'en aperçoive, elle saura même avoir sur lui
une influence et le dialogue se fera à égalité,
d'artiste à artiste. Mais au moment de la rencontre, cet hiver 1868 au Louvre, Manet n'a jamais
pensé que cette jeune fille « charmante » aurait
quelque chose à lui apprendre.

Le point de vue de Berthe est bien différent.
Face à elle, se tient un homme d'abord très séduisant. « Peu d'hommes ont été aussi séduisants »,
dira son ami Antonin Proust. C'est aussi ce que
disent ces vers de Théodore de Banville, autre ami
du peintre :

> *Ce riant, ce blond Manet*
> *De qui la grâce émanait*
> *Gai, subtil, charmant en somme,*
> *Sous sa barbe d'Apollon*
> *Eut de la nuque au talon*
> *Un bel air de gentilhomme.*

Berthe Morisot ignore sans doute encore qu'il
est difficile de résister à son charme. On ne
sait pas ce qu'elle a éprouvé à sa première appari-
tion devant elle, ni si sa barbe blonde et ses yeux
rieurs, son magnétisme d'homme ont exercé sur
elle l'attraction qu'illustrent déjà tant de ses
conquêtes. Pour cette jeune fille qui rêve d'être
peintre, la rencontre est formidable : voici qu'on

lui présente enfin un artiste hors du commun.
Edouard Manet a beau être controversé, souvent
vilipendé, sa forte personnalité le distingue ; or,
Berthe Morisot n'aime rien tant que la personnalité. Elle n'a jusqu'ici porté d'admiration qu'à des
peintres au talent certain mais dotés d'une personnalité en demi-teinte, des peintres sérieux mais
sages, des peintres épris de beau et d'harmonie,
des peintres du meilleur goût. Les couleurs douces
de Corot, les thèmes féminins et distingués de
Fantin-Latour, les sobres gravures de Bracquemond : dans cet univers pensé et mesuré, qui
cherche la lumière mais n'a pas encore rompu
avec des siècles de classicisme, Edouard Manet
fait tout à coup pénétrer la force et l'audace, avec
ses couleurs criardes et son dessin brutal, ses
enfants qui se pendent, ses buveurs d'absinthe, ses
courtisanes et ses toreros. Par lui, une fenêtre
s'ouvre sur un autre monde, qui contient des violences que Berthe ignore, des amours qu'elle ne
peut qu'imaginer, du sang et de la volupté. C'est
un monde de risques et de danger, qui soudain la
fascine et la tente. Ira-t-elle s'y perdre ?

　Qui est-il, ce peintre qui concentre sur sa personne l'opprobre de son époque ? Qui est cet
homme, qui s'avance au Louvre comme en pays
conquis, sans tapage mais sans complexes,
radieux et sûr de lui ? Né il y a trente-six ans
(1832) — sous le signe du Verseau —, dans une
famille de magistrats et de hauts fonctionnaires,
il a vu le jour rue des Petits-Augustins, aujourd'hui
rue Bonaparte, à égale distance des Beaux-Arts et
de l'Institut, où il ne mettra jamais les pieds. L'un
de ses premiers tableaux, conservé au musée
d'Orsay, représente ses parents, des gens honnêtes

et respectables ; son père porte la Légion d'honneur à la boutonnière tandis que sa mère, un bonnet blanc sur la tête et des mitaines aux mains, remue dans un panier des pelotes de laine — symbole de la femme consacrée au foyer. Le père a l'air sévère et dur, la mère arbore un de ces visages maigres où l'ennui, le sacrifice ont laissé leurs traces. Aucune fantaisie, aucun esprit rêveur n'irradie de ce couple, et l'on peine à imaginer que près d'eux naquit une vocation d'artiste. Depuis, le père est mort, après une longue maladie dont son portrait représente les atteintes, et Mme Manet habite avec son fils aux Batignolles. Longtemps, Auguste Manet avait cherché à détourner son aîné du métier de peintre. Echouant à faire de lui un magistrat — Edouard était trop mauvais élève —, il a tenté de le diriger vers une autre carrière et il a espéré qu'il intégrerait l'Ecole navale. La mer, les voyages et l'aventure : il ne fallait rien de moins pour décider Edouard à renoncer à ses pinceaux, à ses couleurs. A seize ans, il a embarqué comme pilotin à bord du bateau-école *Le Havre et Guadeloupe*, et passé près de six mois à naviguer. Rio de Janeiro lui a laissé son plus beau souvenir, mais il a consacré davantage de temps à regarder les femmes « aux yeux magnifiques noirs » ainsi qu'il l'écrit à sa mère et « dans le sillage du navire les jeux d'ombre et de lumière », qu'à apprendre un métier. A preuve, dès son retour, son échec à l'Ecole navale. M. Manet père a dû se résigner à lui laisser faire ce qu'il a appris seul, ce pour quoi il semble étonnamment doué : le dessin, la peinture. Mais il a mis une condition à ce choix : Edouard Manet devra faire carrière. Beaux-Arts, Salons, Institut, qu'il s'y tienne ! Qu'il soit sérieux ! Les sévères préceptes paternels se sont gravés dans l'esprit du garçon.

Edouard Manet n'est pas si insolent qu'on croit. Pour honorer ses parents, il veut bien « faire carrière ». Il n'est pas du tout en rupture de ban. Il rêve d'intégrer les Salons, de recevoir des médailles, de se voir reconnu, applaudi et récompensé. Il aimerait beaucoup vendre ses tableaux que personne n'achète ! Mais en même temps, il suit sa voie — c'est-à-dire ce que lui dicte son tempérament — et n'a pas du tout envie d'adapter sa manière, ni de corriger ce qu'il voit ou ce qu'il ressent en fonction de critères académiques — le succès devrait-il en passer par là. Il a la chance de jouir d'une fortune personnelle et de ne pas dépendre financièrement de la vente de ses tableaux. Son anticonformisme ne le conduit pas à la misère. Son père a pu mourir dans l'illusion qu'il se conformerait aux normes et qu'il deviendrait un de ces peintres officiels, couverts de lauriers, mandarins ou mamamouchis de l'art : il s'est éteint, on pourrait dire heureusement, avant les scandales qu'auront provoqués *Le Déjeuner sur l'herbe* et *Olympia*. Déjà à l'atelier de Thomas Couture, que son fils préférait aux Beaux-Arts parce que Couture était jeune (une trentaine d'années alors) et parce qu'il passait pour être du camp des novateurs — il ne préparait d'ailleurs pas au concours de Rome —, Manet se distinguait par son esprit frondeur. Refusant de peindre les modèles dans la pose affectée qui plaisait tant à l'époque, il a souvent contré Couture, et pendant six ans a été l'élève le plus doué mais le plus irritant et le moins docile de son atelier. Malgré tout son talent, et pour une querelle plus forte que les autres, née du *Buveur d'absinthe*, de ses tons jaunes et répulsifs, Couture a fini par le mettre à la porte. L'insoumission est un des traits distinctifs de Manet. Il ne conçoit en effet qu'une seule manière de peindre : la sienne. S'il doute, c'est par rapport à lui-même, à sa propre vision. Il cherche sa voie, souvent douloureusement, mais il ne conçoit l'art que dans la sincérité la plus absolue. Etre soi-même, voilà son ambition. Il n'obtempère jamais. « L'art est l'écriture de la vie », a-t-il dit un jour. Dans le catalogue qu'il a fait éditer à ses frais et qu'il a rédigé lui-même pour sa fameuse exposition en marge du Salon de 1867, parlant de lui à la troisième personne, il affirme ainsi son indépendance : « M. Manet n'a prétendu ni renverser une ancienne peinture ni en créer une nouvelle. Il a cherché simplement à être lui-même et non un autre. » Orgueil et modestie.

Il ne vise pas le scandale. S'il choque, s'il dérange, c'est bien malgré lui, parce qu'il ne sait être que lui-même et que sa personnalité, hors normes et hors écoles, depuis qu'il peint, ne cesse d'étonner. Il est navré de tout ce bruit qu'il provoque, de ces fureurs, de ces rires méprisants et hostiles que chacune de ses expositions déchaîne. Il en est le premier blessé. Il en souffre. Combien de fois son ami Charles Baudelaire aura-t-il dû réconforter cet homme sensible, plus fragile qu'il n'y paraît. « Je voudrais vous avoir ici, mon cher Baudelaire », lui écrit-il au moment du Salon d'*Olympia*, tandis que le poète se trouve à Bruxelles. « J'aurais voulu avoir votre jugement sain sur mes tableaux. » Et Baudelaire de répondre, pour le rassurer : « Il faut donc que je vous parle encore de vous. Il faut que je m'applique à vous démontrer ce que vous valez. C'est vraiment bête ce que vous exigez. On se moque de vous ; les plaisanteries vous agacent ; on ne sait pas vous rendre justice, etc. etc. Croyez-

vous que vous soyez le premier homme placé dans
ce cas ? Avez-vous plus de génie que Chateau-
briand et que Wagner ? On s'est bien moqué d'eux
cependant. Ils n'en sont pas morts. Et pour ne pas
vous inspirer trop d'orgueil, je vous dirai que ces
hommes sont des modèles, et que vous, vous n'êtes
que le premier dans la décrépitude de votre art. »
Manet fut-il ravi de lire ce mot de décrépitude,
sous la plume du poète synonyme de décadence,
de fin d'un monde, pour une renaissance ? Ou plus
abattu encore ? C'est un homme transpercé de
banderilles et dont le cœur saigne de se voir
incompris, qui promène au Louvre sa belle allure,
et son sourire charmeur.

Sa voie, en apparence si originale, il aime en
effet la cultiver près des Anciens. Ce rebelle, du
moins cet insoumis, que ni son père ni Couture
n'ont réussi à mettre au pas, et que les critiques
les plus rudes blessent mais ne corrigent pas, respecte la tradition. Il admire les Italiens, Titien, le
Tintoret et surtout Véronèse ; il admire Rubens
que Berthe est en train de peindre ce jour-là et qui
lui a précédemment inspiré une nymphe au bain ;
il admire les Hollandais, mais par-dessus tout les
Espagnols — il vient souvent au Louvre pour
copier Vélasquez : « C'est le peintre des peintres »,
dit-il de l'auteur des *Ménines*, des *Fileuses* et de
L'Infant Baltazar Carlos. « J'ai trouvé chez lui la
réalisation de mon idéal en peinture ; la vue de ses
chefs-d'œuvre m'a donné grand espoir et pleine
confiance. » Vélasquez a inspiré nombre de ses
toiles. Le goût de l'Espagne est si fort chez lui que
les railleries de la critique (« Don Manet y Zurbarán de las Batignollas ») n'ont pu le détourner
de ce monde dont il emprunte les grands thèmes
— la tauromachie, le flamenco, les soleils tragiques — et peut-être aussi les couleurs : le goût

du noir, si fort chez lui, se nourrit de feu et de sang. La tragédie est solaire, les toiles les plus crues teintées d'un deuil violent. Les rêves de Berthe Morisot sont à des années-lumière de ces couleurs, de cette Espagne de théâtre et de splendeurs cruelles. Elle peint dans l'arc-en-ciel, mais le tourment qui se cache au fond de sa personnalité acide, farouche, ce tourment très noir qu'elle tente de juguler et auquel elle ne permet jamais de venir au jour, existe. Elle mesure toujours la vie d'après ses drames mais dissimule son pessimisme sous un masque de sérénité. Ce tourment profond et constant, qui jamais ne se dissipera et dont son regard porte les reflets, la rapproche de Manet, lui permet de comprendre et d'aimer ce qu'il peint. La violence, la brutalité de sa vision, le magnétisme de ses couleurs la fascinent.

Que lui aura-t-il dit ce jour-là devant Rubens ? Il est probable qu'il lui aura donné des conseils. Aura-t-il pris son pinceau, comme il le fera plus tard devant l'une de ses toiles, pour corriger le dessin ou le ton et peindre finalement à sa place, autre chose, autrement ? Rien n'a filtré de ce premier entretien, ni témoignage ni confidence. La lettre de Manet à Fantin-Latour, en août de cette même année, seul commentaire que nous ayons de Manet sur Morisot, outre qu'elle contient la petite phrase destructrice (« Je suis de votre avis, les deux sœurs Morisot sont charmantes. C'est fâcheux qu'elles ne soient pas des hommes... »), n'indique pas que l'un ou l'autre ait succombé à leurs charmes respectifs. La lettre de Manet est cependant importante. Elle révèle les difficultés qu'une femme avait à surmonter pour s'affirmer elle-même et vaincre les réticences, la méfiance sinon le mépris que son sexe éveillait à tous les niveaux de l'échelle sociale, parmi le public comme parmi les peintres eux-mêmes, les plus audacieux ne faisant pas exception. « Charmantes » mais tout juste bonnes à marier, et encore à un académicien, un salonnard, un prix de Rome, pour ne pas les déclasser : Manet luimême leur dénie tout autre destin, désir, ou ambition. Comme si, femmes, et bourgeoises qui plus est, elles ne pouvaient avoir dans la tête qu'un code de convenances, tête aussi vide d'expression que celle d'*Olympia* au-dessus d'un joli corps. Tandis qu'Edma avoue s'être toquée du peintre — « Ma toquade pour la personne de Manet est passée », confiera-t-elle à sa sœur un an plus tard —, Berthe ne dit rien. Nul aveu n'a traversé le temps. Et personne ne sait ce qu'au fond d'ellemême elle put éprouver à leurs premières rencontres.

D'abord, semble-t-il, négligée par le peintre, tenue pour du menu fretin, elle pose pour Alfred Stevens qui a décidé de faire son portrait. C'est un tableau à la Frans Hals où, le menton posé sur les deux mains entrecroisées, le front caché sous l'énorme chevelure noire, le regard toujours noir et troublant rivé droit devant elle, elle dégage déjà ce mystère auquel Manet saura donner son intensité. La toile, aujourd'hui à la National Gallery de Dublin, porte la date de 1868. Or, à qui Stevens l'offre-t-il, cette année-là, comme si elle lui revenait de droit ? Non pas à Berthe, non pas à M. et Mme Morisot, chez lesquels il dîne les mardis avec sa femme et qui viennent désormais dîner chez lui les mercredis. Mais à Manet ! A-t-il deviné que le charme puissant du modèle commence à agir sur le peintre ? A-t-il parlé en secret de Berthe avec Edouard Manet ? C'est après avoir accroché le *Portrait d'une jeune femme* dans son atelier que ce dernier demande à Berthe de poser pour lui.

Elle apporte sa fraîcheur, son élégance dans un univers où les odeurs de peinture et de tabac se mêlent à celles que des corps ont laissées. Il y traîne parfois, comme tombé du tableau qui le représente, un mouchoir, un jupon ou un gant oubliés, dont s'étonnent peut-être les fantômes de cette ancienne salle d'armes. Pour Berthe, l'atelier de Manet, c'est cet autre monde qui l'attire, tellement différent de son univers à elle, aéré, ouvert sur le jardin et où Mme Morisot, maîtresse de maison exemplaire, ne cesse de mettre de l'ordre. Berthe arrive chez Manet, rue de Saint-Pétersbourg, en terre inconnue. Elle apporte avec elle sa personnalité à la fois passionnée et mesurée, sa fièvre sous l'apparente froideur. Tout un parfum de contrastes, dont la violette cache le feu. Elle apporte ces ondes spéciales qu'elle a l'art de diffuser, charme insoupçonnable et dont il est difficile de se défendre : distance extrême, invincible pudeur, mirage d'un regard. Il y a en elle quelque chose de mystérieux et de troublant, ce que Manet appellera, pour l'avoir étudiée longuement, d'une toile à l'autre : « la beauté du diable ».

Comment Berthe Morisot n'aurait-elle pas fasciné Manet ? Il trouve dans son regard la couleur qu'il aime par-dessus tout et qu'il travaille avec obstination depuis qu'il sait peindre, cette couleur noire, inséparable de son œuvre. Car Manet peint le noir comme nul autre peintre. Sans doute s'est-il d'abord fait remarquer par les tons clairs et francs, qu'il pose en grands aplats, tons bruts, tons sans subtilité qu'on lui reproche tant, « aigres » selon les critiques unanimes. Les contours sont nets, sans douceur, sans souplesse. Les thèmes sont puissants, souvent dramatiques — tandis que Berthe gommera tout pathos de sa peinture —, mais une lumière sortie d'on ne sait quelle vision

nomme Manet, depuis toujours, son « Parrain ».
Suzanne n'est entrée officiellement dans la vie du
peintre qu'à la mort d'Auguste Manet, gardé dans
l'ignorance de cet amour clandestin. De cette
époque, Edouard conserve le tableau particulièrement érotique d'une Suzanne nue au bord d'un
lac, telle une *Nymphe surprise* (Museo de Bellas
Artes, Buenos Aires), dont les formes avantageuses évoquent les Dianes épanouies de Boucher.
    Aucun des amis de Manet n'a fréquenté
Suzanne avant son mariage. Aucun, semble-t-il, ne
la connaissait. Le peintre s'obstinait à la tenir
cachée. Avait-il honte de cette liaison ? Craignait-
il d'affronter les foudres de son père, qu'aurait
fâché une mésalliance ? Elle est en effet étrangère,
sans fortune, et sa famille d'artistes n'avait sans
doute rien pour plaire au sévère magistrat. Ou
bien Manet était-il gêné de présenter aux siens ce
jeune Léon, de mystérieuse ascendance ? En
octobre 1863, une lettre de Baudelaire à Carjat
révèle combien l'annonce des noces du peintre
avec une inconnue put frapper d'étonnement son
entourage : « Manet vient de m'annoncer la nouvelle la plus inattendue. Il part ce soir pour la Hollande d'où il ramènera sa femme. Il paraît qu'elle
est belle, très bonne et très artiste... »
    Léon, né le 29 janvier 1852, à quelques jours du
vingtième anniversaire du peintre, porte pour
second prénom celui d'Edouard qui l'a tenu sur les
fonts baptismaux, le 4 novembre 1855, devant le
pasteur des Batignolles. Lorsque Manet épouse
Suzanne Leenhoff, Léon qui passe aux yeux de
tout le monde pour être le frère de sa femme,
devient donc officiellement son beau-frère. Il
l'élève cependant comme un fils — ou un beau-fils.
Ce que personne ne sait, ce que l'enfant lui-même
ignore (il ne l'apprendra qu'au moment de son ser-

vice militaire, en 1872), c'est qu'il ne s'appelle pas
Leenhoff, comme sa sœur. L'état civil l'a enregis-
tré sous le nom de Koëlla. « Fils de Suzanne Leenhoff et de Koëlla » est-il inscrit sur les registres de
l'armée... Il est né à Paris. Si Léon est le fils naturel de Suzanne et de ce mystérieux Koëlla, il est,
de fait, le beau-fils de Manet. Mais si l'enfant est
de Manet — hypothèse non moins probable, Léon
vivant sous son toit depuis sa naissance —, pourquoi le peintre ne l'aurait-il jamais reconnu ? Eut-
il un doute sur sa paternité ? Accepta-t-il d'élever,
par amour pour Suzanne, le fils d'un autre ? Ou
fut-il soucieux du qu'en-dira-t-on ? Les questions
demeurent. Dans une lettre de 1920, peu avant de
mourir, Léon affirmera qu'il ignore toujours « le
fin mot de ce secret de famille ».

A l'heure où Berthe Morisot entre en scène,
Manet vit donc chez sa mère, avec sa femme et
le petit Léon qu'ils élèvent. Le couple n'a pas
d'enfant. Léon — seize ans en 1868 — travaille
déjà ; Manet vient de lui trouver son premier
emploi. Est-il incapable de suivre des études
ou a-t-il besoin, lui, de gagner sa vie ? Tandis que
les trois frères Manet sont rentiers, tandis
qu'Edouard peut se permettre, à trente-quatre ans
passés, de ne pas encore gagner d'argent avec ses
tableaux — il accumule les dettes auprès de sa
mère —, l'adolescent travaille comme saute-ruisseau de Bourse, rue de la Victoire, chez le banquier de Gas, père d'Edgar Degas. A quoi servent
les relations ! Il passera plus tard à la banque
Prieur, rue Bergère, où il montera rapidement en
grade avant de faire fortune — fait inhabituel dans
les familles Manet comme Leenhoff. Il fondera un
jour sa propre banque, rue Nouvelle, deux ans
avant la mort de ce « Parrain » auquel le liera toujours la plus grande affection.

En 1868, *Madame Manet au piano* (musée d'Orsay) consacre l'harmonie du foyer. Le tableau décrit une atmosphère rassurante : près d'un miroir où se reflète une pendule de bronze, une jeune femme en robe de mousseline noire, assise devant un piano à queue, déchiffre sa partition. Derrière elle, deux fauteuils dans des housses. La scène dégage une forte sensation d'intimité, rare sur les tableaux de Manet, toujours un peu théâtre. On reste saisi devant la sérénité de Suzanne. La *Nymphe surprise* s'est empâtée, transformée en respectable rombière, mais elle conserve un certain charme, de la douceur, de la clarté.

Au musée d'Orsay aujourd'hui, *La Lecture*, que Manet a peint la même année 1868, montre ensemble pour la première fois Suzanne et Léon. Léon fait la lecture à Suzanne, qui lui tourne le dos. Son visage sensuel irradie ce calme souverain qui la caractérise. Ce qui ressort de la peinture, c'est cette étude de blancs, dont les chatoiements fascinent et montrent la virtuosité du peintre, les effets mêlés de neige et de cristal, les jeux subtils, quasi insaisissables de la lumière sur des tons purs.

Manet aime-t-il Suzanne ? Même s'il lui est très infidèle, leur correspondance témoigne de sa tendresse et de son attachement. Lorsqu'ils sont séparés, il se languit d'elle. En 1870, au moment de la guerre avec la Prusse, il lui écrira : « Adieu, ma chère Suzanne, je t'embrasse comme je t'aime et donnerais l'Alsace et la Lorraine pour être près de toi. » N'a-t-il pas plutôt besoin de stabilité conjugale, et de la paix du foyer ?

Suzanne n'ignore pas que Manet la trompe allègrement. Mais elle n'est pas jalouse. Le peintre italien Giuseppe De Nittis, auteur de *Nuages d'automne* et de *La Traversée des Apennins* (musées de Milan et de Naples), hôte et ami du couple, raconte qu'« on sentait dans ses moindres mots la passion profonde qu'elle avait pour son enfant terrible et charmant de mari ». Elle lui passe ses caprices. « Un jour, raconte De Nittis, il suivait une jolie fille, mince et coquette. Sa femme qui passait par là tout à coup le rejoignit et lui dit avec un bon rire : "Cette fois, je t'y prends ! — Tiens, dit-il, c'est drôle ! je croyais que c'était toi." Or, Madame Manet, plutôt un peu forte, Hollandaise placide, n'avait rien d'une frêle Parisienne. Elle racontait la chose elle-même, avec sa bonhomie souriante. »

C'est en se promenant dans les rues, probablement comme toujours à la recherche d'une aventure, que Manet, au printemps 1862, est tombé sur Victorine Meurent, près du Palais de Justice. Il l'a suivie, draguée, abordée, séduite, et convaincue de poser pour lui. Devenue son modèle favori, elle partage probablement son lit. La critique, unanime, la juge vulgaire — « une fille », dit-on, avec le sens péjoratif que le mot revêt à cette époque, une courtisane, une traînée, « une vestale bestiale » (selon Paul Valéry, qui l'admirait). Elle a été *La Chanteuse des rues* dite aussi *La Femme aux cerises*, du musée de Budapest, *Mademoiselle V. en costume d'espada* du Metropolitan Museum et elle-même enfin sur le portrait qui porte son nom et se trouve aujourd'hui à Boston ; après *Le Déjeuner sur l'herbe* et *Olympia*, elle fut *La Femme au perroquet* ou *Femme en rose* (du Metropolitan) et elle vient tout juste de lui inspirer *La Joueuse de guitare* (Farmington, Connecticut), son instrument préféré. Manet aime les artistes. Victorine joue de la guitare avec la passion qui habite Suzanne au piano. Actrice et musicienne, sa carrière de modèle, ébouriffante et qui déclenche le scandale, n'est pour elle qu'un épiphénomène. Elle pose aussi pour Alfred Stevens qui la protège et elle habite près de chez lui, boulevard de Clichy. Rousse, plutôt menue selon les canons de l'époque, bien proportionnée, le pied joyeux, elle est délurée et semble sans attaches, hormis ses peintres préférés. C'est une Nadja d'avant le surréalisme. Elle s'apprête à disparaître, soudain et sans explications, pour de nombreuses années. On finira par apprendre qu'elle vécut en Amérique. Car elle reviendra, avec le même aplomb, la même insolence, plus folle et tout aussi jolie, de cette autre vie entre parenthèses, sur laquelle on n'a que bien peu d'informations. Avec la guitare, Victorine nourrit deux autres passions : la peinture, à laquelle elle s'adonne déjà — elle exposera ses toiles après la guerre, en même temps que Manet et Stevens ! —, et l'alcool — un vice qui lui sera fatal.

Elle n'est pas cependant le seul modèle de Manet, ni la seule fille qu'il a ramenée de promenade à son atelier. Quoique proche du foyer où vivent sa mère et son épouse, l'atelier de la rue Guyot — bientôt celui de la rue de Saint-Pétersbourg, n° 4 — est son domaine privé. Ni Mme Manet mère ni Suzanne n'y pénètrent jamais. Il y vit avec ses couleurs, avec ses amis, avec ses maîtresses, avec ses accessoires et ses vases de fleurs. S'y succèdent les modèles, Nina Faillot ou Marie la Rousse, et ces inconnues qui seront un jour les sublimes *Brune aux seins nus*, puis *Blonde aux seins nus*. L'atelier de Manet, c'est un monde surchargé, encombré, où Berthe peut se demander si elle y trouvera sa place ou si elle ne fera que passer. En attendant elle ne sait quel dénouement à leurs premières rencontres, elle le regarde peindre. En posant pour lui, elle assiste à un spectacle : les formes et les couleurs prennent corps sous ses yeux.

49 rue de Saint-Pétersbourg, Mme Manet mère a institué son jour : elle reçoit les jeudis, comme Mme Morisot les mardis à Passy. On dîne, les trois fils Manet sont là, on parle autant de politique que d'art ou de littérature. Un ton de république distingue la maisonnée. On est ici beaucoup moins conservateur que chez les Morisot. Et une grande ferveur anime les invités aux soirées. Hôtes réguliers, que Berthe connaît déjà, ou qu'elle y rencontrera : Alfred Stevens et sa femme, Fantin-Latour avec sa fiancée Victoria Dubourg, le compositeur Emmanuel Chabrier, amené par Suzanne, les peintres Edgar Degas et Pierre Puvis de Chavannes, qui viennent en célibataires, ou encore Zacharie Astruc — le tempérament le plus éclectique de tous les amis de Manet. A la fois sculpteur, peintre, poète et journaliste, il tient le feuilleton des arts dans diverses gazettes. Fou d'Espagne, il ne se lasse pas d'évoquer le pays de Don Quichotte et de commenter les merveilles qu'il a pu voir au Prado. Manet, en 1864, a peint de lui un magnifique portrait (musée de Brême) que sa femme a trouvé si laid qu'elle a refusé de l'accrocher chez elle. Manet a dû reprendre la toile qu'il avait offerte à Zacharie ! Fréquentent aussi la rue de Saint-Pétersbourg le poète fantaisiste Charles Cros — « Le hareng sec, sec, sec... » — et bientôt Emile Zola.

La famille Morisot se voit conviée un premier jeudi — manque Yves, déjà mariée, et qui habite la province. Berthe découvre la vie de famille d'Edouard Manet : son épouse, sa mère, ses frères, et ce jeune beau-frère saute-ruisseau chez les de Gas. L'atmosphère est moins policée qu'à Passy :

Auguste Manet n'est plus là pour rétablir l'ordre parmi la jeune génération d'écrivains, d'artistes, de musiciens qui fréquente désormais chez lui. On parle haut et dans les discussions le ton monte, les tempéraments s'échauffent. Degas grogne et bougonne, il est aussi capable d'être étincelant et drôle ; Puvis, qu'on surnomme « le Condor », a de la repartie, des traits d'esprit fulgurants ; Cros délire et rit ; Chabrier n'a pas de mots assez forts pour défendre Saint-Saëns ; Zola tempête ou vitupère sitôt qu'un sujet lui tient à cœur. « On cause beaucoup », dira Mme Morisot qui a une conception beaucoup plus mesurée de la vie mondaine. Alors, Suzanne s'assied au piano, déplie sa partition et se met à jouer « de ses petites mains au toucher très doux » selon Marie-Cornélie qui est une connaisseuse. Wagner ou Chopin imposent le silence. Affalé dans une bergère, Edouard Manet se délasse. Degas le peindra un jour (1868-69) au lavis, la joue posée sur le poing et la jambe repliée. On voit bien qu'il savoure l'atmosphère du foyer. Et qu'il aime écouter sa femme jouer du piano. Lorsque Degas offrira ce tableau, *Monsieur et madame Edouard Manet,* au peintre, celui-ci trouvera si vilaine la représentation de son épouse qu'au grand dam d'Edgar il en tailladera lui-même un bon tiers — le profil de Suzanne et son fidèle piano !

Pour Berthe Morisot, qui en donnera maints témoignages, Edouard Manet est parmi ses contemporains le peintre pour lequel elle a le plus d'admiration. Il lui arrivera de s'inspirer des mêmes thèmes. De s'aventurer sur ses pas. Ainsi, en 1869, tandis que Manet achève *La Lecture,* cette variation en blanc où Léon lit un livre pour Suzanne, elle signe une solide et tendre composition portant ce titre, que les Américains appellent

La Mère et la Sœur de l'artiste, où Mme Morisot lit un livre à Edma. Assises sur un canapé de chintz, rêveuses et concentrées, les deux femmes évoquent, dans le contraste de leurs robes noire (pour Mme Morisot) et blanche (Edma), l'intimité familiale — ce mélange de douceur, de sérieux et de rêve qui est la marque Morisot. Hors le thème, on pourrait y trouver des influences de Manet et notamment ce contraste, fréquent chez lui, du noir avec le blanc, de l'ombre crue avec la lumière crue. Mais c'est un univers parfaitement féminin, que Berthe a peint, étranger à cette lumière violente, si virile de Manet, à son regard, à ses manières de faune inspiré. A un an d'intervalle, Fantin-Latour traitera ce même thème, et l'on pourrait se lancer dans une comparaison de sa *Lecture* (Lisbonne, Fondation Gulbenkian) avec les deux autres toiles, ses contemporaines : plus proche de Morisot que de Manet, par l'atmosphère de féminité qu'il excelle à peindre, *La Lecture* de Fantin met en scène deux jeunes femmes, l'une — la brune — fait la lecture à l'autre — qui est blonde (mêmes contrastes des chevelures et des carnations que sur le tableau de Berthe) ; les modèles en sont Victoria et Charlotte Dubourg. Antérieure à celle de Fantin, qu'elle a peut-être influencé, *La Lecture* de Morisot ne serait-elle, comme certains critiques d'art ont voulu le croire, qu'une reproduction d'un Manet dont l'influence alors aurait couru jusqu'à Fantin... Histoires de perméabilité, d'ascendant ou d'emprise ?

Au tableau de Berthe Morisot, Manet a mis la main ! Rendant visite à Berthe à la fin de l'année, dans son atelier de la rue Franklin, et la trouvant préoccupée d'achever sa toile à temps pour le Salon, désireux de l'aider, il a commencé par retoucher le bas de la robe de Mme Morisot.

« Voilà où commencent mes malheurs, raconte Berthe à sa sœur. Une fois en train, rien ne peut l'arrêter ; il passe du jupon au corsage, du corsage à la tête, de la tête au fond ; il fait mille plaisanteries, rit comme un fou, me donne la palette, la reprend, enfin à cinq heures du soir nous avions fait la plus jolie caricature qu'il se puisse voir. (...) Ma mère trouve l'aventure drôle, je la trouve navrante. » Le tableau gardera ces traces de la main de Manet sur la main de Berthe Morisot. Mieux encore que sur le tableau de Bazille, où Manet s'est peint lui-même, l'art des deux peintres se mêle et se fond. Loin d'en éprouver de la reconnaissance, Berthe en retire un sentiment d'aigreur.

« Berthe me dit qu'elle préférerait être au fond de la rivière plutôt que d'apprendre que son tableau était reçu », écrira Mme Morisot à sa fille Edma. Car Manet a lui-même confié le *Portrait* aux commissaires et l'a fait porter au Salon. « Les moindres choses prennent les proportions d'un malheur », ajoute la mère, qui juge « puérile » la réaction de sa plus jeune fille. Sans doute ne peut-elle comprendre le défi qu'elle s'est donné à elle-même, qui est de trouver sa voie, non de suivre aveuglément celle qu'un autre lui trace. Orgueil de Berthe. Exigence de Berthe. Soucieuse de préserver sa personnalité, elle veut apprendre, elle veut progresser. Mais elle refusera toujours de « faire du Manet ». Perméable aux influences comme tout artiste digne de ce nom — Manet s'inspire bien de Titien, de Goya, de Vélasquez —, elle veut exprimer son propre univers et sa propre palette. Berthe Morisot existe, elle entend le prouver. Tandis que ses sœurs songent à se marier et à faire des enfants, elle ne souhaite qu'une chose : être elle-même, en toute sincérité.

qu'il exposera au Salon de 1868, avant de peindre à l'huile la jeune femme — de mémoire et d'après ses croquis, dans son atelier montmartrois. « Drôle de manière de faire un portrait ; il va reporter sur toile ce qu'il fait ici sur un album », dira Mme Morisot qui s'y connaît. Le *Portrait d'Yves* est aujourd'hui au Metropolitan Museum. On remarque le prognathisme d'Yves, son air renfermé et sérieux, l'élégance un peu sévère de sa robe. Mme Gobillard est définitivement rangée. Le départ de leur sœur aînée pour la province n'a guère perturbé l'équilibre de Berthe et d'Edma, qui ont toujours vécu en osmose et travaillé de concert. C'est à peine si elles ont pris le temps de se préoccuper de leurs robes et de leurs chapeaux pour la cérémonie de son mariage, célébré en grande pompe à leur paroisse, Notre-Dame-de-Grâce de Passy. Elles préparaient en effet, avec ardeur, le Salon, prévu à quelques semaines de là.

Le mariage d'Edma laisse Berthe désemparée. Lorsque, le 8 mars 1869, après un passage à la même église qu'Yves, Edma quitte la rue Franklin au bras de son époux, pour s'en aller elle aussi vivre en province, Berthe perd une partie de son cœur. Tellement habituées à vivre ensemble et à tout partager — les rêves, les passions, les désirs —, les deux sœurs vont souffrir chacune de l'absence de l'autre, cruellement, et mettront plusieurs années à accepter leur séparation, leur double solitude. A trente ans, la cadette des sœurs Morisot devrait être assez mûre pour quitter le nid de la rue Franklin et fonder une famille, mais sa nouvelle existence, loin de l'épanouir, semble d'abord la contraindre. Le mari d'Edma se nomme Adolphe Pontillon. Il est officier de marine. Lui aussi de la génération de Manet, né la même année (1832), il est lié d'amitié au peintre avec lequel il a fait ses classes en 1848. C'est même Manet qui l'a présenté aux Morisot. Edma qui était très courtisée et qui avait repoussé les avances de plusieurs prétendants, sous le prétexte qu'elle ne voulait pas se marier — dixit Fantin-Latour —, est tombée amoureuse du bel officier. Adolphe l'a emmenée vivre à Lorient, où elle passe ses journées assise à la fenêtre, telle qu'un jour la peindra sa sœur, rêvant devant le ciel gris ; elle reprise les chemises d'Adolphe ou écrit aux siens, laissés à Paris, des lettres mélancoliques. Elle peint encore, de moins en moins, de petits tableaux qui, à ce qu'elle raconte, la laissent épuisée. Est-ce le mariage ou la province, ou les deux ensemble qui l'ont détournée de son inspiration ? Ou bien est-ce que la peinture et le mariage sont, pour une femme, deux vocations incompatibles ? L'art et la vie conjugale, deux sacerdoces que rien ne pourrait associer ? Adolphe est pourtant « très gentil », il est « charmant », dit Edma, mais il semble qu'elle s'ennuie. Les nuits de Lorient, dans les bras de Pontillon, ne sont peut-être pas assez chaudes pour la distraire.

« Je ne t'ai pas écrit une fois dans ma vie, ma chère Berthe, il n'est donc pas étonnant que j'aie eu une grande tristesse au moment de nous séparer pour la première fois. » Edma aura longtemps la nostalgie des siens. Adolphe, curieusement, ne parvient pas à combler un « vide » : « Je commence à me remettre un peu et j'espère que mon mari ne s'aperçoit pas du vide que vous me laissez. Il est très gentil, plein de soins et d'attentions pour moi... » Elle peine à adopter son nouveau foyer, comme cette Bretagne où il pleut beaucoup et où elle songe à leur jardin de Passy. « Je suis souvent avec toi, ma chère Berthe, par la pensée ; je te suis dans ton atelier et je voudrais pouvoir m'échapper ne fût-ce qu'un quart d'heure pour respirer cette atmosphère dont nous avons vécu depuis de longues années. » Odeurs exquises de peintures et de fleurs mêlées, parfums des deux sœurs qui travaillaient côte à côte, à l'unisson des cœurs, douce présence maternelle, tandis que Maman brode et que Berthe grogne, agacée de reprendre cent fois le même visage ou le même coin d'ombre, le même reflet impalpable sur l'eau. Comme tout cela lui manque ! Le mariage avec Adolphe Pontillon valait-il le sacrifice de ce qui donnait tant d'intensité, tant de prix à ses journées ? Elle se lamente, quoique avec discrétion pour ne pas trop tourmenter Berthe ou Marie-Cornélie. Mais le verdict est sans appel : Edma regrette son existence d'autrefois. A Lorient, rien n'excite son imagination ni ne stimule ses rêves, que le regret du passé. « Toujours la même vie ici, écrit-elle. Le coin du feu et la pluie qui tombe. »

Les deux sœurs communient dans la séparation. Berthe a elle aussi la nostalgie d'autrefois, de « ce temps où nous vivions si intimement ensemble ». Elle pense à Edma plus que de raison, le lien n'est pas coupé, elles vivent encore l'une par l'autre. Les lettres les aident à affronter leurs solitudes respectives. « Je me transporte bien souvent dans votre petit intérieur, écrit Berthe, et je cherche à savoir si tu es gaie ou triste ; il me semble qu'il y a un mélange ; ai-je tort ? » De son côté, elle ne veut pas s'apitoyer. Elle se raidit dans le chagrin, comme elle le fera souvent, et tente de conjurer la tristesse, de consoler Edma. « Si nous continuons ainsi, ma chère Edma, nous ne serons plus bonnes à rien, tu pleures en recevant mes lettres et moi, j'ai fait juste de même ce matin (...) Va, tu n'as pas pris le plus mauvais lot, tu as une affection sérieuse, un cœur dévoué qui est tout à toi, ne sois pas ingrate envers le sort ; songe que la solitude est bien triste. Quoi qu'on dise, quoi qu'on fasse, la femme a un besoin immense d'affection ; vouloir la replier sur elle-même, c'est tenter l'impossible. »

N'est-ce pas pourtant le sort qu'elle entend se réserver ? Berthe a volontairement choisi le célibat. On dirait même — ce qui est étonnant à son âge et à son époque — que le mariage, contrairement à la plupart des jeunes filles, ne la fait pas rêver. Il lui apparaît comme un contrepoint à la solitude, une sorte de pis-aller, et elle le considère de la manière la moins romantique qui soit, comme si la passion n'entrait pour rien dans le choix d'un époux, comme si elle ne pouvait exister dans un ménage. Berthe ne nourrit aucune illusion sur le bonheur conjugal. Ne croit-elle pas à l'amour ? Ou pense-t-elle qu'il est incompatible avec le mariage ? Son regard, désillusionné, peut surprendre. Toutes les jeunes filles ne rêvent-elles pas toujours de se marier, et de se marier par amour ? Il y a chez elle une amertume préalable, une sorte d'a priori négatif sur le sujet. Elle s'en méfie comme d'une entrave. Et n'espère pas le bonheur qu'un homme pourrait lui donner. C'est un point de vue plus généralement répandu chez l'autre sexe, qui regarde plus souvent le mariage comme une fin — fin des libertés et de la vie de garçon —, voire comme un enterrement, que comme une aurore. « Les hommes croient facilement qu'ils occupent toute une existence ; mais moi, je crois que quelque affection que l'on puisse avoir pour son mari, on ne rompt pas sans peine avec une vie de travail ; c'est une très jolie chose que le sentiment, à condition qu'on lui joigne autre chose pour remplir ses journées. » D'un caractère très indépendant, Berthe affirme un désir farouche de protéger son univers, et de ne pas s'en laisser détourner par quelque prétexte que ce soit. Elle tient bon tandis qu'Edma dérive, lentement absorbée par les soucis du ménage, et elle continue de peindre avec acharnement. Il ne s'agit même pas de bonheur. Mais d'une chose plus grave et plus profonde. Toute sa personnalité dépend de son travail. Son identité se définit dans ce qu'elle peint. Même si elle tente, pour consoler Edma, d'en minimiser l'importance — « Ne pleure pas la peinture ; je ne crois pas qu'elle vaille la peine d'un regret » —, même si elle lui adresse des compliments sur son ménage et la vie de province, et évite dans ses lettres de trouver trop radieux le climat de Paris — « Nous avons ici des orages effroyables, à se croire au bord de la mer... » —, tout la ramène toujours à la peinture et elle ne peut dissimuler à sa sœur, malgré ses efforts, la passion qui l'habite. Jamais Berthe ne pourra cesser de peindre, ni personne l'y forcer, pas même l'homme qui l'épouserait — une silhouette bien improbable, du reste, à l'horizon lointain.

Cette attitude, si peu conforme aux canons du temps, qui marie les filles presque au berceau, a de quoi décourager Mme Morisot qui tente l'impossible alors pour caser Berthe. Mais Berthe préfère rester « vieille fille », plutôt que d'épouser un Gobillard ou un Pontillon, aimables et dévorants personnages qui mettraient fin aussitôt à sa vie d'artiste en la contraignant à une vie de ménage, à mille corvées de femme, quand elle est libre dans son atelier et tranquille pour travailler. Les prétendants qu'on lui propose tombent un à un, tandis que Mme Morisot s'arrache les cheveux en songeant au destin de sa plus jeune fille, qui s'apprête — ô honte, ô désespoir — à fêter ses trente ans sans mari. Elle aura beau tenter toutes sortes de présentations, ses efforts s'avèrent inutiles et à la fin elle ne croit plus elle-même à une issue possible avec l'un ou l'autre de ces messieurs qu'elle lui apporte à domicile, pour la distraire des artistes qu'elle fréquente et dont elle craint qu'ils puissent nuire à son avenir. « Pendant combien de temps vas-tu me laisser en face de cet imbécile ? » demande-t-elle un jour à Berthe, qui ne se pressait pas de descendre au salon, pour rencontrer le énième prétendant calamiteux, qu'elle avait elle-même convoqué.

L'avenir de sa benjamine préoccupe la mère : la peinture a débordé le cadre des loisirs convenables et sains. Elle met en péril la jeunesse et la santé de sa fille. Car Berthe s'épuise à peindre, elle cherche sa voie avec une volonté qui la mine et inquiète Mme Morisot. Pour une femme, la passion doit avoir des limites, surtout la passion de l'art, évidemment stérile lorsqu'il s'agit d'épouser la peinture, au lieu d'un bon mari. « Je passe mes journées dans l'atelier ou peu s'en faut, écrit-elle à Edma. Berthe dit qu'elle t'attend pour savoir si ce qu'elle fait est bon ou mauvais. Quand tu n'y seras plus, elle n'osera plus rien montrer à personne... »

C'est que Berthe doute d'elle-même. Elle le confesse à sa sœur : « Cette peinture, ce travail que tu regrettes, est cause de bien des soucis, de bien des tracas, tu le sais aussi bien que moi et pourtant, enfant que tu es, tu pleures déjà ce qui t'assombrissait il y a peu de temps. » Le combat lui paraît souvent au-dessus de ses forces. La recherche de la ligne et du ton, pour rendre la vérité de sa vision intérieure, la tourmente. L'inquiétude la ronge. Est-elle à la hauteur de ses ambitions ? A-t-elle assez de dons ? Elle sait qu'il lui faut travailler sans relâche, sa conception de l'art est une conception d'artisan. Son premier souci est de préserver le temps qu'elle se doit à elle-même et qu'elle doit à la peinture. Chaque moment passé sans peindre lui apparaît comme définitivement perdu. Autant en emporte le vent. L'inaction et l'oisiveté sont étrangères à Berthe Morisot ; des ennemis qu'elle tient en respect avec la plus extrême vigilance. Elle se surveille en permanence. Pas question pour elle de gâcher un instant, quand tant de moments le sont déjà par le défilé des prétendants, les repas, les courses et les thés de Maman. Bel exemple de ses préoccupations, cette lettre à Edma qui l'invite à passer un premier été à Lorient : « J'irai bien volontiers chez toi à condition 1° de ne pas vous gêner ; 2° de trouver l'occasion de travailler. »

Pour soulager la tristesse où la laisse le départ d'Edma, elle fréquente de plus en plus les artistes, et en particulier Manet qui lui a demandé de poser pour lui, rue Guyot. Faut-il rappeler que Mme Morisot assiste à toutes les séances et qu'elle suit autant les progrès du pinceau sur la toile que les regards qui s'échangent ? Pour la seule fois de sa vie, Berthe, dédaignant sa peinture, accepte de se distraire et s'abandonne au farniente. Elle en redoute pourtant les effets pervers. Est-ce l'admiration qu'elle porte à Manet qui la détourne de son travail, et lui inspire ce sacrifice ? Ou le bonheur de passer de longs après-midi en sa compagnie, tandis qu'à son habitude il bavarde, il plaisante, il rit ? Elle l'avoue à sa sœur, au printemps 1869 : « Je lui trouve décidément une charmante nature qui me plaît infiniment. » D'ordinaire avare en compliments, portée à l'ironie et à la dérision, Berthe rend les armes devant ce caractère léger et séduisant, si différent du sien. Autant Manet est un homme d'amitiés et d'ouverture, autant elle, une femme de solitude et d'introversion. Autant lui est spontané, radieux, et dégage une lumière solaire, autant elle, réservée, ténébreuse, possède une aura de mystère. Il rit facilement, elle est souvent chagrine et renfrognée. Il sera un des rares êtres — avec sa fille, plus tard — à savoir la dérider. Elle se détend en sa compagnie, et même elle sourit. Lorsqu'il peint son portrait, elle se met en vacance de sa propre peinture et la vie tout à coup change, elle prend les couleurs du bonheur. Bonheur fragile, bonheur éphémère, bonheur longtemps tenu secret... Berthe le confessera des années plus tard à sa sœur, au lendemain de la mort du peintre (en 1883) : « Je n'oublierai jamais les anciens jours d'amitié et d'intimité avec lui, alors que je posais pour lui et que son esprit si charmant me tenait en éveil pendant ces longues heures... »

Elle pose au premier plan du *Balcon* dans une robe de mousseline blanche, où elle disparaît tout entière : la peinture souligne son visage, et ces yeux noirs, qui, contrairement à ceux des autres personnages du tableau, regardent avec la plus franche fixité en direction du peintre. Ce sont des yeux d'amour. A ses côtés, debout, la jeune pianiste Fanny Claus qui est une amie de Suzanne Manet, et le peintre paysagiste Antoine Guillemet, cravaté de bleu, sans même parler de Léon Koëlla qui n'apparaît qu'à peine, englouti dans le fond noir du tableau, apparaissent dans des poses figées et artificielles — qu'on leur reprochera, bien sûr — tels des comparses, des marionnettes. Le seul personnage vivant c'est elle, qui n'est pas à franchement parler belle mais intense. Elle rayonne au premier plan. Accoudée à la rambarde d'un balcon, un éventail fermé entre ses longues mains blanches et à ses pieds une sorte de chihua-

hua poilu, noir et blanc, elle prend en quelque
sorte le relais de Victorine Meurent. Elle sera aussi
moquée, aussi caricaturée qu'elle. La presse fait
des gorges chaudes du « réalisme » de Manet
— quoique certains commencent à s'habituer.
Ernest Chesneau dans *Le Constitutionnel* :
« Manet : mêmes qualités, mêmes défauts. Le visiteur qui s'habitue à cette peinture la trouve
meilleure aujourd'hui qu'autrefois. Il se trompe.
Ce n'est pas le peintre qui s'est modifié, c'est le
public. » Berthe ne se laisse pas émouvoir. En se
contemplant elle-même, sur le tableau de Manet,
elle se juge avec lucidité : « Je suis plus étrange
que laide. » Elle n'est pas peu flattée d'entendre les
critiques la décrire — ce n'est pas forcément un
compliment — comme une « femme fatale ». Elle
apprécie le tableau en connaisseur. Pour elle, *Le
Balcon*, « loin de [lui] déplaire », lui plaît moins
que le *Portrait d'Emile Zola* (musée d'Orsay)
auquel Manet a travaillé et qu'il expose la même
année.

Le *Balcon* (musée d'Orsay) affiche une autre
vedette, non moins voyante, qui attire les regards,
dispute à Berthe les quolibets des critiques et du
public et lui conteste en somme la première place.
Cette autre vedette, c'est une couleur. Le vert. Ni
gazon, ni mousse, ni émeraude. Un vert cru. Un
vert anti-Corot. Du genre amande vif. Manet a
peint dans ce vert provocateur la grille du balcon,
mais aussi les persiennes qui ferment le tableau de
chaque côté, l'ombrelle de Fanny Claus (que souligne un contraste presque écœurant avec ses
gants jaunes) et, autour du cou de Berthe, le ruban
qui porte un gros médaillon (également jaune).
L'harmonie qui aujourd'hui paraît magnifique,
cette symphonie aux tons cassés, choque une nouvelle fois les contemporains, habitués à des assem-

blages de couleurs plus classiques. Or, Manet justement, et c'est ce qui ne plaît pas du tout, se défend du bon goût. Pour ce vert insolent, Manet sera taxé de « peintre en bâtiment ».

Au vernissage du Salon de 1869, où Berthe n'expose pas puisqu'elle a dédié presque tout son temps à Edouard Manet, un de ses premiers soins est de se diriger vers la salle M. Elle raconte à sa sœur, qui se languit à Lorient : « J'y ai trouvé Manet, le chapeau sur la tête en soleil, l'air ahuri ; il m'a priée d'aller voir sa peinture parce qu'il n'osait pas s'avancer. Jamais je n'ai vu une physionomie si expressive ; il riait, avait un air inquiet, assurant tout à la fois que son tableau était très mauvais et qu'il aurait beaucoup de succès. » Elle croise en route Carolus-Duran avec sa femme. Il expose un portrait de celle-ci, « grande et belle personne » selon Berthe, qui trouve le tableau « pas absolument mauvais mais maniéré et plat » (*La Dame au gant*, musée d'Orsay). Elle croise Fantin-Latour, « qui fait une assez triste figure avec une petite esquisse insignifiante, placée à des hauteurs incroyables » et qui disparaît avant qu'elle ait pu lui dire un mot. Elle croise Degas, qui la laisse tomber pour parler à deux mondaines — « J'avoue que je suis un peu piquée de voir un homme que je juge très spirituel me délaisser et porter ses amabilités à deux sottes » —, enfin Puvis de Chavannes, qui veut bavarder avec elle et auquel elle ne trouve rien à dire... N'est-il pas extraordinaire qu'avec un jugement aussi sec et aussi péremptoire sur les peintres et leur peinture, avec un esprit critique aussi aiguisé et un tel penchant à l'ironie, elle ne trouve presque aucun défaut à la peinture la plus contestée du Salon, et dont la qualité est encore la moins évidente aux yeux du grand public. A Edma, dans un compte rendu fidèle, Berthe ajoute qu'elle a vu plusieurs paysages de Guillemet (l'homme à la cravate bleue du *Balcon* est un ami de Manet, de Corot, de Cézanne, de Zola, et lui-même un excellent peintre de paysages) — « mais les paysages m'ennuient » ; un Lépine — « charmant », sans plus ; plusieurs Daubigny — « ils me paraissent communs et lourds » ; Corot — « poétique comme toujours ; je crois qu'il a dû fatiguer dans l'atelier l'étude que nous avions tant admirée chez lui », autrement dit, raté ; plusieurs Toulmouche — « pas regardables » ; le Fantin « très faible » — « une réminiscence de Véronèse »... En somme et c'est Edma qui résume, dans sa réponse à cette lettre sévérissime, « rien de bien remarquable ». Si, tout de même, Berthe a aimé un Degas, « très joli petit portrait d'une femme très laide en noir avec un chapeau sur la tête et laissant tomber son cachemire » — « c'est très fin et très distingué » ; un Bazille — « une petite fille en robe claire assise à l'ombre d'un arbre derrière lequel on aperçoit un village ; il y a beaucoup de lumière et de soleil ». Mais bien sûr le Manet, ou plutôt les Manet. Rien que les Manet.

A vagabonder de salle en salle, à trouver sur son chemin les peintres qu'elle connaît, à se voir courtisée par Puvis, Berthe a perdu en route d'abord Mme Morisot, qu'elle retrouvera épuisée, affalée sur un canapé dans le hall d'entrée et auquel elle envoie les artistes de connaissance. Puis, la famille Manet, presque au complet. Elle avait d'abord circulé en compagnie du peintre, de sa femme et de sa mère ! « Il y avait à peu près une heure que Manet menait sa femme, sa mère et moi tambour battant, lorsque je me suis cogné le nez contre Puvis de Chavannes ! » Elle se retrouve alors sans chaperon, ce qui la plonge à vingt-huit ans passés

dans l'embarras : « il me paraissait peu convenable de circuler toute seule ». Ce qu'elle dit à
Manet, dès qu'elle le retrouve au hasard d'une
salle. Elle lui reproche de l'avoir abandonnée. A
Edma : « Il m'a répondu que je pouvais m'attendre
à tous les dévouements de sa part, mais que pourtant, il ne se risquerait jamais à jouer le rôle de
bonne d'enfant. »

Sa sœur peut l'envier de se trouver ainsi au
centre du cercle des peintres : « Ta vie me fait
l'effet d'être charmante en ce moment ; avoir
Bichette dans son lit tous les matins, causer avec
M. Degas tout en le regardant crayonner, rire avec
Manet, philosopher avec Puvis, me paraissent
autant de choses dignes d'envie. Tu verrais l'effet
que cela te produirait de loin... » Berthe peut surtout s'enorgueillir d'être chère au cœur de Manet :
« Il m'a dit que je lui portais bonheur. » Une offre
d'achat du *Balcon* — non suivie d'effet — est à
l'origine de cette déclaration. Pour Berthe, rien ne
vaudra jamais les jugements de Manet.

Loin du brouhaha, dans la solitude retrouvée de
l'atelier, encore chaude de la présence d'Edma,
Berthe lutte pour achever un portrait d'Yves avec
leur mère, qu'elle a fait poser dans le jardin. Elle
tente plusieurs esquisses de natures mortes : des
prunes et des fleurs sur une serviette blanche
finissent au panier. Seul un petit tableau de
pivoines ($32,9 \times 15,2$), dans un vase transparent,
verra le jour. L'inspiration lui manque et le travail
lui pèse. « Berthe n'est pas contente de ce qu'elle
fait et moi, je ne la pousse que juste ce qu'il faut
pour la voir occupée, car remplacer l'oisiveté par
la fièvre ne me paraît pas meilleur pour la santé »,
commente Mme Morisot, de plus en plus inquiète,
à l'intention d'Edma. Quelques semaines en Bretagne, l'été, chez sa sœur et son beau-frère, vont

la régénérer. Elle revient avec, dans ses bagages, une *Vue du petit port de Lorient*, grande toile rectangulaire où Edma, assise sur un parapet, dans une gracieuse robe blanche, tachetée de rose et de mauve, aux couleurs de son ombrelle, tourne le dos au paysage. Des bateaux de pêche sont à l'ancre dans le port. Le ciel se reflète dans la mer avec ses nuages, et le port, dessiné dans des tons de gris et de brun avec la délicatesse d'un miniaturiste, a l'air irréel, comme suspendu entre deux champs liquides. Peut-être n'est-il même qu'un rêve.

Au retour, Berthe offrira cette toile — un des plus beaux Morisot — à Manet qui ne tarit pas d'éloges et s'intéresse au peintre pour la première fois. Il la consultera souvent, à partir de ce jour, comme si avec la *Vue du petit port* elle avait franchi le cap qui sépare le débutant du vrai professionnel — son talent tout à coup l'intéresse. Pour elle, il s'agit de continuer à travailler, sans trop d'états d'âme : Berthe demeure fragile et forte devant la peinture. D'un côté, elle ne veut suivre que sa voie, imposer sa propre vision et sa propre conception des couleurs. De l'autre, elle doute ; elle craint de manquer de talent et de courage. « Depuis qu'on m'a annoncé que, sans m'en douter, j'avais fait des chefs-d'œuvre à Lorient, je reste ébahie devant et ne me sens plus capable de rien. » Elle se met à retoucher obsessionnellement — sur les conseils de Manet — le visage et le bas de la robe d'Edma, sur le portrait qu'elle a fait d'elle à Lorient. *Jeune Femme à la fenêtre*, dans l'atelier silencieux et désert, lui rappelle sa sœur perdue et, désormais, sa solitude.

La double rivale

Tandis que s'éloigne l'âme sœur, s'avance la silhouette inattendue d'une rivale. Une jeune femme menace Berthe sur le terrain de la peinture, qui est aussi celui du cœur. Elle se prénomme Eva et porte un patronyme aux mêmes consonances espagnoles — son père est d'origine monégasque. Eva Gonzalès n'a que vingt ans. Née en 1849, elle a donc huit ans de moins que Berthe et c'est pour elle un évident avantage. Eva est la jeunesse même. Brune elle aussi, le teint mat, un visage de madone, elle est à la fois gracieuse et conquérante : en restant féminine, elle n'a pas froid aux yeux. Contrairement à Berthe qui doute toujours de son talent, elle promène avec assurance sa petite personne, le front haut et le menton en avant.

Mais Eva — hélas, pour Berthe — n'est pas seulement jeune et jolie ; elle est peintre. Elève de Chaplin, qui lui a concédé sa liberté après un bref apprentissage, car elle est évidemment douée, elle possède un sens inné du trait et beaucoup de goût pour la couleur. Elle travaille le dessin depuis qu'elle a seize ans. Ses préférences vont encore au pastel et à l'aquarelle, mais elle veut passer à l'huile et son ambition la pousse à se choisir un maître des plus fameux et des plus insolents. Pour mater cette jeune fille vif-argent, amazone partie à la conquête de l'art, il fallait un homme qui lui en imposât autant par ses dons que par son métier et par son charisme. Elle l'a trouvé — ce fut un véritable coup de foudre — en la personne d'Edouard Manet. Eva l'a rencontré chez les Stevens, qui sont des amis de sa mère, et a jeté sur lui son dévolu. Elle connaissait déjà sa peinture mais désormais elle n'a plus qu'une idée en tête : travailler à ses côtés. Eperdue d'admiration, elle ne jure que par lui. Elle n'a pas eu beaucoup de mal à se faire ouvrir la porte de la rue Guyot : Manet, qui aime les jolies filles, trouve à cette brunette un air espagnol. Il pourrait en faire une infante à la Vélasquez ou une archiduchesse à la Goya. Depuis le mois de février 1869, on ne voit plus qu'elle à l'atelier.

Contrairement à Berthe, elle a pourtant le sien, que son père lui loue depuis plusieurs années, rue Bréa. C'est une enfant gâtée. On lui a toujours passé ses caprices et, dans sa famille, on croit à son génie. Eva a l'habitude qu'on l'aime et qu'on l'admire sans discuter. Elle est née dans un foyer d'artistes : son père, Emmanuel Gonzalès, président de la Société des gens de lettres et feuilletoniste au *Siècle*, écrit des romans d'aventures dont le plus fameux, *Les Frères de la Côte*, a enchanté Emile Zola lorsqu'il était enfant. Sa mère, d'origine wallonne (d'où l'amitié avec les Stevens), est musicienne. Eva a croisé, dans le salon de ses parents, Alexandre Dumas et Théodore de Banville. Ce dernier a écrit pour elle un de ses *Camées parisiens* et célébré « sa beauté à la fois enfantine et exquise ». Gonzalès, qui a connu Manet par les Stevens, éprouve pour le peintre beaucoup d'admiration et d'amitié, il l'invite souvent chez lui.

Comme Berthe, Eva a une sœur chérie, Jeanne. Elle lui sert souvent de modèle. Née en 1856, encore une petite fille, elle accompagne Eva partout et la suit à l'atelier de Manet, où elle dessine en silence et commence à jouer avec les couleurs. Elle sera peintre un jour, sur les traces de sa sœur, qui, à sa mort, aura laissé plus de vingt toiles où la mignonne Jeanne ressemble à un brugnon. Mais Eva n'est pas encore morte. Elle n'est que trop vivante, au goût de Berthe qui fait la moue.

Jeune, jolie, bien née (du moins aux yeux d'un artiste), à l'aise en société et, de surcroît, talentueuse : comment lutter avec un tel prodige, qui n'a pas son pareil pour vous ravir la première place et attire à elle tous les égards, tous les regards. A vingt ans, est-ce par tempérament ou à cause de l'éducation très libre qu'elle a reçue, Eva est beaucoup plus audacieuse et extravertie, sinon provocante, que Berthe, toujours assombrie par une fière pudeur. Tonique et éclatante, la petite Gonzalès se hausse du col, et Berthe n'ose pas dire à Manet ce qu'elle en pense : que ses tableaux sont bien, mais souffrent de singer le maître, au lieu de rester, imparfaits, à la recherche de soi. Elle est jalouse : Eva peint de ravissants portraits, dont l'atmosphère de nostalgie et de vague tristesse rivalise avec ses propres toiles. Des femmes en chapeau bleu et des éventails rouges, tracés d'un pinceau souple et volontaire, ont beaucoup de caractère. Beaucoup trop, selon Berthe.

Non content de faire poser Mlle Morisot pour *Le Balcon*, Manet, qui s'intéresse au visage de ses modèles plus qu'à leur travail de peintre, invite Mlle Gonzalès à poser à son tour. Il lui offre ce qu'il n'offrira jamais à Berthe, de s'asseoir devant le chevalet : c'est-à-dire qu'il a décidé de la peindre en peintre, dans la pose où Edma a fait le portrait

de sa sœur. Pour Berthe, c'est un véritable camou-
flet. Il lui semble que Manet veut immortaliser
l'ingénue dans ce métier, qui la possède toute, et
qu'Eva soudain lui vole sa vraie place. Du moins
celle qu'elle rêve d'occuper. Manet travaillera pendant un an à ce grand tableau (2 m × 1,35) d'Eva
Gonzalès, qui est aujourd'hui à Londres, à la Tate
Gallery, et qui a nécessité près de quarante séances
de pose. Tandis que le visage de Berthe l'inspire et
l'inspirera tant de fois, celui d'Eva lui résiste. Il
peine à saisir l'expression de la jeune femme et il
doit à plusieurs reprises non seulement reprendre
le visage, mais l'effacer entièrement pour le
recommencer encore et encore. Véritable supplice
du peintre, l'histoire de la tête d'Eva Gonzalès,
fuyante, insaisissable, fait les délices de Berthe : la
peinture la venge !

   « Manet me fait de la morale et m'offre cette
éternelle Mlle Gonzalès comme modèle, écrit-elle
exaspérée, un 13 août, à Edma. Elle a de la tenue,
de la persévérance, elle sait mener une chose à
bien, tandis que moi, je ne suis capable de rien.
En attendant, il recommence son portrait pour la
vingt-cinquième fois ; elle pose tous les jours et le
soir, sa tête est lavée au savon noir... » Un mois
plus tard, en septembre, confiant à sa sœur son
dépit, Berthe lui raconte qu'elle a passé la soirée
chez les Manet — en famille, bien sûr. Manet était
d'une gaieté folle et a débité des extravagances.
« Pour le quart d'heure, ajoute-t-elle sans trop
d'espoir, toutes ses admirations sont concentrées
sur Mlle Gonzalès, mais son portrait n'avance toujours pas ; il me dit être à la quarantième séance
et la tête est de nouveau effacée, il est le premier
à en rire. »

   Edma se fait l'écho du sentiment de sa sœur :
« Mlle Gonzalès me produit un effet d'agacement,

je ne sais pourquoi ; je m'imagine que Manet l'a prise bien au-dessus de sa valeur et que nous avons ou plutôt que tu as autant de talent qu'elle. »

Eva et Berthe — sans doute à cause de Manet — ne seront jamais amies. Ni leur commune passion pour la peinture, ni leur sexe qui les marginalise au milieu des artistes, ni leur sens de la famille, ni le fait qu'elles ont l'une et l'autre une sœur inséparable, dont la présence leur est nécessaire, rien ne peut les rapprocher. Pas même une inspiration qui leur vient du monde féminin et les pousse à représenter ce qu'elles aiment ou ce qu'elles connaissent : des femmes, des enfants, dans des salons et des jardins, des univers apaisants et frais, où ne pénètrent jamais les démons des hommes, le bruit et la fureur du monde extérieur. Lorsqu'elles se rencontrent, Berthe vient d'achever le portrait de sa sœur, rêvant à sa fenêtre devant un éventail déplié ; Eva vient d'exposer à Londres *Le Thé*, où une brune jeune femme assise devant une cheminée, dans un intérieur bourgeois, se sert une tasse de thé d'un air bien solitaire. Au Salon de 1870, où Berthe expose l'admirable portrait de sa mère et de sa sœur (*La Lecture*), Eva montre pour sa part une *Passante* au pastel et, preuve qu'elle a voulu tenter de trouver sa place sur le terrain de son maître, un *Enfant de troupe*, viril et guerrier sujet, qui ressemble comme un frère au *Fifre* de Manet, le prodigieux relief et la force en moins (on peut aller le voir au musée de Villeneuve-sur-Lot).

Contrairement à Eva, qui sera toujours fidèle à la peinture de Manet dans sa première manière, à ses traits sûrs, à ses couleurs toniques, à ses noirs qui l'exaltent, qu'elle interprète avec cette élégance spontanée et cette mélancolie qui la caractérisent, Berthe ne cherche pas à copier un style, fût-ce en le réinterprétant. Elle va son chemin, douloureusement, dans la conscience aiguë de vouloir faire avant tout ce qu'elle voit, ce qu'elle éprouve par elle-même. Si elle demande des conseils, c'est pour ne pas trop les suivre : « Les conseils des uns et des autres m'obsèdent et me dégoûtent des choses avant qu'elles soient en place. » Elle préfère travailler dans l'ombre et le silence, bien que ses séances de pose chez Manet éclairent d'une lumière neuve tout ce qu'elle regarde et ressent désormais. Un mardi soir du mois de septembre, dans la douceur des derniers rayons de l'été, Manet vient avec son épouse rendre visite aux Morisot. Bientôt il s'éclipse pour suivre Berthe dans le jardin. Rue Franklin, si les lilas ont fini d'embaumer, les marronniers sont encore verts et quelques roses ont fleuri. Le crépuscule caresse le décor. La porte de l'atelier est ouverte. Il entre, sitôt suivi par la nombreuse famille, qui ne trouverait pas convenable de laisser en tête-à-tête un homme marié et une jeune femme célibataire. Manet examine les tableaux. « A mon grand étonnement et contentement, écrit Berthe, j'ai recueilli les plus grands éloges ; il paraît que c'est décidément mieux qu'Eva Gonzalès. » Le compliment a dû la toucher mais elle en perce l'ironie. Manet a eu besoin de la comparer à l'autre. L'ennemie. Jamais Berthe ne s'illusionne. Jamais elle ne s'autorise le moindre écart à ses principes : lucidité, esprit critique, distance et ironie. « Manet est trop franc pour qu'on puisse s'y tromper, ajoute-t-elle. Je suis sûre que cela lui a beaucoup plu ; seulement je me souviens de ce que dit Fantin : "Il trouve toujours bien la peinture des gens qu'il aime"... » Pourquoi ne se laisse-t-elle pas simplement aller au plaisir de s'entendre préférée ? A-t-elle peur d'être heureuse ? Qui veut-elle épargner en refroidissant ainsi son premier élan d'enthousiasme et de gratitude ? L'amoureuse en secret, qui n'ose pas s'avouer ses propres senti- ments ou craint de ne pas les voir partager ? L'amoureuse qui a peur de l'amour ? Ou l'artiste, qui préserve sa personnalité contre toutes les agressions et contre les dangers, fussent-ils ceux de l'admiration ? Qui protège-t-elle en somme, en refusant même les petits bonheurs ? Sa peinture, ou son cœur ?

L'ascèse d'une indomptable

Avec son caractère absolu, son goût de la perfection et sa recherche exaltée de la vérité, de l'harmonie, de la touche juste, Berthe Morisot apparaît comme un être que tend une volonté extrême. La vie ne cesse de la décevoir. Elle se déçoit plus souvent elle-même, incapable qu'elle est encore de transmettre ce qu'elle possède au fond de soi. Des trésors de sensibilité peinent à jaillir à la lumière.

Au quotidien, elle exprime peu ses sentiments. Elle paraît dure ou froide, souvent indifférente. Son apparence est austère, ses manières sont distantes. Elle n'aurait, selon l'un de ses proches (son futur mari), que « du dessus de cœur ». Mais il suffit de lire les carnets où elle note au hasard des jours ses émotions, ses réflexions, pour comprendre combien elle fut tout le contraire : une nature ardente et passionnée, d'une grande vulnérabilité. Sans la volonté, qu'elle a développée et dont elle a fait la colonne vertébrale de sa vie, elle n'aurait jamais été qu'une femme comme une autre. Le tempérament trop tendre d'Edma, sa soumission à un destin de convention, ont mis fin à son destin de peintre — en partie aussi à son bonheur d'exister. Il n'est que de lire les lettres qu'elle adresse à sa sœur pour mesurer sa part de frustrations et d'amertumes. Berthe se caparaçonne et résiste aux pressions. A celles, d'abord, qu'exercent sur elle ses parents, sa mère en particulier. Ils ne rêvent que de la marier et, sans lui interdire de peindre, en assistant ses travaux, ils trouvent des prétextes pour tenter de la distraire, sinon la détourner tout à fait de l'art. Dans son milieu, on n'aime pas que les filles travaillent, et l'on ne reconnaît de féminité que dans le dilettantisme... et la maternité — la seule occupation à laquelle il soit décent de se donner à fond.

Berthe résiste aux tentations. La voie qu'elle a choisie n'est pas la plus facile et, lorsqu'elle pose pour Manet ces années-là, il lui semble qu'elle s'amuse plus à ne rien faire en le regardant peindre, qu'à travailler dans son coin, au fond du jardin, dans l'atelier où Mme Morisot, qui ne la lâche pas d'un pouce, vaque à ses travaux d'aiguille.

Elle résiste même à la paresse, qui lui inspire le goût des siestes et des grasses matinées, et cette pose qu'elle prendra tout naturellement sous l'œil conquis de Manet, pour *Le Repos*. Il la représente allongée, languide et sensuelle, sur un sofa moelleux. Elle est tout à fait capable en effet de ne rien faire, de laisser filer les heures et de passer l'aprèsmidi entier à rêvasser. Mais cela ne lui arrive presque jamais. Elle ne s'autorise pas le farniente. « Berthe fait l'effort de se lever », dit Mme Morisot à qui rien n'échappe. Très jeune, sa benjamine a fait profession de courage et elle a banni de sa vie l'oisiveté. Berthe s'en voudrait de manquer à sa parole, à ce qu'elle s'est promis à elle-même.

Cette attitude morale lui donne une certaine raideur. Elle durcit son visage, ses paroles, sa voix même, tandis que sa peinture, d'une égale douceur, continue d'aspirer à la perfection, à la maîtrise des formes et de la couleur. La dureté, Berthe la garde pour elle-même. Elle ne passe jamais dans son pinceau qui reflète au contraire, grâce à son intransigeance, son idéal de peintre — la vision intérieure, secrète, farouchement sauvegardée des attaques sournoises de la vie. Ce pinceau, subtil et délicat, ne cerne pas le sujet ni ne l'épuise ; contrairement à celui de Manet, exhaustif et qui aime délimiter, il semble à peine effleurer la toile pour amener au jour des impressions secrètes, fugaces, très subjectives, qui ont une apparence de légèreté, d'indécision, de volatilité.

Silhouette longue et mince qu'anime une flamme intérieure, Berthe Morisot refuse souvent de s'alimenter. Le mot « manger » lui fait horreur. Anorexique dès son enfance, elle restera toute sa vie une femme qui dédaigne la nourriture. Non par manque de gourmandise. Mais par excès de volonté et de contrôle sur soi. Elle se nourrit si peu qu'il lui arrive de s'évanouir devant ses tableaux — moins de fatigue que de sous-alimentation. Ultra-mince selon les canons du temps, elle n'a de moelleux que le visage. Très allongé, l'ovale où se dessinent des lèvres pulpeuses est un ovale plein. Tandis que la taille, les bras, la poitrine et les hanches de Berthe sont d'une sylphide. Comme toutes les anorexiques, Berthe déteste le tropplein, le gras, la chair. Ce qui lui plaît, ce qu'elle recherche, ce sont moins les plaisirs primaires, la bonne chère ou la chair, que la lumière qui se dégage des choses, le rayonnement, la séduction de la vie. Plus cérébrale que sensuelle, mais évidemment sensible et même hypersensible, elle cherche l'au-delà des choses et des êtres : ce qui la frappe au premier regard, ce qui l'émeut, ce qui la trouble, elle en voudrait trouver l'origine et comprendre le sens. Sa longue main esquisse une réponse aux questions qu'elle se pose tandis que sur les toiles vierges surgissent des jardins, des visages enfantins, des perspectives de ciel et d'eau. C'est une vision aiguë, incisive, qui la nourrit, bien plus que ce qu'on lui donne à table et qui ne comble aucun de ses désirs. Un pinceau précis, profond, perspicace et léger, la dirige vers le seul univers qui l'attire, celui des claires apparences qui abritent des secrets.

Sa mère voudrait la ramener à plus de réalité. A plus de normalité. Elle veut la nourrir. L'engraisser à tout prix. Ce que Berthe évidemment refuse. Deux volontés s'opposent, mais aussi deux types de femmes : l'une terre à terre, douée de bon sens et de solide réalisme, l'autre tout aussi dure et volontaire, mais vouée à un monde intérieur, à des rêves secrets et dévorants. Le conflit mère-fille s'exprime dans ce duel autour de la nourriture. Ce que l'une souhaite ardemment, l'autre le récuse absolument. Mme Morisot, avec son instinct maternel, ses grosses hanches et ses gros seins, ses incessants rappels à l'ordre et sa certitude d'avoir toujours raison, irrite et tourmente Berthe. Elle lui offre une image de la femme contraire à ses aspirations. Si elle a su encourager la passion de deux de ses filles pour la peinture, dans leur âge tendre, Mme Morisot fait désormais preuve de prudence et de réticence ; tandis que le destin de Berthe lui échappe et qu'elle se sent impuissante à détourner le cours des choses, elle use d'ironie — elle en devient méchante. Elle critique ouvertement la peinture de Berthe, son physique, ses toilettes, ses paroles et, sûre d'avoir raison, elle ne manque pas une occasion de lui envoyer ses quatre vérités à la figure — vérités inutiles, qui visent à faire mal. Ainsi, tandis que Berthe se repose à Lorient, chez Edma, lui écrit-elle qu'elle est passée à l'atelier de Manet et qu'elle l'a trouvé « jubilant de plus en

plus devant le modèle Gonzalès » : « Il n'a pas
bougé de son tabouret. Il m'a demandé de tes nouvelles et je lui ai répondu que j'allais te signaler sa
froideur. » Ce qui suit était-il bien nécessaire ?
« Tu es hors de son cerveau pour le quart d'heure,
mademoiselle Gonzalès a toutes les vertus, tous
les charmes ; c'est une femme accomplie. » Quitte
à se montrer maladroite et même désagréable,
Mme Morisot a toujours cru à la franchise comme
à une bonne douche froide, à jeter sur les têtes à
chimères de ses filles. Que Berthe ne se fasse pas
d'illusions : Manet est occupé ailleurs. D'autant,
poursuit impitoyablement la mère, qu'Eva Gonzalès « est une femme accomplie ». Berthe ne le
serait donc pas. Lorsque sa fille rentre enfin de
Lorient, elle l'accueille si froidement que
Mme Morisot s'en explique par la suite à Edma :
« Berthe prétend que je la regarde avec étonnement comme si je la trouvais très enlaidie. Ce que
je trouve un peu, en effet. » Sans doute a-t-elle
encore maigri. Et ne se pare-t-elle pas de ces belles
couleurs de santé qu'elle aimerait lui voir.

Les rêves, la sensibilité, la nature d'artiste de
Berthe contredisent le modèle maternel. Berthe
préfère l'enfance, l'adolescence, la jeunesse, aux
destins de nourrices et de mères de famille, aux
Junons et aux Dondons. Même lorsqu'elle peint
des mères (sauf une fois, la sienne, que la main de
Manet retouchera), ce sont des mères très jeunes,
presque encore des enfants. Ses modèles de prédilection demeurent les jeunes filles, corps impu-
bères de nymphettes, futures lolitas. Leurs corps
fermes et souples, leurs parfums acidulés, leurs
teints roses, évoquent moins les rondeurs de Boucher, d'Ingres, de Rubens, de Bouguereau, que les
hardiesses de Fragonard — son ancêtre. Dans ce
domaine, celui des corps de femmes, Morisot c'est

même l'anti-Rubens. Un univers d'innocence et de fraîcheur où la vie, tour à tour cristalline et fruitée, ignore superbement le sexe — ses démons, ses vertiges.

« Berthe est pour moi un gros souci », dira la mère. De son propre aveu, Berthe se montre souvent « triste » — un mot qui revient dans sa correspondance. A vingt-huit ans, le travail ne la comble pas. Quelque chose lui manque. Quoi ? Un amour ? Un enfant ? Sa mère l'incite à suivre l'exemple d'Edma qui vient de mettre au monde une petite Jeanne. Et Berthe s'enferme dans son atelier.

Agacée par une mère qui sait se montrer attentive mais pèche par excès de zèle et manque de discrétion, Berthe ne trouve aucun soutien ni aucune consolation du côté de son père. Elle n'a jamais eu avec lui de complicité. Leurs deux caractères sont proches ; tous deux rêveurs et emportés, ténébreux et violents, ils se heurtent au quotidien. Aussi Berthe évite-t-elle autant qu'elle le peut une présence qui tourne la plupart du temps à la confrontation. Les années ont marqué Edme Tiburce Morisot, qui porte amèrement son âge et ses désillusions. Artiste frustré, fonctionnaire malgré lui, il ne trouve un peu de repos que dans les livres d'art et les conversations avec ses vieux amis. Il fuit la jeunesse et se complaît dans une nouvelle manie, qui l'absorbe des heures entières et a le pouvoir de le désangoisser — le déménagement incessant de ses meubles et de ses tableaux. Il est en permanence agité et nerveux, surtout refermé sur lui-même.

La froideur marque les relations du père et de sa fille. Mme Morisot écrit à Berthe, en vacances à Lorient en juillet 1869, que son père a été « fort touché » de la lettre qu'elle lui a écrite. « Il paraît avoir découvert chez toi des trésors de cœur qu'il ne connaissait pas et à son particulier un sentiment de tendresse inaccoutumée, aussi dit-il souvent qu'il regrette ton absence. Moi, je me demande bien pourquoi ? Vous ne vous parlez guère, vous n'êtes pas l'un avec l'autre... » Pour avoir la paix, Berthe applique un des préceptes de la sagesse hindoue : ne pas parler, surtout ne pas ouvrir la bouche... « Pour ne pas entrer en discussion, je ne parle de rien », écrit-elle à Edma. Et encore : « Nous parlons si peu que c'est sans grand inconvénient. »

Les fréquentations de sa fille exaspèrent Morisot, qui n'aime pas les Manet. Orléaniste, il trouve les trois frères « trop républicains ». S'il ne lui interdit pas de les voir, il désapprouve leurs opinions et, après une de leurs visites à Passy, se montre d'humeur exécrable. Du propre aveu de sa femme, « ses dispositions nerveuses surexcitées sont très fatigantes à supporter ; il ferait perdre la tête à un régiment entier et dans ce moment mon calme l'exaspère ».

Sans ses sœurs, Berthe peine à trouver un équilibre au sein de la famille, dont l'atmosphère est devenue électrique. Elle ne la supporte que grâce à l'atelier, son refuge. Tiraillée entre deux pôles, entre deux exigences, celle de la peinture et celle de la femme, « elle se monte et se démonte comme devant », dit sa prosaïque mère. Elle lutte pour affirmer sa différence. Des conflits psychologiques la minent. Maux de tête et d'estomac, crampes, migraines. Berthe ne s'épanouit pas. Crispée sur sa vocation, tendue par une volonté qui l'épuise, elle ne tient debout qu'à force de courage et ne retrouve un peu d'élan que pour se rendre chez Manet — atmosphère heureuse, où les éclats de rire contagieux et la chaude lumière du peintre, s'ils la réconcilient avec la vie, ne lui font paraître que plus lugubre et plus ennuyeux le cocon de la rue Franklin.

Mais Manet appartient aux siens et à sa peinture, et les femmes se bousculent à sa porte, comme le lui rappelle sa mère, avec la petite Gonzalès à la tête de la horde. Alors, Berthe se retrouve désemparée, dans la maison où ne résonnent plus que le pas triste et pesant du père, désormais malade, et les mille recommandations d'une trop vigilante, trop autoritaire, trop harcelante Madame Mère. Dans le jardin clos de Passy, dont elle ressent l'étroitesse et le vide, le cœur serré, elle écrit à Edma qu'elle se sent « seule, désillusionnée et vieille, par-dessus le marché ».

Elle aspire à trouver à la vie les couleurs qui sont dans sa palette, si vives, joyeuses et chatoyantes. Les verts les plus acides montent de ses rêves, trouvera-t-elle un jour le bonheur ? La vie une nouvelle fois la dessert : elle va lui apporter la guerre. Ses canons, ses horreurs, ses cadavres. Le jardin sera dévasté et le seul atelier qu'elle aura jamais possédé, l'atelier chéri, détruit. Elle fêtera ses trente ans, toujours célibataire, incapable de choisir parmi ses prétendants, dont quelques-uns portent l'uniforme militaire, un homme pour la vie — qui accepte non seulement de la laisser peindre, mais de la laisser vivre en jeune fille, sans trop entamer, avec ses exigences d'homme, ses rêves et sa fantaisie.

un changement indéniable du pinceau qui, sans du tout renier sa force, trouve un accent plus doux. Comme si peindre près de Morisot et parler avec elle lui ouvrait un horizon.

La jeune mère qui pose sur l'herbe est une amie de Berthe Morisot, Valentine Carré. Elle habite une maison voisine et a accompagné Berthe lors de sa visite au dernier Salon. Ce qui irrite Berthe, à cause de Manet bien sûr. Voici ce qu'elle en dit à Edma : « Je me suis promenée un jour au Salon avec la grosse Valentine Carré. Manet qui l'a aperçue est demeuré dans l'admiration et depuis ce temps, il me poursuit pour venir faire quelque chose d'après elle, à l'atelier. Je n'en ai envie qu'à moitié mais lorsqu'il a quelque chose en tête, il est comme Tiburce, il faut que cela se passe tout de suite... » Cette lettre prouve que Berthe ne nourrit guère d'illusions sur la fidélité amoureuse de Manet — amoureux de toute silhouette aperçue — et sur les chances qu'elle a de monopoliser son intérêt. Quant à Valentine, taxée comme Suzanne, la propre épouse d'Edouard, de « grosse » — « la grosse Valentine », « la grosse Suzanne » —, comment aurait-elle pu l'admirer, elle qui n'aime que les très minces jeunes filles... Lorsque Valentine a commencé de poser, dans le jardin de la rue Franklin, et que Mme Carré, venue en chaperonne, a vu les premiers traits de dessin de Manet, elle s'est affolée. Comment, on verrait Valentine près d'un landau ? Mais que penseraient les gens de Passy ? Ils croiraient peut-être que sa Valentine a un enfant... Du coup, elle lui interdit de poser, et même de se rendre chez les Morisot lorsque Manet s'y trouve. Edma, qui vient d'accoucher de Jeanne, prend alors le relais ; son visage remplacera celui de Valentine, qui lui a cependant cédé quelques traits. Drôles de rôles... Quant à l'homme, dont la présence ne semble pas avoir offusqué Mme Carré, alors qu'il est tendrement lové contre le modèle, c'est Tiburce Morisot. Le frère de Berthe, toujours célibataire, s'ennuie beaucoup dans la vie. Il revient d'Amérique, où nul ne sait ce qu'il est allé faire, et il tue le temps en attendant que la vie lui offre une meilleure occasion de se distraire — ce qu'elle ne va pas tarder à faire. Tiburce est l'aventurier de la famille, le seul qui aspire aux grands espaces et à la démesure, le seul qui, un jour, osera quitter le jardin clos pour une existence moins protégée. Tandis que Berthe rêve d'évasion dans un monde secret qui reflète son désir d'absolu, sa soif d'harmonie, lui, en réaction contre l'univers féminin de ses trois sœurs, rêve d'aventures et de conquêtes. De bruit et de fureur.

Or voilà qu'un beau matin, sur le calme du jardin, sur l'espoir du bonheur, le canon tonne. On le prend d'abord pour un coup de tonnerre — un de ces orages secs du début de l'été. Mais c'est Napoléon III qui vient de déclarer la guerre à la Prusse. Le 19 juillet, les troupes mobilisées commencent de marcher vers l'est. Les peintres débattent sans fin de l'issue de cette déclaration : la France connaîtra-t-elle la victoire, comme l'Empereur l'espère ? Ou sera-t-elle défaite, ainsi que l'annoncent les Cassandres, parmi lesquelles figure Thiers — l'ami des Morisot ? Il a fait campagne contre la mobilisation, il est même allé rencontrer Bismarck pour tenter de résoudre les antagonismes. Plus rien ne semble devoir arrêter les deux armées dont les uniformes rutilants brillent sous le soleil. Tiburce mobilisé, et heureux de l'être, marche lui aussi vers la frontière allemande. Le rêve de gloire est de courte durée. Face aux troupes prussiennes, plus nombreuses et plus

entraînées, dont l'armement ne date pas du premier Empire, les Français enchaînent revers et
défaites, jusqu'au désastre annoncé : en un été
aussi bref que cinglant, Napoléon III perd la
guerre et, le 2 septembre, avant que la population
n'ait pu prendre la mesure de la catastrophe, il
capitule à Sedan. Chez les Morisot, le temps
s'arrête, le jour où une lettre de l'état-major leur
annonce que Tiburce, fait prisonnier à Metz, a été
emmené en Allemagne.

La capitulation de l'Empereur qui, les dernières
années de son règne, avait beaucoup perdu en
popularité entraîne la chute du régime. A la
Chambre, la gauche républicaine applaudit la
nouvelle de la défaite qui met fin au règne de
Louis-Napoléon. Dès le 4 septembre, l'Assemblée
nationale proclame sa déchéance et instaure la
République. Une grande vague nationaliste souffle
sur la France, tandis qu'à Paris une résistance
s'organise. Les Prussiens marchent en effet sur la
capitale qu'ils menacent d'atteindre en quelques
jours. Edouard Manet envoie sa famille — sa
mère, son épouse et Léon — dans les Pyrénées, à
Oloron-Sainte-Marie, le plus loin possible de
l'envahisseur, et supplie Berthe et ses parents d'en
faire autant. Lui reste à Paris avec ses frères. Il a
l'intention de se battre et de défendre chèrement
sa patrie. Bien qu'il ne croie pas du tout à la victoire — il analyse la situation avec trop de lucidité
pour ne pas prévoir que l'avance des Prussiens,
plus forts et mieux armés, sera implacable —, sa
fièvre républicaine et patriotique le galvanise. Il
prend cependant les mesures nécessaires pour
mettre ses tableaux en lieu sûr. Il les confie à un
ami, Théodore Duret, qui est critique d'art — un
de ses rares défenseurs — et le riche héritier d'une
maison de cognac de Saintes (Duret et Compa-

gnie). Il a peint son portrait, en 1868. Duret possède sous son appartement, autrement cossu que
celui de la rue de Saint-Pétersbourg ou que l'atelier de la rue Guyot, de solides et profondes caves
voûtées. Manet dresse la liste des toiles qu'il va
entreposer chez Duret, au milieu des bonnes bou-
teilles — deux jours exactement avant que les
Prussiens n'assiègent Paris... et n'endommagent
son atelier. Il y apporte, avec l'aide du Charentais,
Olympia et *Le Déjeuner sur l'herbe*, *Le Joueur de
guitare*, *L'Enfant à l'épée*, *Lola de Valence*, *Danseuse
espagnole*, diverses natures mortes, un *Clair de
lune à Boulogne*, ainsi que *Le Balcon*, *Le Repos* et
un portrait, non précisé, de « Mlle B. » (de profil
ou au manchon ?) — c'est ce qu'il a lui-même noté.
Aucune de ces toiles n'a encore trouvé preneur !
Tout le reste, qu'il juge de moindre importance, il
l'abandonne rue Guyot, mais ce qu'il a trop peur
de perdre — dont trois des premiers portraits qu'il
a peints de Berthe —, il en a pris le plus grand
soin. Preuve qu'il a raison : Pissarro, qui n'a pas
sa prudence, ne pourra jamais récupérer les
tableaux, dessins et autres esquisses qu'il a dû
abandonner en fuyant Louveciennes devant
l'avance ennemie. Les Prussiens vont bientôt
réquisitionner sa maison, la piller de la cave au
grenier et, ainsi que le lui écrira son propriétaire,
« par crainte de se salir les pieds », ils disposeront
les toiles par terre, dans le jardin : « ça leur servait
de tapis ». La plupart des autres seront volées.

Manet ne cache pas ses idées républicaines. Il a
toujours honni le second Empire et pensé pis que
pendre de l'Empereur. C'est même ce qui agace tellement le père de Berthe Morisot ; en fidèle orléaniste, il n'a aucune sympathie pour la République,
qui l'a autrefois destitué de ses fonctions, et qu'il
voit d'un mauvais œil prospérer sur la défaite. Son

épouse se fait l'écho de leurs querelles : « Manet
est irritant en ce qu'il déblatère contre Thiers : "Ce
vieillard en démence, n'importe qui vaudrait
mieux que lui"... "Le seul homme capable est
Gambetta"... Quand on entend parler de la sorte,
on garde peu d'espoir pour l'avenir de ce pays... »
Manet, quoique âgé de trente-huit ans, s'enrôle
alors dans la Garde nationale. Affecté au corps des
canonniers, il est envoyé aux fortifications. Il
couche dans la paille avec les autres artilleurs,
dont il est fier de porter l'uniforme, mais la plupart du temps, il peut rentrer dormir chez lui. Il
ne sera pas mêlé physiquement aux combats. La
fibre patriotique qui unit les Français contre
l'envahisseur, Manet la partage avec bien d'autres
peintres. Frédéric Bazille s'est porté volontaire dès
le premier jour et s'est engagé dans les zouaves.
Edgar Degas s'est enrôlé dans la Garde nationale
comme artilleur en même temps que Manet, tandis qu'Alfred Stevens, quoique de nationalité
belge, a obtenu d'Etienne Arago, maire de la capitale, l'autorisation de combattre à côté de ceux
qu'il considère comme ses compatriotes : « Je suis
à Paris depuis vingt ans, j'ai épousé une Parisienne, mes enfants sont nés à Paris, mon talent,
si j'en ai, je le dois en grande partie à la France. »
    Renoir, décidé à en découdre avec l'ennemi, s'est
enrôlé au 10ᵉ Chasseurs de Tarbes. Puvis de Chavannes, malgré ses quarante-six ans, offre également ses services à la Garde nationale et, en attendant qu'on l'appelle, demeure à Paris, solidaire du
sort de ses habitants. D'autres artistes, amis ou
confrères de Berthe Morisot, ont cependant choisi
de se mettre à l'abri. Certains ont même quitté la
France. Ainsi Pissarro, originaire d'une colonie
danoise des Antilles, préfère-t-il retrouver à
Londres sa demi-sœur — elle a épousé un Anglais.

Ainsi Claude Monet, entraîné par son maître et ami Daubigny, n'hésite-t-il pas à planter femme et enfant à Trouville pour franchir à son tour la Manche. Monet et Pissarro suivront ensemble les événements depuis les bords de la Tamise. Ils mettront l'exil à profit pour contacter les marchands, et feront là-bas la connaissance de Paul Durand-Ruel qui organise de premières expositions à Londres.

Si Henri Fantin-Latour, malade, se terre à Paris — personne n'a de ses nouvelles, il ne sort pas de chez lui —, Cézanne est en Provence où il file le parfait amour avec Hortense Fiquet. Il accueille à l'Estaque son ami d'enfance, Emile Zola. Celui-ci vient tout juste d'épouser Gabrielle, une marchande de fleurs qui a posé avant de le connaître pour ses compagnons de bohème, Monet et Bazille ; Cézanne a été le témoin de Zola à son mariage, en mai 1870. Les deux hommes ne sont pas encore brouillés (Zola n'a pas encore écrit *L'Œuvre*, où il prend pour cible son vieil ami). L'écrivain a voulu s'enrôler dès les premiers jours de septembre, lui aussi dans la Garde nationale, mais sa myopie l'a fait refuser ; alors, devant l'avance allemande, il a précipitamment quitté Paris, emmenant aussi sa mère. Cézanne qui, en revanche, n'a aucune envie d'aller se battre est recherché comme réfractaire.

Les Morisot refusent de s'éloigner. Est-ce courage ou apathie ? Berthe ne veut pas quitter ses parents, que la défaite a déboussolés et qui, incapables de prendre une décision claire, subissent au contraire le sort sans réagir. Edme Tiburce, dans une crise d'inutile nervosité, déménage sans cesse les meubles qu'il aime pour les mettre à l'abri, choisissant tantôt une pièce tantôt l'autre, et parcourt les étages sans trouver de solution idéale. Chez lui, le souci de son patrimoine prime celui du danger. S'il demeure rue Franklin, la maison a moins de risques d'être pillée. En somme, il n'a peur que de perdre ses meubles. Marie-Cornélie essaie de garder son calme mais, à force d'espérer rejoindre l'une de leurs filles en province ou des amis dans les Pyrénées, elle oublie de s'approvisionner ; on ne trouve bientôt plus rien dans les magasins. Quant à Berthe, inconsciente de la gravité de la situation ou résignée à la subir, elle suit des yeux les agitations de ses parents — non sans ironie, ainsi qu'elle en rendra compte à Edma —, et n'éprouve qu'ennui, tristesse, désabusement. Elle n'a ni peur ni colère. La guerre ne nourrit chez elle aucune ardeur patriotique, mais un sentiment délétère, un irrécusable à quoi bon ?

Manet enrage de la voir rester : « Vous serez bien avancée lorsque vous serez blessée aux jambes ou défigurée ! » Il voudrait la convaincre de partir, quand il en est encore temps. Mais le courage ne lui fait pas défaut. Elle fait face au danger. « Je me suis décidée à rester parce que ni mon père ni ma mère ne m'ont dit résolument de partir ; ils le désiraient comme on désire tout ici, faiblement et par saccades. Moi, j'aime beaucoup mieux ne pas les quitter, non pas que je ne croie au véritable danger, mais ma place est auprès d'eux et si, par malheur, il arrivait quelque chose, j'en aurais un éternel remords. » Le huis clos familial, qui lui pesait déjà, referme sur elle les murs d'une prison car elle n'a plus même la possibilité de retrouver dans l'atelier sa chère solitude. Les gardes mobiles l'ont réquisitionné, elle ne peut plus y travailler. Elle en est réduite au dessin, au pastel et à l'aquarelle, et elle passe presque toutes ses journées enfermée dans sa chambre. La veille du jour où les Prussiens, parvenus aux portes de

Paris le 18 septembre, vont encercler la capitale, elle écrit à sa sœur qu'elle se sent « parfaitement calme » mais que, « hébétée par le silence », elle craint par-dessus tout de ne plus recevoir de nouvelles de ceux qu'elle aime. Si Edouard Manet flambe d'énergie et de passion patriotiques, Puvis de Chavannes lui écrit « comme si notre dernière heure était arrivée » et le frère cadet d'Edouard, Eugène Manet — plus pessimiste encore —, lui dit « avec beaucoup de calme qu'[il] ne pensait pas s'en tirer... ». L'étau se resserre. Une atmosphère oppressante, lourde de menaces, pèse sur les citoyens et les citoyennes, pris au piège mais décidés à se défendre. A Montmartre, des femmes du peuple, rassemblées en commandos improvisés, vont déloger de chez eux les hommes valides pour les armer de bâtons, de piques, et les emmener sur les fortifications, dans le but d'étoffer la Garde nationale. Manet, au comble de l'exaltation, annonce « la mort, l'incendie, le pillage, le carnage si l'Europe n'arrive pas à temps pour s'interposer ! ». Les forces sont inégales. Aux Prussiens, si bien armés et organisés, la population parisienne va opposer sa vaillance, son endurance, son amour fanatique de la patrie. Elle va résister longtemps, au-delà de ses forces.

Le 18 septembre donc, les Prussiens encerclent Paris : on dit qu'ils sont cent quatre-vingt mille soldats. C'est le début d'un long siège qui va meurtrir, endeuiller et affamer la capitale. Le courrier s'achemine difficilement, la famille Morisot est isolée. Les lettres partent et arrivent par ballons ou pigeons voyageurs. Tandis que Berthe fait de l'aquarelle d'après un éventail que lui a offert Degas autrefois et tâche de s'occuper comme elle peut, dans l'angoisse qui monte d'heure en heure et le bruit des canons, elle ignore encore que

Tiburce a réussi à s'évader, qu'il a pu regagner la France en se cachant dans la cale d'un bateau et qu'il a courageusement repris du service. Elle s'inquiète pour Edma, sans nouvelles de son mari : Adolphe Pontillon, parti de Cherbourg avec son escadre, fait la guerre quelque part en mer. « L'ignorance absolue dans laquelle nous vivons est bien pénible », se plaint-elle à demi-mot. Comme tous les Français, la famille se ronge les sangs, les femmes en sont réduites aux lamentations ou aux prières. Berthe, elle, ne prie ni ne se lamente. Elle peint et c'est la seule activité qui lui rende le calme et le courage. De sa chambre et du salon, elle voit les gardes mobiles entrer et sortir de l'atelier, transformé en caserne d'occasion, et quelquefois ses pensées s'égarent : la vie est si triste. « Croirais-tu que je m'habitue au bruit du canon », écrit-elle à sa sœur sans savoir si celle-ci pourra seulement la lire ; « il me semble maintenant que je suis absolument aguerrie et en état de tout supporter. »

Le siège de Paris va durer cent trente-trois jours. D'abord le temps, qui ne tient aucun compte des événements, est magnifique, « ce qui aide à supporter bien des choses », dit-elle sobrement, puis l'été indien passe, l'automne se lève et s'accomplit, l'hiver apparaît — un hiver aussi glacial que l'été fut long et chaud. La nourriture manque : plus de viande, plus de fruits ni de légumes, plus de lait, bientôt plus de farine. La famille en est réduite à manger des biscuits et se demande quand il lui faudra, pour survivre, manger du rat. La santé de Berthe s'altère. Elle maigrit, elle a le teint gris, elle ne tient plus debout. Son réconfort, ce sont les lettres qu'elle reçoit et parfois les visites : Puvis lui écrit fidèlement, Degas et Manet viennent souvent passer la soirée rue Franklin, comme autrefois.

4Elle les écoute parler : la guerre, la France, l'Allemagne, la République..., tous ces mots ont remplacé les discours qu'ils tenaient naguère, avec la même chaleur, pour évoquer la peinture, l'art et la beauté. Maintenant qu'elle ne peut plus quitter Paris, il lui semble qu'il n'est plus d'autre échappatoire que le rêve. Son père et Edouard Manet ont de fréquentes altercations. Edme Tiburce Morisot soutient les positions de Thiers, qui tergiverse encore sur les moyens de porter secours aux Parisiens, et Manet est un franc partisan de Gambetta, qui vient tout juste de s'envoler de Paris en ballon pour rejoindre Tours et y organiser la Défense nationale. Or, pour M. Morisot, les républicains ne sont rien d'autre que de dangereux révolutionnaires. Puvis de Chavannes, qui ne cesse de se soucier de Berthe, continue, lui, de se rendre chaque jour à son atelier de Neuilly. Son pinceau invente la liberté dont ils sont tous si cruellement privés : une première toile, *Le Ballon,* représente un de ces engins qui s'envolent au-dessus de Paris, plein de colis, de lettres et parfois de personnalités ; l'autre, *Le Pigeon voyageur,* montre une créature longiligne et élégante, dont la main dirige vers le ciel un de ces oiseaux, symbole d'une liberté perdue.

Manet, qui a provisoirement échangé son pinceau pour un fusil, se voit promu lieutenant à l'état-major de la Garde nationale et, en décembre, presque au lendemain de Noël, il passe sous les ordres du lieutenant-colonel Meissonier — peintre auréolé de gloire, auteur des *Bourgeois flamands* et de *Paul et Virginie,* mais aussi membre de l'Institut, et de tous les jurys des Salons hostiles à Manet. La guerre ne rapprochera pas les deux hommes. Jusqu'à la fin, le lieutenant-colonel feindra d'ignorer que l'un de ses subordonnés est peintre comme

lui-même. On voit la scène : Meissonier ordonne et
Manet, pour une fois, est bien obligé d'obéir. Mais
des lumières se gravent en lui, comme ces *Effets de
neige à Montrouge*, près des fortifications. La nouvelle année se fête dans les larmes : les frères
Manet et Degas passent la soirée chez les Morisot.
Dès le 5 janvier, les bombes pleuvent sur Paris. Les
quartiers du Panthéon et de Grenelle sont grave-
ment touchés, mais il en tombe aussi à Auteuil, au
Point-du-Jour et à Passy, rue du Ranelagh. Des
dizaines de gens meurent chaque jour, des dizaines
d'autres sont blessés. C'est le « carnage » qu'avait
prédit Manet. Dans le péril, le sang-froid de
Mme Morisot force l'admiration. « Le bombarde-
ment est incessant, écrit-elle à Yves, c'est un bruit
qui vous roule dans la tête nuit et jour, il vous don-
nerait la fièvre si on n'était déjà disposé, ceci n'est
pas mon mal mais bien celui de Berthe... » Lorsque
la bombe touche la rue du Ranelagh, à deux pas de
chez elle, elle se contente de ce commentaire :
« Cela ne nous effraie pas du tout, c'est curieux
comme le mal qu'on voit de près perd de son intensité. »

La famille vivra tout un mois ce cauchemar,
sans qu'aucune des lettres que la mère ou la fille
adressent à Edma ou Yves reflète panique ou
découragement. Berthe et Marie-Cornélie veulent
sans doute préserver les deux femmes qui, en raison de l'irrégularité et de la lenteur du courrier, se
montrent très inquiètes, mais leurs propos sont
exemplaires du climat général qui règne sur Paris.
« Paris ne se décourage pas, écrit Mme Morisot,
je le trouve superbe, et pourtant que de misères,
que de besoins pressants, c'est navrant... »

Le 28 janvier, la capitulation met fin au long
siège qui a entraîné tant de morts, des suites des
combats mais aussi des privations et du froid

— la pneumonie a fait presque autant de ravages que l'artillerie allemande. Les deux armées comptent leurs pertes — plus de cent vingt mille morts dans chaque camp. Le cercle des peintres a perdu Frédéric Bazille, fauché devant Beaune-la-Rolande. Tiburce revient sain et sauf à la maison, avec une gloire toute neuve et des galons de lieutenant. Début février 1871, sans attendre les conclusions politiques de l'armistice et du traité de paix qui va céder à l'Allemagne l'Alsace et la Lorraine, Manet rejoint les siens à Oloron, où il restera de longues semaines. Tandis que Berthe, épuisée, rêve de vacances au bord de la mer, la situation politique se dégrade : commencent un second siège et une seconde guerre, tout aussi sanglants et meurtriers. Mais ce sont les Français qui, cette fois, donnent l'assaut aux Français, dans une véritable guerre civile qui dresse les uns contre les autres révolutionnaires et contre-révolutionnaires. Parisiens contre Versaillais. Berthe tout à la nostalgie de ne pouvoir travailler ni s'exprimer en paix, indifférente à la politique, allergique aux débats qu'elle entraîne, aux hostilités qu'elle déclenche, ne souhaite personnellement que la concorde. Face à la violence et à l'absurdité, il n'est pour elle qu'une attitude possible : se retirer moralement de l'enjeu. Elle éprouve alors du mépris pour le monde entier, qui veut l'empêcher de vivre selon son cœur, et elle ressent pour la première fois, avec une effrayante clarté, que rien ne remplacera jamais pour elle la peinture — sa foi et sa passion. « J'espère que tu te mets à ma place, écrit-elle à Edma, pour comprendre que c'est là le seul but de mon existence et qu'une inaction indéfiniment prolongée me deviendrait funeste à tous points de vue. »

L'aquarelle, antidote aux passions politiques

Tandis que les troupes allemandes s'installent au bois de Boulogne pour veiller au bon déroulement de la reddition puis du traité de paix, Paris s'agite. Une nouvelle Assemblée, à majorité conservatrice, a mis en place un gouvernement provisoire et nommé Thiers à sa tête, mais la capitale refuse de se plier aux décisions des chefs politiques et conteste violemment la défaite. Au peuple en colère se rallie la Garde nationale. Affamée depuis près de cinq mois, indignée que Thiers ait fait supprimer la solde des Gardes — unique ressource des ouvriers mobilisés —, la population refuse de rendre les canons à l'armée, venue les réclamer, et appelle Paris à prendre les armes. Le gouvernement, réfugié à Versailles, doit affronter l'insurrection. Les Versaillais, alliés aux Prussiens, font le siège de Paris qui se trouve à nouveau encerclé.

Cette fois, les Morisot ont le temps et la volonté de réagir. Dix jours après le début des hostilités, cédant aux objurgations de Puvis de Chavannes qui, élu député de la nouvelle Assemblée, s'est lui-même replié sur Saint-Germain-en-Laye, ils abandonnent enfin la rue Franklin et s'installent dans une maison qu'ils ont louée sur les conseils de

Puvis. L'armée canonne les positions de l'artillerie de la Commune au Trocadéro, des bombes tombent sur Passy. Berthe s'impatiente : « Je voudrais travailler ! écrit-elle à sa sœur, qui a rejoint son mari à Cherbourg. J'ai cherché à faire une aquarelle d'après nature : impossible, je me sens comme une enfant qui n'aurait jamais rien fait. »

Puvis de Chavannes a quitté « avec bonheur » son « affreux quartier » (Pigalle), « où la délation s'installe et où l'on peut d'un moment à l'autre être requis de marcher avec la crapule sous peine d'être fusillé par le premier échappé du bagne que cela divertit ». Il est Versaillais, du même camp que le père et le frère de Berthe, Versaillais d'armes et de cœur. Tiburce combat sous les ordres de l'amiral Saisset, qui a fait tirer sur les insurgés, le 21 mars, place Vendôme, provoquant la mort de quatorze hommes. Marie-Cornélie se félicite qu'il ait accompli son devoir avec courage. Toute la famille — sauf Berthe — se range sans hésiter du côté de Thiers, parce qu'il veut maintenir l'ordre ainsi que les idées de la classe sociale dominante, bourgeoise et conservatrice. Berthe, que la politique agace et qui désapprouve au fond d'elle toute attitude partisane, Berthe dont le cœur partagé penche du côté des faibles et des malheureux, mais ne peut désapprouver les siens, s'enferme dans le mutisme. C'est sa seule défense, son unique rempart.

Le climat de la France est empoisonné. Plus de vingt ans avant l'affaire Dreyfus qui fera tant de mal au pays, la politique dresse les Français les uns contre les autres avec une violence inouïe. Les amitiés ne résistent pas aux passions, les familles s'entre-déchirent. Si Berthe réussit ce miracle de ne pas se mêler au débat afin de préserver l'union des siens, de graves dissensions marquent les rapports de tous, dans leurs vies privées comme professionnelles, dictées par la haine et l'esprit de revanche. Deux camps se haïssent ; il n'est permis à personne de ne pas choisir le sien. Les Communards traquent le Versaillais dans chaque Parisien qu'ils croisent et les Versaillais soupçonnent tout républicain vaguement socialiste d'être un Communard — donc passible du poteau d'exécution. Ni esprit de nuance, ni esprit de tolérance n'ont plus cours. La peur règne dans les rues ; la méfiance et la suspicion ourdissent complots, dénonciations, punitions, vengeances, sans que la justice s'en mêle. L'heure est aux règlements de comptes. On craint son voisin, son cousin, son médecin ! Renoir, qui a beaucoup d'amis parmi les Communards, tombe entre les mains des Fédérés, un jour qu'il est allé peindre sur les berges. On l'accuse de vouloir relever des plans, d'être un espion à la solde des Versaillais, et on l'arrête. On le conduit sous bonne escorte à la mairie du VIe arrondissement, et on l'aurait sans nul doute fusillé sans autre forme de procès si Raoul Rigault, qui passait par là et que Renoir avait aidé quelques années auparavant à fuir la police impériale, ne l'avait reconnu et fait libérer.

Les peintres se divisent, selon qu'ils sont Rouges ou Blancs. Renoir, plus sage, préfère appliquer ce qu'il appelle « la politique du bouchon » : à son fils Jean, il expliquera qu'il faut savoir se laisser flotter au gré des événements. En attendant, il se débrouille pour posséder deux laissez-passer : l'un, signé de Rigault, lui permet de franchir sans encombre les lignes des Fédérés quand il veut aller voir ses parents à Louveciennes ; l'autre, signé du prince Bibesco, l'un de ses mécènes, un Versaillais, lui permet de se déplacer sans souci dans cette région qui dépend de l'autre camp, et d'y peindre en toute liberté. Il a toujours peur de se tromper de poche et de brandir le mauvais laissez-passer ! Edouard Manet, occupé à peindre en province, s'efforce de rattraper le temps perdu à l'automne. Il exécute un superbe *Port de Bordeaux,* hérissé de mâts, vibrant de couleurs, plutôt anachronique en ces temps de douleurs. Mais aussi *La Barricade* et *Guerre civile,* deux lithographies que lui inspire la répression versaillaise et dont, en fervent et fidèle hispanisant, il a puisé la manière dans le *Tres de Mayo* de Goya. A son retour, par dérision, il offrira *La Barricade* à Tiburce Morisot ! Elu pendant son absence à la Fédération des peintres et des sculpteurs, qui ont rêvé de déboulonner la colonne Vendôme — symbole de l'Empire —, et qui luttent aux côtés du peuple de Paris, Manet se désolidarise des excès de la Commune, mais condamne la violence ordinaire de la répression. Edgar Degas, Communard des plus modérés, pense comme lui. Il est d'ailleurs plus « communal » que « communard ». Mme Morisot, qui se flatte de partager les opinions de son mari, raconte, indignée, à Berthe que « Tiburce a rencontré deux communaux au moment où on les fusille tous : Manet et Degas ! Encore à présent, ils blâment les moyens énergiques de la répression. Je les crois fous, et toi ? » Il est probable que Berthe n'aura rien répondu. Qu'elle aura, au pire, haussé les épaules. Elle n'est ni Versaillaise ni Communarde, mais du parti de la paix et de la réconciliation. Ouverte aux arguments de justice, sensible et généreuse, elle n'a pas fermé son cœur à ces républicains que ses parents condamnent et jugent « partisans du désordre ». C'est à elle qu'Edouard Manet livre son sentiment désabusé, dans une lettre qui les montre « complices », capables d'aborder sans heurts ni fausse pudeur les sujets les plus propices à les diviser : « Quels terribles événements et comment allons-nous en sortir ? Chacun en rejette la faute sur son voisin et, en somme, nous avons tous été complices de ce qui s'est passé. »

La France est blessée à mort. Elle gardera longtemps les cicatrices de sa division nationale. Lors de la « semaine sanglante » (22-28 mai 1871), les Versaillais reconquièrent Paris rue par rue. Au cours de leur retraite, qu'ils font chèrement payer, les Fédérés, avec l'énergie du désespoir, incendient l'Hôtel de Ville, le Quai d'Orsay, le château des Tuileries, le Palais de Justice, la bibliothèque du Louvre et... la Cour des comptes. Cette dernière, située à l'emplacement de l'actuel musée d'Orsay, sur la place même de l'ancienne gare qui sera construite sur ses décombres, brûle entièrement — à la grande satisfaction de M. Morisot, qui n'a jamais aimé y travailler et agace sa femme à force de lui rabâcher que « la Cour des comptes brûlée, c'est une grande raison de la supprimer ». Il y reprendra pourtant ses fonctions, après la guerre, dans des locaux transportés au Palais-Royal — résidence du prince Jérôme sous le second Empire —, avec d'autant plus de mélancolie qu'il a toujours été monarchiste, aussi fermement anti-impérial qu'anti-républicain. Tandis que Paris brûle, les Fédérés massacrent leurs otages, dont Mgr Darboy, l'archevêque de Paris. Les Versaillais — Tiburce est des leurs — tirent sans sommation sur tout ce qui bouge — hommes, femmes, enfants. Ils fusillent des centaines de Fédérés au parc Monceau et à Montmartre, et reprennent le Père-Lachaise, dernier rempart de la Commune, dans un bain de sang. Le 28 mai tombe la dernière barricade, rue Ramponneau.

Condamnations à mort et aux travaux forcés,

déportations, emprisonnements soldent le retour
à l'ordre et à la paix. Parmi les peintres et leurs
amis, personne ne sort indemne de ces événements qui ont secoué la France et ébranlé son
unité. Un triste sort échoit à Gustave Courbet
— qui se voit incarcéré, traduit devant le conseil
de guerre, puis condamné à supporter pendant
trente ans les frais de reconstruction de la colonne
Vendôme, dont il a symboliquement souhaité la
destruction. Son atelier, ses biens seront vendus,
et lui-même, qui fut si célèbre et admiré avant la
guerre, emprisonné sur parole à la clinique du
docteur Duval, se verra abandonné de tous — hormis Claude Monet et Eugène Boudin, enfin de
retour de leur exil volontaire. Victime de sa foi
communarde, Raoul Rigault, l'ami et le sauveur de
Renoir, meurt en criant « Vive la Commune ! »
— il a couru se dénoncer, alors qu'on allait fusiller
un homme, qu'on prenait pour lui. Théodore
Duret, l'ami de Manet, qui a caché ses tableaux
dans sa cave et joué un grand rôle dans l'agitation
révolutionnaire comme maire du IXe arrondissement, échappe par miracle à la mort. Après la
prise de Paris, il réussit à s'enfuir avec un ami,
Enrico Cernuschi (le fondateur du musée du parc
Monceau), pour un voyage autour du monde qui
va l'emmener jusqu'en Chine et au Japon. Il croise
Pissarro à Londres et, de New York, envoie à
Manet un chèque pour lui acheter son *Torero
saluant*.

Berthe pleure son atelier. Il n'est plus que ruines
au fond du jardin. La maison a perdu son parfum
de fleurs et de bonheur. Tiburce y a invité à dîner
le maréchal de Mac-Mahon, chef de l'armée versaillaise, et son état-major. Il lui semble que la
vaisselle, le linge ont une odeur de guerre. « Je suis
sortie de ce siège absolument dégoûtée de mes

semblables, écrit-elle à Edma, même de mes plus grands amis. L'égoïsme, l'indifférence, l'étroitesse d'esprit, voilà ce qui se rencontre chez tout le monde. » Elle est épuisée physiquement et moralement sans forces, anémiée et meurtrie. Manet est rentré à Paris, par le premier train, avec Suzanne et Léon. Elle a envie de poser pour lui, à nouveau. « S'il ne me le demande pas, écrit-elle à Edma, c'est moi qui le lui proposerai. » Puvis de Chavannes lui fait la cour. Mais ce dont elle rêve par-dessus tout, c'est d'air pur, de liberté, de vacances.

Mme Morisot, que la guerre puis la Commune avaient un temps distraite de son projet, reprend son antienne : marier sa dernière fille, la marier à tout prix. Mais à qui ? Bon sang, à qui ?... Berthe lui a dit qu'elle trouvait Puvis de Chavannes « trop âgé et trop conservateur ». Et les autres prétendants sont tous, à des degrés divers, républicains. Edgar Degas fréquente beaucoup chez elle : « Il est un peu fou, dit-elle, mais charmant d'esprit. » Il vient dans leur maison en ami, et en peintre, ravi de partager avec Berthe une communauté de sensibilité, de couleurs et d'idées, qui désarçonne sa légendaire misogynie. Mais c'est un ami de Manet. On ne sort pas du cercle. D'autant que ces deux-là amènent souvent avec eux Eugène Manet, frère cadet d'Edouard, un séduisant garçon, aux frêles épaules et aux discours tonitruants. Encore un « dangereux » républicain — l'adjectif est de M. Morisot. Les parents de Berthe songent à relâcher les liens qui les unissent aux Manet avant d'avoir un jour à les regretter. Mme Morisot se lance dans une entreprise de dénigrement. « Je pense qu'Eugène Manet est aux trois quarts fou, écrit-elle à sa fille, et que les violences de tous ces caractères-là ne sont pas de bon augure pour le bonheur d'une vie... » Il faut absolument détourner la jeune femme de cette trop charismatique famille ; il faut la soustraire à ce charme qui agit si fort sur elle, il faut la désensorceler. Pour cela, point de sorcière, ni d'exorciste. On fera appel, comme toujours dans la famille, au solide bon sens français. On va critiquer sans relâche les frères Manet. Et tenter d'éloigner Berthe du cercle des peintres maudits.

La voici à Cherbourg, chez Edma, pour une convalescence qui va durer trois mois. L'iode et le repos, la bonne nourriture et les soins de sa sœur devraient lui rendre les forces qu'elle a perdues, et la distraire de ses fréquentations que les Morisot jugent trop politiques. Elle retrouve le goût et la joie de peindre, en plein air, près de l'irremplaçable Edma dont la seule présence lui est un réconfort et lui rend le bonheur perdu. Jeanne, qui a dix-huit mois, fait ses premiers pas devant elle. Sa tante ne cesse de la peindre, comme si la femme et l'enfant, étrangères à la barbarie du monde, avaient le pouvoir de la sauver en la lui faisant oublier. L'homme et sa virilité, son hostilité, ses valeurs guerrières disparaissent de sa peinture. Légère et impalpable, avec ses couleurs fraîches et vives comme une joue d'enfant qui a couru dans la campagne, la peinture de Berthe Morisot est une atmosphère de rêverie qui met en échec la colère et la rage, la haine et l'esprit de vengeance, et offre à celui qui la contemple un moment de paix. Un moment de bonheur, que menace le temps qui passe. Elle le dira un jour, simplement : si elle peint, c'est pour tenter de « fixer quelque chose de ce qui passe ». Ajoutant aussitôt : « oh, quelque chose, la moindre des choses... Un sourire, une fleur, un fruit, une branche d'arbre, et quelquefois un souvenir plus spirituel des miens, une seule de ces choses... ».

A Cherbourg, elle s'adonne à l'aquarelle, qui a le mérite de ne pas demander trop d'efforts physiques. Elle n'a plus assez de forces pour transporter son lourd chevalet ! Elle peint ainsi une première version du *Port de Cherbourg*, qu'elle transposera plus tard sur la toile, et deux portraits d'Edma, allongée sur l'herbe, en robe grise, la petite Jeanne à ses côtés, qu'on appelle *Au bord de la forêt* et *Femme et enfant assis dans un pré*. Les tons sont vifs ; le pinceau se pose à peine sur le papier, comme si le but était de capter la lumière, et de laisser au monde sa transparence, aux êtres leur inaccessibilité. La petite fille et la mère sont légères ; la nature autour d'elles forme un écrin à leur image, rien ne pèse ; tout est calme et murmure, harmonieux, serein.

Berthe se prend de passion pour l'aquarelle. C'est elle qui éclaircit sa palette et affine sa touche, et lui enseigne les profondeurs de la légèreté. Berthe peindra désormais sans appuyer le pinceau, sans souligner, surtout sans cerner, par touches qui se juxtaposent, se frôlent, s'enlacent, et gardent cette apparence spontanée, et comme suspendue de l'aquarelle, qui donne toujours l'impression que la toile est inachevée. On lui a laissé un peu de blanc, un air de liberté. Berthe utilisera désormais l'huile avec cette fantaisie et cette hardiesse que permet l'aquarelle. Elle en a fini avec les contrastes comme avec les demi-teintes. Et de même que la guerre s'efface, que la France panse ses plaies, elle ne veut plus peindre que la clarté. En atomes colorés, vus par les yeux de l'enfant, les éblouissements de la lumière.

au chevet de sa mère mourante (musée des Beaux-
Arts, Lyon), où l'on voit une figure de jeune
homme éploré jouant au violoncelle le choral de
Luther (morceau précisé dans le titre), près d'une
femme au visage aussi blanc que les draps sur lesquels elle gît étendue, le corps drapé dans un lin-
ceul. Pathos garanti. Mais il n'a pour autant
jamais méprisé la vie quotidienne qui est déjà et
qui sera toujours l'un des thèmes préférés des
amis de Manet. Ses *Pompiers de village* (musée
Pouchkine, Moscou) n'ont rien à envier, par leur
réalisme, à d'autres tableaux qu'inspirent la vérité
et la force de situations prosaïques, sinon banales.

Puvis de Chavannes aime le nu, le simple, dans
le trait et dans les couleurs. Il déteste la surcharge,
le solennel, le pompeux. Il peint dépouillé. A la
limite du vide. Avec leur atmosphère évaporée et
leurs teintes de pastels, ses toiles ont longtemps
agacé les jurys des Salons et il peut lui aussi se
vanter d'avoir connu refus et quolibets. Si sa peinture lui a valu ici ou là quelques rares médailles,
elle ne le nourrit pas. Comme Manet, Degas ou
Berthe Morisot, Puvis de Chavannes vit de ses
rentes. Les tableaux que l'on commence de voir
exposés, il les a souvent offerts, forçant ainsi la
main de l'acheteur, et par là même la porte du
musée. Ainsi lorsque le musée d'Amiens lui a
acheté *La Paix* en 1861, a-t-il fait cadeau de son
pendant, *La Guerre* — on ne voulait en payer qu'un
seul ! Deux ans plus tard, pour compléter la décoration du tout nouveau musée, et renforcer l'effet
d'étonnement, l'ambiance de rêve éveillé que pro-
duisent ses deux précédentes toiles — il les trouve
isolées —, il offre un second diptyque : *Le Travail*
et *Le Repos*. « Je peins pour l'honneur, dit-il, et par
plaisir. » Tout le personnage est dans ces deux
mots : honneur et plaisir de peindre.

Son style a beaucoup évolué depuis ses débuts et, depuis Jean Cavalier, s'il n'a pas renié sa manière simple et dépouillée, s'il l'a même renforcée dans une exigence de pureté, il est entré dans l'allégorie. Il se plaît dans le symbolisme. Avec *Concordia* (ou *La Paix*) et avec *Bellum* (ou *La Guerre*) — il aime les titres en latin —, on pourrait dire qu'il peint comme Leconte de Lisle ou Théophile Gautier, qui sont d'ailleurs ses amis dans la précédente génération, composent des vers : ses belles et élégantes images, ses figures androgynes portent des messages, illustrent ou incarnent des idées.

« Le véritable rôle de la peinture est d'animer des murailles », déclare-t-il avec modestie. Avant d'ajouter : « On ne devrait jamais faire de tableaux plus grands que la main. »

Lui choisit de peindre à fresque de grands panneaux décoratifs. Un goût qui ne va pas sans provocation. Dans ce genre monumental, l'époque a en effet une prédilection pour l'Histoire et la mythologie. Il propose, lui, des scènes intemporelles, sans dieux ni déesses, sans héros, mais où les personnages, l'air de tomber d'une planète inconnue, ont quelque chose d'irréel, ressemblent aux figures d'un songe. Il y a du Delvaux chez Puvis de Chavannes : un onirisme qui, dans la toile vide, attire et effraie. Comme une piste surréaliste, en avance d'un demi-siècle.

Trop peu respectueux du goût de ses contemporains et des consignes strictes des Beaux-Arts officiels, tout ce que Puvis peint resterait dans son atelier s'il n'avait les moyens de les offrir, ou de les vendre pour presque rien. En 1867, l'année où il fait la connaissance de Berthe Morisot, il travaille à une double commande pour le palais de Longchamp, le musée de Marseille : *Massilia, colonie grecque* et *Marseille, porte de l'Orient*. On lui a payé 10 000 francs pour les deux, à peine de quoi couvrir ses frais, car ces toiles gigantesques lui ont demandé beaucoup de temps et de couleurs.

Peu de gens goûtent alors le style de Puvis de Chavannes. Le jury et le public des Salons sont unanimes à le trouver « naïf », une insulte à une époque qui ne croit qu'au métier — technique et savoir-faire. C'est que, semblable en cela à celui des Impressionnistes, son style est à l'opposé de la grandiloquence et de l'académisme. Puvis déteste par-dessus tout ce qu'il appelle « l'art ronflant et pompeux » des Couture ou autres Chassériau (lequel est cependant un de ses amis). Il place au plus haut les valeurs de simplicité et de sobriété. « J'ai essayé de dire le plus possible en peu de mots », dit-il. Ou encore : « J'ai condensé, ramassé, tassé ; j'ai tâché que chaque geste exprimât quelque chose et que la couleur, au lieu de contraster, comme jadis, avec la blancheur de son cadre, s'harmonisât doucement avec lui. Au lieu de trouer la muraille, comme il arrive avec des peintures trop poussées, je me suis contenté de la décorer tout simplement. »

Il a connu Berthe par Alfred Stevens, avec lequel il entretient d'excellentes relations d'amitié. Il fréquente Manet. Il est surtout l'ami de Degas. Celui-ci, qui admire sa manière, a accroché dans sa chambre un de ses *Nus* et considère Puvis, n'en déplaise aux jurys des Salons, comme un maître. Il prétend qu'il connaît le métier mieux que quiconque.

C'est chez Degas que Puvis de Chavannes a rencontré Gustave Moreau, l'auteur entre autres œuvres décadentes de *Salomé* ou d'*Œdipe et le Sphinx*, peintre symboliste s'il en est. Gustave Moreau devient lui aussi un ami de Puvis. Si les deux hommes pratiquent l'un et l'autre dans leur art l'allégorie, s'ils usent et abusent du symbole, ils sont cependant très différents. Moreau, le roi du kitsch, travaille avec frénésie le détail, la surcharge, alors que Puvis s'enracine dans un style nu dont il s'est fait une loi. Les critiques ont beau lui reprocher son « imagerie d'Epinal », il sait que son pinceau choque par sa naïveté (voulue, anachronique) mais il n'en démord pas. Il suit sa voie.

Au Salon de 1870, il a encore exagéré sa méthode en présentant une *Madeleine dans le désert* et une *Décollation de saint Jean-Baptiste*, qui font pousser de hauts cris aux critiques et rire le visiteur. Ces deux thèmes, pourtant tragiques, traités en couleurs fraîches par un pinceau épris de rêves d'enfant, se voient qualifiés de « grotesques » et de « drolatiques ». Dans *Le Figaro*, Albert Wolff se lance dans une comparaison osée, a posteriori intéressante, des deux peintres qui font ces années-là l'unanimité dans le registre comique. Entre Puvis et Manet qu'il met en parallèle, le critique voit « la même absence d'imagination » et « le même dédain de tout ce qui constitue une œuvre d'art avec cette circonstance aggravante toutefois que monsieur Manet le fait exprès pour attirer l'attention de la critique, tandis que monsieur Puvis de Chavannes est un naïf ». Malgré des couleurs très opposées — Manet travaille surtout le noir, Puvis le blanc —, malgré des styles antagonistes — l'un réaliste, l'autre symboliste —, ce qui a à l'évidence frappé les contemporains c'est leur anticonformisme commun. Manet et Puvis sont les deux peintres qui, dans les années soixante-dix, incarnent le mieux la rébellion contre l'académisme.

Est-il si surprenant qu'ils soient l'un et l'autre des amis de Berthe Morisot, tous deux vaguement

amoureux d'elle, des flirts sans espoir de lendemain ? Pour elle, avec leurs différences, ils sont un
même type d'homme : elle a besoin d'admirer
pour aimer, de sentir une force, une audace viriles
et, dans le domaine particulier de l'art, il n'est rien
qu'elle prise autant que l'indépendance, rien
qu'elle ne veuille éperdument imiter comme l'art
d'être soi-même, sans timidité ni complexes.

Leur correspondance montre qu'elle aura
éprouvé pour Puvis de Chavannes « un sentiment » : amour ou béguin ? Dans ses lettres à
Edma, elle se déclare avec impatience, et trouve
que son amoureux transi tarde à se déclarer franchement. « Je lui ai suffisamment prouvé qu'il me
plaisait, écrit-elle. C'est à lui de savoir ce qu'il veut
et ce qu'il doit faire. » On ne saurait être plus
franc. Elle lui a laissé voir son inclination. Elle
parle des regards qu'il lui lance, lourds d'elle ne
sait quelle promesse. Tout demeure incertain.
« J'ai horreur de l'indécision », déclare-t-elle à
Edma. Puvis flirte mais « ne fait toujours pas sa
demande ». Elle attendait sans nul doute qu'il lui
demande sa main. Toujours à Edma, cette confidence prouve que Manet est au courant de cette
amitié amoureuse qui dure, mais tarde à se trans-
former en quelque chose de convenable pour une
jeune fille du monde : en fiançailles. « Manet me
demande chaque fois qu'il me voit s'il [Puvis] a
bien fait sa demande. "Mais il devient malhon-
nête !", dit-il à ma réponse, toujours la même. Ce
qui m'ennuie c'est qu'il me répète qu'on en parle,
qu'on commente son attitude. » Les gens commencent à jaser et les parents Morisot prennent
peur que Puvis ne compromette la réputation de
leur fille. L'indécision du peintre, ses atermoie-
ments à se décider pour un mariage, la cour à la
fois assidue et incertaine qu'il fait à Berthe auront

raison de la patience de celle-ci et de la tolérance de M. et Mme Morisot.

Pierre Puvis de Chavannes habite 11 place Pigalle dans un appartement qui lui sert aussi d'atelier, mais il a pris depuis quelque temps l'habitude d'aller travailler à Neuilly, dans un local plus vaste, aux mesures de ses fresques géantes. Sur le trajet en omnibus de Pigalle à Neuilly, il s'arrête souvent au Trocadéro pour venir se distraire un peu dans l'atmosphère familiale de la rue Franklin. Il aime trouver Berthe en blouse de peintre, dans son atelier. Mme Morisot aussitôt se précipite pour chaperonner sa fille : cet homme-là ne plaît pas du tout dans la famille. Au-delà de son attitude étrange, on lui trouve toutes sortes de défauts.

D'où vient qu'on le repousse ? Son âge est sans doute moins un obstacle que son style de vie. Célibataire à quarante-cinq ans passés, Puvis a des habitudes de liberté dont on pense qu'elles ne pourront plus lui passer. Les parents, soucieux de bien établir leur fille, redoutent qu'elle n'épouse un peintre. Ils ont eu beau rêver eux-mêmes de l'art et la pousser à en rêver, le moment venu, ils redoutent l'issue que serait un mariage avec la bohème : un peintre ne peut être à leurs yeux qu'un mauvais parti. Sans la reconnaissance des Beaux-Arts ou de l'Académie, il ne peut être qu'un rapin, sans espoir et sans avenir. Ni le joli nom de Puvis de Chavannes, ni ses bonnes manières ni ses revenus qui lui permettent de subsister sans vendre ses tableaux, ne compensent son statut irrégulier et marginal d'artiste.

L'existence de Puvis, réglée comme papier à musique, n'a pourtant pas de quoi horrifier le bourgeois. Toute la journée, de dix heures du matin à six heures du soir, il peint. Il met ensuite son frac et son chapeau haut de forme pour aller dîner en ville. Il fréquente tous les amis des Morisot, qui apprécient sa conversation (brillante), sa courtoisie (exemplaire), son esprit (aiguisé), toute sa nature enfin (très chaleureuse). Une ombre au tableau : Puvis a une amie. Osons le mot, une maîtresse : discrète, inavouée sinon inavouable, une femme mariée. C'est la princesse Cantacuzène. Il l'a connue chez Chassériau. Et la présence de cette muse exaspère les Morisot. Craint-on qu'il ne garde cette liaison, dans l'ombre d'une autre alliance ? On ne se trompe pas : Puvis sera fidèle en effet à son égérie, qu'il finira par épouser tout juste avant qu'elle ne meure (en 1898), et il ne lui survivra pas. Mais Berthe Morisot sera morte alors, et morts depuis bien plus longtemps ses parents...

L'hostilité de la famille, si elle demeure mystérieuse, sans explication définitive, est assez flagrante pour décourager le prétendant. Car il est certain, à lire les lettres de Puvis à Berthe, qu'il fut amoureux d'elle, et elle le fut sans doute aussi de lui. Du moins assez pour se plaindre qu'« il [l']abandonne », quand il n'écrit plus ou que ses lettres se font attendre. Commencée dans un contexte de politesse compassée — « Mademoiselle... Daignez agréer l'expression de mon respectueux dévouement » —, leur correspondance évolue vite vers une amitié assidue et douce — « Chère Mademoiselle... Tout à vous », signe Puvis. Ou encore : « Lundi prochain ou lundi de l'autre semaine ? Prononcez, je suis à vos ordres. Tout à vous. » Les rendez-vous se succèdent, les formules de politesse se transforment en gentilles et pudiques déclarations. Mais les parents veillent et l'« amitié » de ce quasi-quinquagénaire les inquiète trop pour qu'ils ne le fassent pas savoir.

D'autant que la guerre a resserré les liens des Parisiens, créé une atmosphère de menaces et de peurs propice à tous les rapprochements. Puvis a cru pouvoir apprivoiser cette famille farouche. Il a réussi à les convaincre de quitter Paris et de venir s'installer près de chez lui, à Saint-Germain-en-Laye. Au fond, il a besoin de temps. A-t-il seulement envie de se marier ? Ou ne goûte-t-il pas davantage un flirt sans engagement ? La méfiance des Morisot reprend très vite le dessus. Tandis que Berthe s'énamourait — on le comprend aux lettres —, tandis que Puvis peut-être s'enhardissait, ils ont préféré éteindre la flamme.

Puvis écrit à Berthe, le 23 juin 1871 : « Vous me dites que nos relations ne seront jamais suivies ni faciles, je le sais bien, quoique j'aie rencontré Monsieur votre père qui m'a engagé à aller à Passy — j'ai pris cela comme je devais le faire, c'est-à-dire comme un mot de pure courtoisie, car je sais qu'on ne m'aime pas chez vous, et que l'idéal à mon endroit est de ne me voir jamais. Voilà plus qu'il n'en faut pour éteindre tout rapport, rien n'étant plus horrible au monde que ce qui est tendu et faux — ce qui serait le cas en ce qui nous concerne. Nous devons donc nous remettre à la grâce de Dieu — j'ajouterai qu'il n'y a pas de ma faute, ce serait alors réparable, tout le mal vient de l'antipathie que j'ai fait naître sous mes pas, comme d'autres des fleurs, à cela pas de remède. »

On ne saurait être plus clair. Leur sentiment, cette espèce d'attirance réciproque qui les pousse l'un vers l'autre, aboutit sinon à un échec au moins à une impasse. Aucun des deux ne semble avoir persévéré longtemps ni tenté de mettre un terme à l'opposition sournoise et entêtée des parents. Berthe, par crainte de les chagriner, Puvis par délicatesse ou par prudence et aussi, on le sent bien, par fierté : il craint l'humiliation que lui infligerait un refus. Il ne combattra pas pour s'imposer. Il compense sa frustration par un surcroît d'énergie au travail, dont il n'a jamais manqué. Au fond, ce que dit à demi-mot sa lettre, c'est qu'il préfère la peinture et la paix de l'atelier à toute entreprise amoureuse : « J'y trouve [dans le travail] de telles délices que je n'ose me les avouer à moi-même de peur d'éveiller le reste de la malchance et d'être encore frappé de ce côté-là. »

A Berthe qui s'étonne et se plaint qu'il prenne ses distances, il explique son point de vue, en s'efforçant de garder son calme. Il justifie son éloignement par le fait que la famille Morisot lui a battu froid : il affirme respecter ainsi la volonté des parents. Mais on ne peut s'empêcher aujourd'hui de trouver bien timorée sa défense, et peu passionné son cœur. Puvis est du genre raisonnable. Il préfère le calme et la solitude, le rêve d'une muse lointaine. « Vous me dites une chose à laquelle j'ai toujours oublié de répondre, c'est que l'hiver dernier, je vous ai abandonnée — mais sapristi vous ne vous rappelez donc que c'est sur votre conseil que j'ai dû m'abstenir et sur votre affirmation que vos parents ne me voulaient pas de bien que je me suis retiré — j'ai espéré autrefois pouvoir continuer avec votre famille des relations du monde avec la nuance d'intimité, de facilité, de naturel que donne une sympathie réciproque à laquelle je croyais — elle n'existait et n'existe encore que de mon côté, malgré certaines attentions auxquelles madame votre mère conviendra bien que je pouvais me laisser prendre sans outrecuidance — et comme il n'est jamais trop tôt pour bien faire, dès que j'ai été édifié sur les sentiments de votre famille à mon égard, j'ai pris la poudre d'escampette — pouvais-je faire autrement — mettons tout cela dans le sac aux oubliettes et n'en parlons plus — ou plutôt passons à un autre reproche — pourquoi ne me dites-vous pas du tout comment vous vivez — vous parlez en termes si généraux que l'esprit ne sait où vous prendre — c'est à peine une lueur et je m'écarquille à vous chercher dans le brouillard... » Il termine cette longue lettre d'explications sur une note dramatique. Au lieu du « Tout à vous », il signe cette fois : « Adieu. »

Ce qui ne l'empêche pas de revenir vers elle, quelques jours plus tard. En juillet, partie en vacances chez Edma, elle lui manque. Il ne peut s'empêcher de passer par Passy pour y chercher sa présence. La maison est déserte. Il a trouvé l'atelier « sombre, les rideaux tirés aux trois quarts et sépulcral. J'y ai cherché votre fantôme en peignoir blanc et j'en ai été pour mon évocation. »

Inquiet de la surveillance que peuvent exercer ses parents — « Sait-on chez vous que nous sommes en correspondance ? » —, il l'invite à lui écrire librement, gentiment (ce sont les adverbes qu'il emploie), « tout ce qui vous passera par la cervelle, par cette cervelle dont la boîte est étrange et charmante ». Il renoue avec le tendre « Tout à vous », et ne l'abandonnera que lorsqu'elle aura dit oui à un autre prétendant, qui aura eu la chance d'agréer aux parents. Alors elle deviendra, dans ses lettres, « Chère Madame et amie ».

Au lendemain de la Commune, « guerre civile, guerre imbécile » ainsi qu'il la qualifie lui-même, il revient à l'essentiel, c'est-à-dire à la peinture. Il peut croire que les temps ont changé : le jury du Salon l'élit comme un de ses membres. Il ne siège qu'un bref après-midi, le temps de démissionner. Il trouve indigne de faire partie d'un jury qui refuse une *Femme nue* de Courbet, un chef-d'œuvre à ses yeux, pour des raisons politiques, parce que l'auteur a été Communard. La vengeance du Salon ne se fait pas attendre : on refuse à Puvis ses *Jeunes Filles et la Mort* et sa sublime *Espérance* (musée d'Orsay), une adolescente nue sur un horizon de ruines. Epris de cette toile, Paul Durand-Ruel l'achètera bientôt pour sa galerie de la rue Laffitte. Ce sera son premier Puvis de Chavannes, artiste qu'il continuera d'exposer et de défendre par la suite.

De cette *Espérance,* née sur les ruines de la Commune et qui précède de peu les ruines de l'histoire d'amour qui le lie à Berthe Morisot, il adresse une photographie à sa jeune amie, « respectueusement », sous laquelle il a copié au crayon ces quelques vers d'Armand Silvestre :

> *Blanc vêtue et si frêle ! ainsi qu'une enfant née*
> *aux jours sombres (...)*
> *L'Espérance est-ce toi ? douce vierge étonnée.*

Les routes de Berthe Morisot et de Pierre Puvis de Chavannes resteront toujours parallèles. Puvis ne cessera pas d'écrire à Berthe. Il lui écrira même pendant son voyage de noces : « Vous voilà dans un paradis terrestre... » (il parle du paysage où elle se trouve !). Sa plume exprime invariablement cette nuance qui entre eux ne s'effacera jamais : entre regret et nostalgie, quelque chose comme un raté. Il restera cependant pour elle un des rares hommes à l'avoir troublée.

Les Impressionnistes aimeront Puvis. Pour Degas qui possède plusieurs de ses dessins, pour Pissarro qui le compare à Ingres, il est sans conteste un très grand artiste. Berthe Morisot le tient en haute estime. Elle sera toujours sensible à ses compliments et se préoccupera de son jugement. A la fin de sa vie, en 1892, il lui dira, « Chère Madame et amie... », combien il est « charmé » de son exposition chez Durand-Ruel et combien il lui trouve « cette alliance heureuse du rare et du distingué ». On le voit sortir de la galerie « absolument ravi ». Or, sous sa plume, le mot n'est pas galvaudé. De même que « charmé », il garde sa part de magie. Comme chez Racine, à peine plus doux, il vient tout droit du vocabulaire de la passion. Mais du sentiment à l'acte, il y avait un pas, celui qui consiste à s'engager pour la vie.

repoussé. Alors tant pis, faisant taire ses préférences, Mme Morisot pousse Berthe dans la voie
qu'elle a longtemps boudée. Elle réussit à vaincre
les dernières réticences de sa fille, qui lui confesse
ses « craintes » et son « dégoût » d'une vie conjugale, et regrette qu'elle ait « couru trop longtemps
après la réalisation d'un rêve ». Le mariage sera
célébré à la fin de l'année, lorsque aura pris fin la
première année de leur deuil.

La politique paternelle qui consistait à éloigner
Berthe de la famille Manet a échoué. Les liens sont
forts, très forts. Ni les voyages ni les longs séjours
chez Yves ou Edma, les étés à Cherbourg puis à
Mirande, à Maurecourt et à Saint-Jean-de-Luz,
n'ont réussi à effacer cet attachement mystérieux :
Berthe ne se sent bien que dans l'aura de Manet.
Depuis les lendemains de la guerre jusqu'à son
mariage tardif — elle aura alors trente-trois
ans —, elle n'a pas cessé de poser pour Edouard :
des tableaux officiels comme celui de 1872 qui
la représente au bouquet de violettes, d'autres
aussi, qui restent secrets, à l'ombre de l'atelier.
Elle s'y délasse dans l'intimité. Ses robes noires
n'entravent ni sa jeunesse ni sa fantaisie et, en
digne petite-fille de Fragonard, elle se laisse aller
à faire danser du bout du pied une mule de satin
rose. Sur une autre toile, le visage caché par un
éventail, elle dirige vers le peintre, à travers la dentelle, un regard de braise. Elle n'a jamais été aussi
épanouie que ces années-là où, par contraste avec
les privations et la tragédie de la guerre, elle
débride enfin son talent, son imagination, et
s'abandonne à un goût de vivre qu'elle a
jusqu'alors refréné par excès de sérieux. Elle travaille toujours l'aquarelle mais, la santé retrouvée,
et la joie de peindre avec Manet, elle s'est remise
à l'huile et elle a peint ce chef-d'œuvre que l'on

peut admirer aujourd'hui au musée d'Orsay — à
la place même où son père s'ennuyait jadis à la
Cour des comptes : *Le Berceau* (1872). Il représente sa sœur Edma, au chevet du berceau où dort
sa seconde fille, Blanche. La jeune mère est de profil, dans une robe sombre, la joue appuyée sur une
main ; l'autre main retient du bout des doigts le
drap qui protège le nouveau-né. La lumière passe
en transparence à travers le tulle, sous lequel dort
la petite Blanche. L'intimité est totale. Le silence
et la paix se ressentent au premier regard. Le pinceau a joué avec les blancs — sans empâter la
toile, sans la surcharger, mais en délayant au
contraire la couleur, en l'éclaircissant, en enlevant
du blanc au blanc. Comme pour le rendre plus
léger, plus volatil, à l'image de ce voile de gaze
irisé, il a passé et repassé sur la toile. C'est une
caresse, ce pinceau, parfois il apporte avec lui une
touche de bleu, parfois une touche de rose, il n'est
jamais défini, jamais pesant, c'est un souffle
impalpable. Un seul regard sur *Le Berceau* réconci-
lie avec le monde, avec la vie.

Le bonheur secret de Berthe, son épanouissement de femme précèdent son mariage. Il n'est
que de relever tout ce qu'elle a peint alors. Des
aquarelles qui représentent tantôt Edma, tantôt
Yves, avec leurs filles, irradient cette même fraîcheur, cette même lumière blanche. *Cache-cache*,
qu'elle a peint en 1873, pendant des vacances à
Maurecourt, propriété des Pontillon, dans l'Oise,
découvre sa nouvelle maîtrise. Une étendue de
vert, au fond un lointain village. Au premier plan,
près d'un enfant, une jeune femme en robe
blanche joue à cache-cache autour d'un petit cerisier. Ce sont moins les détails qu'on remarque que
l'impression générale de gaieté enfantine et la
maîtrise de l'artiste qui saisit dans un jaillissement

de couleurs le mouvement fugitif des personnages,
fixant un moment de bonheur — un de ces
moments que la vie efface si vite. On pourrait parler de *L'Ombrelle verte* (Cleveland Museum of Art)
qu'elle a peinte la même année, presque au même
endroit : sa sœur en train de lire sur l'herbe. Ou
du *Village de Maurecourt*, paysage au pastel où la
lumière court en vibrations de vert. La peinture de
Berthe Morisot ne descendra plus de ces hauteurs
qu'elle vient d'atteindre. Elle demeure inspirée,
enchantée et maîtrisée jusqu'à la fin de ses jours,
l'entraînant dans une recherche de la couleur et du
sens, qui en impose par sa rigueur mais tout
autant par sa tendresse.

Forte et fragile, elle l'est en ces années qui la
voient si souvent près d'Edouard Manet. Fragile ?
Elle doute toujours de son talent. Il lui semble
qu'elle a quelque chose à exprimer. Mais elle peine
encore à se détacher des influences pour affirmer
sa personnalité. Plus que tout, alors qu'elle
regarde Manet travailler comme on regarde un
maître, elle redoute le pastiche. Ainsi écrit-elle à
propos d'une aquarelle représentant « Yves avec
Bichette » (Paule, quatre ans) : « Elles me donnent
bien du mal... Comme arrangement cela ressemble à un Manet. Je m'en rends compte et j'en
suis agacée. » *Femme et enfant au balcon* — une
femme et son enfant appuyée à une balustrade
contemplent Paris en contrebas de la colline de
Chaillot — n'est pas sans évoquer, outre sa propre
pose dans la toile de Manet qui la met en scène,
la facture du *Balcon*. Or, Manet peint *Le Chemin
de fer* (National Gallery of Art, Washington), qui
montre une mère et sa fille, presque sous le même
angle, et dans la même perspective : la petite fille,
de dos, regarde un train, depuis une rambarde.
Echange d'influences... Interactions. Berthe est

assez fragile pour souffrir de cet échange d'inspi-
rations, de thèmes et de lumière. Assez forte aussi
pour y résister. Nul doute qu'elle exerça même une
influence sur le peintre et que celui-ci, depuis qu'il
la fréquente, ne peint plus de la même façon. Tandis que Berthe hante son atelier, la sensibilité de
Manet change, sa perception des couleurs se fait
plus fine et plus subtile. Ses modèles, moins solennels, moins théâtraux, se mettent à évoquer, dans
des poses plus simples, ces moments que Berthe
privilégie, où l'on sent le temps inexorablement
passer et que la toile arrête — un moment fugitif
d'éternité.

Sur tous les tableaux de Manet qui la représentent, Berthe Morisot apparaît avec à la bouche
cette moue sensuelle qui semble démentir sa
légendaire froideur. Au lendemain de la guerre
et de la Commune, déterminée à vivre sa passion
sans compromis, elle déploie une énergie sans
faille afin d'organiser sa carrière : elle a pris
conscience que la peinture, ce hobby de jeune fille
bien élevée, déjà le but et le cœur de son existence,
allait pouvoir devenir son métier. Elle voudra
désormais l'exercer non en amateur éclairé,
comme ses parents l'auraient souhaité, mais en
artiste, pour lequel chaque aube et chaque nuit
prennent un sens nouveau sur la toile blanche.
Rien ne pourra mettre cette passion en échec, pas
même l'amour d'un homme. L'année de ses fiançailles, son amie Marcello — la duchesse de Castiglione — qui a installé son atelier tout près de
celui de Manet, rue de Saint-Pétersbourg (au 47),
peint un portrait de Berthe, aujourd'hui au musée
de Fribourg. Les bras nus, la robe moulant son
corps à demi dénudé, les cheveux défaits, la pose
provocante, elle y révèle une maturité de femme.
Dès avant son mariage, Berthe ne ressemble plus

à la jeune fille anorexique et anxieuse des temps
de guerre ; physiquement, elle laisse deviner son
bonheur. Ce bonheur lui vient pour une grande
part de la peinture, qui lui offre un vaste champ
de libertés, une évasion vertigineuse loin du quotidien morose, vers de lumineux horizons. Mais ne
lui viendrait-il pas aussi d'un éveil amoureux, d'un
épanouissement secret et voluptueux des sens ?

Eugène Manet peint lui aussi. L'été 1874, en
Normandie, il a fait de l'aquarelle aux côtés de
Berthe — Edgar Degas a immortalisé sa présence
en peignant à l'huile un *Portrait d'Eugène Manet*,
qui le représente dans une pose nonchalante, assis
sur l'herbe, coiffé d'un chapeau noir. Degas a exécuté le portrait d'Eugène à Paris, en atelier, et
ajouté de mémoire ce morceau de campagne nor-
mande qui fut le décor d'un flirt, longtemps tenu
secret. Il offrira ce tableau à Berthe, à l'automne,
à l'occasion de ses fiançailles, pour lui rappeler
l'été où elle a enfin dit oui.

Eugène Manet peint surtout des paysages, dans
des verts qui sont ceux de Berthe — acidulés,
joyeux —, où entre parfois cette pointe de noir
qu'il emprunte à son frère aîné. Il a ce qu'on
appelle un petit talent. Il connaît la technique et,
à force de fréquenter des peintres, il a affiné son
trait, amélioré ses couleurs. Mais il reste un
peintre du dimanche. Il ne sera jamais habité par
la peinture, qui n'est pour lui qu'un passe-temps,
une piètre consolation à un mal de vivre profond,
dont il ne se débarrassera jamais tout à fait. Il n'a
d'ailleurs jamais rien exposé et ne participe pas,
sinon en spectateur, à la vie des Salons. Il aide son
frère aîné à accrocher ses tableaux, plus tard il
s'occupera de l'accrochage de ceux de sa femme.

S'il peint comme Edouard, Eugène partage avec son cadet, Gustave, la passion de la politique. Les trois frères sont républicains — anticléricaux et antibonapartistes. Mais seul Gustave Manet, né en 1835, rêve d'une place à la tribune, d'un rôle dans la cité. Camarade d'Arthur Ranc, député de Paris — l'un des six députés à avoir voté contre la cession de l'Alsace et de la Lorraine à l'Allemagne —, et d'Eugène Spuller — qui fut le compagnon de Gambetta dans le ballon qui l'emmenait loin de Paris assiégé en 1870 —, tous deux collaborateurs du journal *La République française* — fondé et dirigé par Gambetta —, il fréquente la gauche républicaine avec ardeur et conviction, et les milieux maçonniques. Egalement lié à Georges Clemenceau auquel il a succédé brièvement comme maire de Montmartre, Gustave a la trempe d'un militant. Eugène, qui aime assez débattre de politique, manque à la fois de la fougue nécessaire au combat et du sang-froid qui donne du poids dans les discussions. C'est un homme effacé mais qui prend vite ombrage.

Des trois frères, qui s'aiment et entretiennent les meilleurs rapports, il est donc le moins fort caractère. Edouard et Gustave ont chacun une vocation, et les moyens de la réaliser : ils ont de l'ambition et de la volonté, en plus de leurs dons personnels. Tandis qu'Eugène entre les deux se cherche, et peine à trouver ce qui pourrait le distinguer. Le poète Henri de Régnier, qui le connaît bien, trouve qu'« il avait de la réserve et s'effaçait volontiers ». « Courtois et cultivé, selon Régnier, mais d'une visible nervosité », il n'a pas le charisme de ses frères. En 1889, peu avant sa mort, Eugène signera un roman dont la teneur autobiographique ne trompe pas : prénommé Eugène, le protagoniste, ardent défenseur de la République, comme son père et son frère, est amoureux d'une artiste (Jeanne), volontaire et très indépendante... comme Berthe. D'inspiration politique — il est dédié aux proscrits du 2 décembre 1851 —, le roman tourne à l'eau de rose : exilé à l'île du Diable, Eugène retrouve Jeanne après des années d'attente et expire dans ses bras, en prononçant son nom avec celui de la France. Ce qui frappe dans ce livre unique et tardif d'Eugène Manet, c'est moins l'histoire ou la psychologie, moins le style — aussi effacé que l'homme —, que son titre emblématique, *Victimes !* Car il y a en Eugène la faiblesse, mais aussi la malchance de ceux qu'il a décrits. Moins doué que son frère et sa Jeanne, il leur voue un de ces amours que rien ne peut détruire et où la jalousie est sublimée en don, peut-être en sacrifice. Très amoureux de Berthe, il lui dédiera sa vie. L'été 1874, il lui fait cette déclaration : « Je serais bien embarrassé de faire un vœu. Oh, si, à vous pourtant, oui, celui de vous rendre la femme la plus adulée, la plus choyée de la terre. »

Comme ses frères, Eugène est très séduisant. Grand et mince, il a cependant une petite santé. Il manque de carrure ; à quarante-deux ans son dos est déjà voûté. Mais c'est un Manet. Il participe à sa manière de cette atmosphère particulière qui fait le charme de la famille : un mélange de bonne éducation et de bohème, de principes bourgeois et de style artiste, de convention et d'audace. Si Gustave a posé pour le *Jeune Homme en costume de majo*, Eugène a prêté sa longue silhouette à l'un des personnages de premier plan de *La Musique aux Tuileries* (1862, Londres, National Gallery), au milieu de contemporains tels que Baudelaire, Offenbach, Fantin-Latour ou Théophile Gautier. Pour *Le Déjeuner sur l'herbe*, en dépit de la divergence des témoignages et si l'on en croit Antonin Proust, les deux frères auraient posé alternativement pour le personnage de droite, au profil barbu et à la main tendue. Si Eugène a vraiment posé, Edouard a foncé sa barbe, pour éviter, croit-on, qu'on n'assimile le modèle à un autoportrait (tandis que Gustave est brun, Eugène et Edouard ont la barbe et les mêmes cheveux d'un blond roux). A moins qu'Edouard Manet n'ait préféré renforcer sur la toile la couleur qu'il prise par-dessus tout. L'été 1873, au cours de vacances en famille à Berck-sur-Mer, Eugène pose « sur la plage » — ce sera le nom du tableau (musée d'Orsay) qu'achètera Henri Rouart —, allongé sur le sable à côté d'une Suzanne voilée de noir, d'un noir plus clair que le béret et la barbe d'Eugène, là encore transformé.

Comme ses frères, Eugène vit de ses rentes. A la mort du père, qui a placé sa fortune en terrains et en immeubles à Gennevilliers, il a hérité d'appréciables biens fonciers. Il n'est pas très riche, mais il peut vivre sans travailler. L'acte de son mariage le désignera comme « propriétaire ». Il n'a pas d'autre activité.

Cet homme ténébreux souffre d'un évident complexe d'infériorité. Pour sa famille, il a l'âme d'un bon Samaritain : il aime se dévouer aux siens. Lorsqu'il demande la main de Berthe en Normandie, il fait vœu de la rendre heureuse. Est-ce cette promesse qui a décidé Berthe à sacrifier son célibat ? Le 22 décembre 1874, à Notre-Dame-de-Grâce de Passy, une cérémonie sans la moindre pompe célèbre leur mariage dans la plus stricte intimité. Adolphe Pontillon, le mari d'Edma, est le témoin de Berthe ; Edouard Manet celui d'Eugène. La mariée, en robe et en chapeau — « comme une vieille femme que je suis » (trente-trois ans) —, ressort de l'église sous le nom de Mme Manet. Un nom pour l'état civil. Comme peintre, elle gardera son nom de jeune fille.

Edouard Manet lui fait cadeau du seul portrait où l'on distingue un anneau d'or à son doigt, *Berthe Morisot à l'éventail*, puis renonce à peindre celle qui est désormais sa belle-sœur. Des femmes sensuelles et inconnues prêtent leurs poitrines à son inspiration nouvelle : *La Brune aux seins nus*, puis *La Blonde aux seins nus* succèdent à la femme au bouquet de violettes.

Peu de temps avant la mort d'Edme Tiburce Morisot, la famille avait déménagé au 7 rue Guichard, où Berthe, privée désormais d'atelier, peignait dans sa chambre, une pièce tendue de soie grise et pékinée, décorée (selon le jeune Jacques-Emile Blanche qui lui rendit alors visite) de quelques études et d'un paysage de Corot. Mme Morisot abandonne l'appartement au jeune couple et s'en va vivre en province ; elle partagera ses dernières années entre ses deux autres filles. « Moi, je suis mariée depuis un mois déjà, écrit Berthe à son frère Tiburce. C'est étrange n'est-ce pas ? (...) Enfin, je ne dois pas me plaindre puisque j'ai trouvé un honnête et excellent garçon, et qui je crois, m'aime sincèrement. Je suis entrée dans le positif de la vie après avoir vécu bien longtemps de chimères qui ne me rendaient pas bien heureuse, et cependant, en pensant à ma mère, je me demande si j'ai bien fait mon devoir. »

La jeune mariée ne paraît guère enthousiaste. Elle éprouve le besoin de raisonner son bonheur. Le bonheur n'est-il pas un mot trop fort pour désigner ce qu'elle laisse entendre : perpétré par devoir filial, en y mettant un peu de son choix, elle a fait un mariage de raison avec un homme qui l'aime, mais qu'elle n'aime peut-être pas autant.

Cet « honnête et excellent garçon », ainsi qu'elle le décrit sans passion, n'a-t-il pas pour principal attrait d'être le frère d'un homme qu'elle admire éperdument ?

Berthe Morisot : sous les parures
de la mondanité, une artiste indomptable.

Le Repos : l'un des onze portraits
de Berthe Morisot par Manet.

« Ce riant, ce blond Manet
De qui la grâce émanait
Gai, subtil, charmant en somme. »
Théodore de Banville

La garde rapprochée de Berthe Morisot

Auguste Renoir.

Edgar Degas.

Claude Monet.

Stéphane Mallarmé.

La Chasse aux papillons de Berthe Morisot :
l'apparente légèreté d'un peintre grave.

Scènes de famille dans le jardin de Bougival

Eugène, Julie et Berthe.

Eugène Manet et sa fille au jardin
de Berthe Morisot.

Julie Manet : sa fille unique,
son plus grand amour.

Le Bouquet de violettes.
Cadeau de Manet à Berthe, ce tableau garde
à jamais son parfum de mystère.

laisser échapper ». Elle doit prendre son souffle pour demander la somme de 500 francs — 1 000 francs les deux. « Cela me paraît énorme ! » avoue-t-elle à Edma.

Jusqu'alors elle a donné ses tableaux plus qu'elle ne les a vendus — à Alfred Stevens, à Edouard Manet, à ses parents ou à ses sœurs. « Je pioche sans trêve ni repos et en pure perte », dit-elle. Les profits vont aux peintres académiques, aux médaillés des Salons ou à Rosa Bonheur. Mais Manet vient de vendre vingt-deux tableaux d'un coup à Paul Durand-Ruel, lequel a cependant refusé de payer le prix fort qu'il demande pour *Le Déjeuner sur l'herbe* (25 000 francs) et pour *Olympia* (20 000 francs) : il l'entraîne dans sa logique de guerre et la somme de partir elle aussi à la conquête du marché de l'art. Si les Salons leur refusent un accès, seul susceptible d'ouvrir les caisses de l'Etat ou des particuliers, il leur faut choisir une autre voie — non moins semée d'embûches — pour subsister et exister. S'offrent alors à eux les chemins buissonniers des collectionneurs, amateurs d'avant-garde et de nouveautés, qui apprécient leurs couleurs autant que leur manière étonnante et scandaleuse de peindre, et spéculent avant tout sur leur avenir. Leurs achats sont des coups de cœur mais aussi des investissements risqués, de formidables coups de poker.

Paul Durand-Ruel est fils d'un papetier de la rue Saint-Jacques qui a évolué de la vente de fournitures pour peintres à celle de tableaux. Né la même année que Manet, il a vendu Delacroix et Daumier avec son père avant de se trouver une passion pour Corot et l'école de Barbizon — pour Millet et Rousseau puis pour Courbet. Il investit désormais toujours davantage, faisant appel à un financier — Alfred Edwards (le mari de la célèbre

Misia) — pour acquérir des tableaux peu cotés mais porteurs d'espoirs. En 1869, il a ouvert une galerie, au 16 de la rue Laffitte. Il déménagera ensuite au 11 rue Le Peletier. A Londres, pendant la guerre, emportant avec lui la plupart de ses trésors pour les mettre à l'abri, il a organisé de nombreuses expositions, New Bond Street, et inlassablement tissé un réseau de relations avec des clients internationaux. Il a aussi établi des contacts avec des peintres réfugiés en Angleterre (Manet et Pissarro...), qui lui ont ouvert de nouveaux horizons. Or, Paul Durand-Ruel est non seulement curieux de tout, d'un dynamisme et d'un optimisme à toute épreuve, mais il aime qu'on l'étonne et qu'on bouscule ses goûts. A son retour de Londres, sans renier Corot ni Millet (lequel ne travaille plus que pour lui), il tente de soutenir ces artistes découverts outre-Manche : il achète beaucoup de toiles à Claude Monet qui s'est installé à Argenteuil, il mensualise Renoir, Sisley et Pissarro, et en 1872, le lendemain d'une visite à Alfred Stevens à qui il achète deux Manet — *Le Port de Boulogne* et une *Nature morte* —, il se rend à l'atelier de ce dernier pour lui payer la somme relativement modeste de 15 000 francs ce lot de vingt-deux toiles dont font partie *Le Buveur d'absinthe*, *Le Fifre* ou *La Chanteuse des rues*.

En juillet 1872, Paul Durand-Ruel acquiert ses premiers Morisot : *L'Entrée du port de Cherbourg*, ainsi que trois aquarelles, dont la *Jeune Fille sur un banc*, qui représente Edma en noir, assise sur un fond de verdure, et tenant dans sa main gantée une ombrelle blanche. En mars 1873, il lui achète une huile plus importante : la *Vue de Paris des hauteurs du Trocadéro*, qu'il n'a pas le temps d'exposer car il la revend sur-le-champ, pour 750 francs, à l'un de ses clients, Ernest Hoschedé.

Négociant en tissu, ayant épousé une riche héritière belge, Hoschedé est un homme généreux et prodigue qui donne des fêtes fastueuses dans son château de Rottembourg, à Montgeron, et qui, comme Durand-Ruel mais à titre privé, est assez fou pour parier sur la nouvelle peinture. Outre des Corot, des Courbet, des Diaz, il possède un grand nombre de Monet, de Degas, de Renoir, de Pissarro — quoique pas encore un seul Manet, qui bientôt fera son portrait. Il perdra un jour sa femme dans l'aventure — Alice Hoschedé finira par vivre avec Claude Monet, qu'elle épousera devenue veuve —, mais ce commerçant dans l'âme, âgé alors d'une trentaine d'années, atteint de collectionnite aiguë, est prêt à prendre tous les risques pour satisfaire sa passion — moins la peinture sans doute, pour laquelle il montre cependant beaucoup de goût et de discernement, que la spéculation.

Voilà donc Berthe dans le circuit. Non le circuit officiel, mais celui des passionnés de l'art.

Sa rupture avec l'académisme est consommée, c'en est fini des Salons — Berthe y expose pour la dernière fois, en 1873, un modeste pastel, *Blanche*, portrait d'une fillette. Une autre époque commence, dans l'avant-garde. Berthe tourne résolument le dos à la tradition et choisit sa liberté de peintre. Le 27 décembre 1873, elle signe la charte qui regroupe sous une bannière indépendante des artistes anonymes, parmi lesquels elle figure, seule femme au tableau. Son nom apparaît à côté de ceux de Claude Monet, Edgar Degas, Camille Pissarro, Alfred Sisley, Pierre-Auguste Renoir, et Henri Rouart. Parmi tous ces Indépendants, Berthe n'est pas la muse anonyme, ni la Grâce de ces messieurs, mais une artiste dont la présence est requise et jugée nécessaire. Degas : « Nous trouvons que le nom et le talent de Mlle Berthe Morisot font trop notre affaire pour avoir à nous en passer. »

Degas a offert à Edma de faire partie de la bande, et demandé à Berthe d'intercéder auprès d'elle afin de lui rappeler « qu'elle était peintre comme sa sœur et qu'elle peut l'être encore ». Il l'a aussi priée d'être l'ambassadeur de leur groupe auprès de Manet, qui préfère se tenir à l'écart. Une médaille au Salon de 1872 pour *Le Combat du Kerseage et de l'Alabama,* une autre à celui de 1873 pour *Le Bon Bock* l'ont convaincu de rester en lice dans la voie officielle. Il n'en a pas fini avec la quête aux honneurs. Le public commence à venir vers lui, regarde maintenant ses tableaux sans rire et sans fureur, se laisse doucement captiver. Alors, pourquoi rompre le charme ? Pourquoi se mettre mal avec le jury d'un Salon qui lui ouvre enfin ses portes et récompense ses efforts ? Pourquoi risquer de tout perdre, quand le succès est encore si fragile ? Il refuse catégoriquement d'entrer dans la Société anonyme coopérative des Artistes Peintres, Sculpteurs, Graveurs, où il compte pourtant beaucoup d'amis. Et il déconseille à Berthe de se lier à ces marginaux.

Il n'est pas le seul à tenter de l'empêcher de commettre un mauvais pas. Puvis de Chavannes, très inquiet, la met lui aussi en garde. « Le moment psychologique est mal choisi... » : il dresse la liste des inconvénients qui devraient faire de la future exposition de ces Indépendants — les futurs Impressionnistes — un échec. « Le public se fera une joie de ne pas venir », lui annonce-t-il pour la décourager de participer à cette catastrophe. Il voudrait la ramener à la raison. Car, il le pressent, *l'exhibition,* ainsi qu'il la nomme, sera un fiasco.

Les Artistes anonymes associés commencent

par louer un local qui puisse contenir leurs œuvres, à peu de frais. Ils le trouvent au 35 boulevard des Capucines, dans l'immeuble de deux étages qui abrite les ateliers d'un artiste original, peintre caricaturiste, photographe, fou d'aérostats : Félix Tournachon dit Nadar. Proche de Manet, de Baudelaire et d'Offenbach, célèbre pour ses coups d'éclat (et notamment pour ses voyages en ballon), cet artiste encore méconnu a le génie de l'amitié. Tantôt pauvre, tantôt riche, il fait profiter ses amis de ses périodes fastes. Les causes désespérées le touchent. Les ateliers de Nadar sont rouges comme un théâtre, rouges comme l'imagination prolifique de leur propriétaire qui laisse réaménager le lieu pour l'occasion et se réjouit de devenir le mécène de cette étonnante et périlleuse association. Nadar est « bon comme le bon pain », dit Monet. Autour de lui, l'atmosphère est chaude. Chacun veut accrocher ses toiles aux meilleures places : trente artistes indépendants se préparent à exposer quelque deux cents tableaux. Eugène accompagne Berthe et l'aide à choisir un emplacement dans la salle du deuxième étage. Elle a apporté deux pastels, trois aquarelles et quatre huiles — *Le Berceau, Cache-cache, La Lecture* et *Le Port de Cherbourg.*

Le 15 avril 1874, quinze jours avant le Salon officiel, l'exposition ouvre ses portes. Deux cents visiteurs s'y bousculent dès le premier jour, moitié moins les jours suivants. Au total, jusqu'au 15 mai, date de la clôture, trois mille cinq cents personnes passeront chez Nadar, un nombre d'entrées insuffisant pour couvrir tous les frais. Premier étonnement : les toiles sont exposées ici sur deux rangs seulement, en hauteur, et ménagent entre elles un espace. Au lieu de couvrir les murs jusqu'au plafond et de se juxtaposer cadre contre cadre, elles sont chacune isolées et mises en valeur — Renoir a personnellement lutté pour imposer ce type d'accrochage qui apparaît en rupture complète avec la tradition et n'en souligne que mieux les audaces de la couleur et du dessin. Deuxième étonnement, dès l'entrée : le visiteur ne trouve ici aucune toile de grand format, aucune fresque, aucun monument. Les tableaux sont tous de moyen ou de petit format et, agréablement disposés à la hauteur des yeux, ils diffusent tranquillement leur lumière, sans penser à choquer. Ce sont des paysages, des scènes intimes, des portraits sans prétention, qu'on croirait croqués à la va-vite, plus suggérés que peints et qui laissent une impression d'inachevé. Où sont les grands motifs ? La solennité des scènes de guerres et de mythologie, le trait plein et fort, si sûr de sa technique, des portraitistes officiels ? Boulevard des Capucines, la peinture a un air tremblé et hésitant, des couleurs joyeuses, une désinvolture, une fantaisie qui dérangent. Comment ? On peut peindre sans avoir l'air sérieux ? Sans se donner la pose ? Sans travailler les contrastes ? Sans cultiver les ombres et les contre-jours ? Sans vouloir en jeter plein la vue avec sa technique, ses connaissances ? A l'encontre de l'Art majuscule, tout ici apparaît minuscule : le format des toiles, les thèmes retenus, qu'on juge familiers, anodins, mais surtout la technique des peintres. Beaucoup de critiques l'écriront : ces gens-là ne savent pas dessiner. Ces gens sont des amateurs. On croirait des enfants qui s'amusent.

Le 25 avril, Louis Leroy, le critique du *Charivari*, publie un article sévère où il se moque des peintres, de leur évidente absence de talent, de leur culot à se donner ainsi en spectacle : voulant se gausser du tableau de Monet qui s'intitule

Impression, soleil levant, et se croyant sans doute très drôle — « Je me disais aussi puisque je suis impressionné, il doit y avoir de l'impression là-dedans... » —, il titre sa chronique « L'exposition des impressionnistes ». Le mot est lancé. Il restera. « Impressionnistes », qui eut à l'origine un sens péjoratif, désigne ces peintres qui se fient à leurs « impressions » et ne savent pas donner autre chose au public — autre chose, c'est-à-dire des chefs-d'œuvre, de ces belles et bonnes réalisations, toutes de maîtrise et de certitude. En font partie, avec Degas et Renoir, Monet, Cézanne et Pissarro, Sisley, Bracquemond, Rouart, Guillaumin, Boudin... Mais la seule femme, c'est Berthe Morisot. Si Monet et Cézanne concentrent les fureurs du public et de la critique, elle s'en sort sans trop d'égratignures. Castagnary, le critique de *La République française* (a-t-il été influencé par son ami Gustave Manet), lui concède « de l'esprit jusqu'au bout des ongles, surtout jusqu'au bout des ongles ». « On ne saurait trouver pages plus gracieuses, plus délibérément et plus délicatement touchées que *Le Berceau* et *Cache-cache* et j'ajouterai que l'exécution est en rapport parfait avec l'idée à exprimer. »

Rebelle, Berthe Morisot ? Marginale, ainsi que le redoutaient Manet et Puvis de Chavannes ? On peine à le croire tant semble aujourd'hui classique et douce cette peinture alors osée. Et pourtant elle effectue ses premiers pas, en toute intrépidité, en compagnie d'artistes qui professent la rupture — rupture avec les maîtres d'autrefois, rupture avec l'Académie, avec les traditions. Sans hausser le ton, elle suit une voie qui n'est ni classique ni conventionnelle, mais cherchant depuis toujours à être elle-même, elle se reconnaîtra dans ce groupe d'Indépendants qui, comme elle, suivent la voie de leur différence. Elle ne se veut pas seulement solidaire de ces peintres, qui ne vendent pas (ou mal) leurs toiles et sur lesquels la presse s'acharne, elle est l'une d'eux.

Depuis quelque temps, sa mère ne croyait plus à son destin d'artiste. Elle ne lui a épargné ni ses critiques personnelles ni ses doutes. « Berthe a peut-être le talent nécessaire, je ne demande pas mieux, écrit-elle à Edma, mais elle n'a pas le talent de valeur commerciale et publique, elle ne vendra jamais rien de ce qu'elle fait comme ça et elle est incapable de faire autrement. » La jeune femme en est convaincue : « Ma mère m'a dit poliment hier qu'elle n'avait aucune confiance dans mon talent et qu'elle me croyait incapable de jamais rien faire de sérieux. » A l'ironie maternelle, à son franc et froid scepticisme, Berthe répond par un silence obstiné — « têtu » selon Mme Morisot. Elle ne cède ni aux pressions ni aux arguments. Elle maintient le cap. Et elle se passe d'encouragements. Ce qui l'intéresse, c'est la vérité — non pas une vérité objective, mais celle que l'on se doit à soi-même. Elle y sera fidèle toute sa vie. Toute sa vie, droite et sereine.

Quoique sa mère en ait, voilà Berthe lancée. On pourrait presque dire installée, parmi ces Impressionnistes qui n'ont encore en commun que leur nom. Plus modeste que Monet ou Pissarro qui demandent 1 000 francs pour chacune de leurs toiles, elle a affiché le prix du *Berceau* — celui qu'elle en attend : 800 francs. De plus en plus inquiète, Mme Morisot consulte l'ancien professeur de Berthe, Joseph Guichard. Elle lui envoie une invitation pour le soir du vernissage. Le bon maître s'y rend, arpente les salles, constate l'étendue des dégâts — « on trouve çà et là d'excellents morceaux mais tous louchent du cerveau plus ou

moins... » — et, dès le lendemain, il adresse à
Mme Morisot une lettre consternée. « J'ai vu les
Salons de Nadar et je veux immédiatement vous
donner mon impression sincère : à mon entrée,
chère dame, un serrement de cœur m'a pris en
voyant les œuvres de votre fille dans ce milieu
délétère, je me suis dit : "On ne vit pas impuné-
ment avec des fous, Manet avait raison de faire
obstacle à cette exposition." »

Il craint pour l'état mental de son élève. Il
déplore qu'à de telles fréquentations elle puisse
perdre son talent, puis sa réputation. Il s'insurge
que son *Berceau*, si délicat, jouxte *Le Rêve du célibataire*, « à le toucher » ! Il désigne par là *Une
moderne Olympia* de Cézanne (musée d'Orsay), un
tableau qui agace fortement Manet, auteur de la
célèbre *Olympia* dont il plagie le titre. Guichard, de
surcroît, s'indigne que Berthe applique à la peinture à l'huile la légèreté, le dégradé, les couleurs
noyées dans l'eau de l'aquarelle. Cette manière de
peindre, selon lui trop personnelle, lui paraît compromettre son avenir d'artiste. « Comme peintre,
ami et médecin, voilà mon ordonnance : aller au
Louvre deux fois par semaine, stationner trois
heures devant Corrège pour lui demander pardon
de faire dire à l'huile ce qui est exclusivement du
domaine de l'eau. Etre la première aquarelliste de
son temps est un sort assez enviable... » Enfin,
avant d'adresser à Mme Morisot les politesses cou-
tumières, il lui envoie un dernier conseil : « Il faut
absolument que [votre fille] rompe avec cette nouvelle école dite de l'avenir. »

L'avenir ? Berthe, qui s'est affranchie de ses
maîtres et ne jure plus que par son indépendance,
le voit avec les yeux confiants d'une future mère.

Un besoin de ciels nouveaux

Berthe voyage. Deux ans plus tôt, en septembre 1872, elle a visité Madrid en compagnie de sa sœur Yves. Elle a vu au Prado les Goya et les Vélasquez qui font rêver Manet. C'est un des amis du peintre, Zacharie Astruc — un fou d'Espagne —, qui a servi de guide aux deux sœurs. Mais Berthe y a très vite éprouvé la nostalgie de Paris, de sa chambre où elle travaille en paix. Elle a adressé à Puvis des lettres teintées d'ironie sur les voyages, leurs illusions. Elle regrettait alors son atelier, avec sa lumière blanche et son pouf central en peluche rouge.

La plus sédentaire des femmes exprime rarement des désirs d'ailleurs. Il ne lui arrive que de loin en loin d'éprouver le besoin de se dépayser. A l'étranger, lors de ses rares voyages, elle recherche moins les paysages que les chefs-d'œuvre de l'art dont elle a entendu parler ou dont elle a pu voir ici ou là des reproductions ou des copies. Tous ses voyages répondent à un désir d'élargir et d'affiner ses connaissances de peintre, en observant le travail des maîtres. C'est une touriste de musées. A chacun de ses retours, rassasiée d'art, elle se félicite d'habiter un quartier tranquille et une maison sage. L'esprit d'aventure ne lui est pas étranger : elle l'a tout entier intériorisé. Le rêve lui suffit, qui habite sa peinture. « Rien ne vaut deux heures étendue sur une chaise longue ; le rêve c'est la vie, et le rêve est plus vrai que la réalité, dit-elle. On y agit soi, vraiment soi. Si on a une âme, elle est là. »

Peu après son mariage, elle se rend avec Eugène pour la seconde fois en terre étrangère. Voici le couple en lune de miel, avec un an de retard, en 1875 en Angleterre. Eugène et Berthe séjournent sur l'île de Wight, au port de Cowes, fameux pour ses régates, puis à Londres. Berthe est particulièrement séduite. Aux univers solaires, à la civilisation latine, chers au cœur de Manet, elle préfère les tons gris-bleu des marines océanes, et le célèbre brouillard de Londres répond à son goût des contours brumeux et délicats, des visions fugitives ou incertaines. « C'est vraiment beau cette Tamise, écrit-elle à Edma, et je pense souvent au plaisir que tu aurais à voir cette forêt de mâts, laissant entrevoir le dôme de Saint-Paul, le tout noyé dans une vapeur jaunâtre. » Regard de peintre.

De ce voyage de noces, elle rapporte de nombreuses toiles — surtout des marines — et un premier portrait de son mari : *Eugène Manet à l'île de Wight*. C'est la première fois que Berthe peint un homme. Elle n'a jamais représenté ni son père ni son frère. Ni aucun de ses amis peintres : elle n'a jamais demandé à Manet, à Degas, à Fantin-Latour ou à Alfred Stevens de poser pour elle. L'homme est sa terre étrangère. Seul Eugène Manet, en maugréant — car il n'aime pas poser —, apporte sa haute et mince figure un peu voûtée, sa barbe blond-roux et sa virilité mélancolique à cet univers exclusivement féminin.

Berthe répugne tout autant à peindre des natures mortes. Elle a bien tenté, ainsi qu'elle l'explique à Edma, de peindre des prunes ou des fleurs, un pichet, des pommes — « ce qui m'a demandé un mal atroce pour un bien minime résultat ». A l'objet, elle préfère la nature changeante. A la pose inanimée le mouvement. « Ce genre d'exercice m'ennuie profondément », dit-elle à propos de ses prunes en panier et de ses fleurs coupées.

Elle préfère la vie, tout ce qui bouge, tout ce qui fuit. Elle aime les jardins, les bateaux, les plans d'eau, la mer, les nuages et la brume, la légèreté des rubans d'une robe sous le vent, l'apesanteur, la grâce d'un geste, d'un regard, d'une chevelure.

Elle a horreur de ce qui cerne, clôt ou définit. Sa peinture, c'est un monde ouvert et délicat, suggéré, aérien. Car Berthe ne sait peindre que ce qu'elle ressent, elle exprime ce qu'elle est. Or, qui est-elle, sinon cette fille née sous un signe de Terre — Capricorne — mais qu'anime un fort ascendant d'Eau — Cancer. Son thème astral, selon les spécialistes, conjugue un Soleil en Capricorne — une forte ambition, apte à se réaliser — et une Lune en Balance conjointe à Mars — qui souligne les valeurs instinctives et de puissantes aspirations affectives. Les astres qui l'ont vue naître sont propices à une personnalité douloureuse et conflictuelle, qui est à la fois Ambition et Féminité ; mais aussi Passion et Colère. Conflit permanent entre la Terre et l'Eau — la réalisation concrète de soi et les appels lancinants d'une sensibilité exacerbée —, Berthe Morisot est très différente de l'univers qu'elle peint, des toiles aux tons joyeux et calmes, où irradie le bonheur. Les experts en astrologie complètent leur analyse en opposant la position de Neptune en Verseau (ces deux planètes de la sensibilité renforcent l'influence de la Lune, déjà importante dans le signe) et celle de Saturne en Sagittaire (autre moteur de la réalisation de soi). Les astres ne font en somme que confirmer ce que sa vie démontre : cette femme de devoir, sérieuse et appliquée, comme toutes les femmes Capricorne, a sans nul doute sacrifié sa vie personnelle à sa vocation et à sa volonté d'artiste. Elle est elle-même au cœur de conflits. La proie d'inquiétudes et de doutes, elle se trouve perpétuellement déchirée entre des appels contraires et sa vie conjugale même ne lui procure pas le bonheur attendu. Ce qu'elle peint, c'est un monde idéal. Un monde dont elle rêve. Un monde serein et doux, préservé des duretés de la vie. Un monde féminin et comme à fleur de peau, concentré dans le bonheur des instants, dans le mirage d'une éphémère plénitude. Berthe Morisot ne peint pas ce qu'elle est, cette femme passionnée et combative, tendue vers un improbable et douloureux accomplissement. Elle peint ce qu'elle voudrait être : la femme paisible et détachée de tout, capable de se fondre dans le sourire d'un enfant, ou la caresse d'un rayon de lumière. Capable d'union, d'extase.

Sa propre vie lui pèse. Et il est probable que le bonheur — ce bonheur qu'elle sait si bien décrire — lui a toujours échappé.

En 1882 — elle a passé les quarante ans —, elle entreprend son premier et unique voyage en Italie. Eugène l'emmène à Gênes, à Pise, à Florence — villes mythiques, creusets des arts —, dont elle rêve depuis qu'elle est toute jeune, où son père déjà voulait la conduire. Il lui restera le souvenir d'un hôtel sur les bords de l'Arno, d'un froid glacial en cette fin d'hiver, et celui d'une grave bronchite de sa fille, alors âgée de quatre ans. Le séjour en sera écourté, Berthe n'en aura pas retiré le plaisir escompté. Elle soignera son enfant à Nice, dans un climat plus doux, et l'Italie demeurera à jamais pour elle le pays des rêves que l'on n'atteint pas.

En 1885, toujours en compagnie de son époux et

de sa fille, elle accomplit un quatrième et ultime voyage. La Belgique et la Hollande accueillent les Manet à l'automne, où « la température est encore très agréable pour la promenade et la lumière, le ciel d'un charme infini ». Berthe y vérifie sa préférence pour les pays du Nord, le mystère et la brume. Enchantée des paysages, elle ressent « une démangeaison de peindre » devant tout ce qu'elle voit. Anvers, Amsterdam, Rotterdam, La Haye et Haarlem : tandis qu'« Eugène s'ennuie » et que sa fille la presse d'aller se promener dans la campagne, elle va de musée en musée, curieuse de confronter son jugement d'artiste à l'œuvre de tant de génies. Rembrandt la déçoit : « La fameuse *Ronde de nuit* m'a paru du bistre le plus désagréable. » De même Frans Hals : « Je m'attendais à mieux (...). C'est d'une habileté extraordinaire, mais commun, au moins telle a été ma première impression et Bibi [sa fille] ne m'a pas laissé le temps d'en avoir une seconde. » Elle rentre à Paris, éblouie par Rubens. A ses yeux, ses toiles éclipsent toutes les autres. « Il est le seul peintre ayant rendu le ciel de Flandre. » Ce ciel changeant, à la fois transparent et traversé de nuages blancs, fascine en elle l'artiste du mouvement et des moments instables. Dans une lettre à Edma, elle compare Rubens à Hobbema et à Ruisdael, pour conclure que « lui seul a su trouver ces tons de lumière voilée qui donnent tant de profondeur à ses paysages. A Anvers, dans *L'Assomption* de la Cathédrale, les figures d'anges dans le ciel (...) m'ont laissé une impression d'éblouissement que j'aurais voulu pouvoir raisonner ».

Il n'y aura plus d'excursion hors frontières. Sinon avec les pinceaux et avec les couleurs, sur les traces du seul monde qu'elle aime, impalpable et violent, fragile comme un instant qui passe, comme un sentiment d'amour.

Une indépendante chez les Indépendants

Pour Berthe donc, l'aventure se déroule à Paris. Les peintres indépendants associés, auxquels se joignent de nouvelles recrues — Gustave Caillebotte, Alphonse Legros ou Marcellin Desboutin —, organisent chez Durand-Ruel une Deuxième Exposition de leurs œuvres, en avril 1876 : elle se joint à eux. Edouard Manet refuse toujours de participer, bien que cette fois le grand Salon, fidèle à ses précédents refus, n'ait pas voulu de lui. Il préfère jouer sa carte en solitaire et, rétif à rallier le groupe de ses amis, il décide d'exposer chez lui, dans son atelier de la rue de Saint-Pétersbourg, les toiles que boude le jury officiel et qui n'ont pas encore trouvé d'acquéreur, comme *Olympia* ou *Le Bal masqué à l'Opéra*. Pour Manet, la peinture est une affaire individuelle. Pour Berthe — comme pour Edgar Degas ou pour Claude Monet —, elle passe par une synergie de groupe, et par une scission radicale avec l'art officiel. Au printemps 1876, le public curieux de peinture a donc le choix entre la visite du Salon, celle de l'Exposition de ces peintres associés qui n'ont pas encore décidé de leur nom, rue Le Peletier, et l'atelier de Manet, où quatre mille personnes passeront en l'espace de quinze jours — ce qui vaudra au peintre de voir résilier son bail par son propriétaire, furieux des trop nombreuses plaintes déposées pour cause de « bruit et dérangement ».

Chez Durand-Ruel, dans un décor de galerie plus sobre que les locaux rouges de Nadar, *Les Raboteurs de parquet* de Caillebotte jouxtent les *Blanchisseuses* et la *Modiste* de Degas, une paysanne de Pissarro. Berthe expose quinze toiles, dont *Le Bal*, *La Toilette* et *Le Lever*, ainsi que trois aquarelles et trois dessins au pastel. La représentation de la vie quotidienne, avec ses gestes et ses rites simples, ses petits métiers, ses scènes de travail ou de famille, a séduit tous les exposants. Chacun à sa façon, selon son style, a choisi de peindre dans cette voie sans noblesse, qu'on dit vulgaire, parce qu'elle décrit la vie banale, la vie commune, la vie des humbles et des anonymes. Loin des héros mythologiques, des grands hommes et de leurs hauts faits, voici le Salon des simples. Quand ils ne représentent pas des gens en train de vivre, tout simplement, les peintres s'attachent à montrer le décor moderne et prosaïque de la France contemporaine : un pont de chemin de fer à Argenteuil (Monet), un abreuvoir ou des aqueducs (Sisley), un café (Degas), un chantier ou un percher de blanchisseuses (Berthe Morisot). Les critiques commencent à parler de « réalisme » et les artistes eux-mêmes revendiquent cette étiquette. Degas : « Le mouvement réaliste n'a plus besoin de lutter avec d'autres. Il est, il existe, il doit se montrer à part. Il doit y avoir un Salon réaliste. » Avant d'ajouter, furibard : « Manet ne comprend pas ça. Il s'entête à faire un aparté. Il pourrait bien le regretter... Je le crois plus vaniteux qu'intelligent ! »

Les Impressionnistes seraient-ils des réalistes ? Zola ou Maupassant, leurs contemporains, prétendent l'être. Mais eux ? Avec leurs touches de couleurs joyeuses et subtiles, ils interprètent plutôt la réalité, ils la transcrivent. Elle est comme passée au tamis de l'émotion, au tamis de leur fantaisie.

La critique n'aime pas du tout ça, le réalisme. Elle le confond avec contestation, avec révolution. Le pas est vite franchi. Ces gens qui provoquent le bourgeois, qui refusent les valeurs acquises, la tradition, le respect des Beaux-Arts sont de dangereux révolutionnaires. Ce sont des Communards ! Dans *Le Figaro* du 5 avril, Albert Wolff : « On vient d'ouvrir chez Durand-Ruel une exposition qu'on dit être de peinture. Le passant inoffensif, attiré par les drapeaux qui ornent la façade, entre et à ses yeux épouvantés s'offre un spectacle cruel. Cinq ou six aliénés, dont une femme, un groupe de malheureux atteints de la folie de l'ambition s'y sont donné rendez-vous pour exposer leur œuvre. Il y a des gens qui pouffent de rire devant ces choses, moi j'en ai le cœur serré. » Wolff parle des « choses grossières qu'on ose exposer au public », et d'un « cénacle de la haute médiocrité vaniteuse ». Conclusion : *ils* (les égarés) « ont attaché un vieux pinceau à un manche à balai et s'en sont fait un drapeau ».

Voici Berthe en « aliénée » : le groupe peut se féliciter de compter une folle parmi les fous.

Les artistes dissidents commencent à prendre goût à la provocation et se baptisent eux-mêmes. Les « Intransigeants », en attendant de trouver mieux. Dans les statuts de l'association, Degas les nomme les « Indépendants » (un nom qui leur sera emprunté plus tard pour désigner les néo-impressionnistes). Intransigeante, indépendante, Berthe est tout cela à la fois. Seul l'adjectif impressionniste, qui tarde à s'imposer, convient au masculin et au féminin du peintre. Or, c'est ce mot-là qui finira par l'emporter sur les autres — au grand dam de Degas qui aurait rêvé d'appeler le groupe « La Capucine », à cause du boulevard des Capucines où se tint leur Première Exposition (chez Nadar). *Dansons la capucine*, chanson aussi célèbre que *La Carmagnole*, composée au moment de la Révolution de 1789, aurait fait trembler le bourgeois, s'il n'était pas encore assez secoué par la nouvelle peinture... Impressionniste Berthe sera.

En avril 1877, la Troisième Exposition est officiellement celle « des Impressionnistes ». Organisée rue Le Peletier, dans un local proche de celui de Durand-Ruel, qui a loué sa galerie pour trois ans, elle ne peut avoir lieu que grâce au soutien financier de Caillebotte. L'association des peintres est en effet en faillite, et ne peut plus continuer de produire des exhibitions que par l'entremise du généreux mécène. Si de nouvelles recrues étoffent les rangs — Franc-Lamy ou Piette —, Cézanne s'apprête à prendre congé. Il veut envoyer des toiles au jury du Salon : or, une loi, édictée par le groupe, interdit désormais à tout membre de l'association d'y exposer. Les Impressionnistes demeurent des Intransigeants : entre le groupe et les Beaux-Arts, il faut choisir son camp. Berthe n'hésite pas une seule seconde : elle sera présente à chacune des expositions du groupe. A cette Troisième Exposition, où *Le Bal au Moulin de la Galette* de Renoir concentre les regards, elle expose *La Psyché* et *Jeune Femme à sa toilette* ainsi que les tableaux qu'elle a peints en Angleterre.

Il y aura en tout et pour tout huit Expositions impressionnistes. Berthe Morisot n'en manquera qu'une seule, la Quatrième, en avril 1879 — sa fille vient tout juste de naître et elle peine à relever de ses couches.

Elle sera à la Cinquième, rue des Pyramides — en avril 1880 —, à laquelle participe pour la première fois Gauguin.

Elle sera à la Sixième, boulevard des Capucines — en avril 1881 ; à la Septième, rue Saint-Honoré — en mars 1882 ; et à la Huitième, rue Laffitte — en mai 1886 —, qui est aussi la dernière et qu'elle aura personnellement, avec son mari, contribué à organiser.

Rien d'autre que la naissance de Julie ne peut l'empêcher de présenter ses toiles dissidentes. Ni la mort de sa mère, en décembre 1876, à la veille de la Troisième Exposition. Ni celle d'Edouard Manet, en avril 1883, qui précède de quelques mois à peine une exposition du groupe à Londres. Ni ses voyages, ni sa vie de famille.

Car non contente de participer au mouvement à Paris, Berthe s'engage sur la scène internationale. Elle est solidaire à cent pour cent. A l'automne 1883, ses toiles sont à Londres, chez Dowdeswell & Dowdeswell avec celles de Degas, de Renoir, de Monet, de Sisley, de Pissarro... Durand-Ruel a entrepris la conquête du marché anglo-saxon. Morisot montre *Femme dans un jardin, Femme étendant du linge,* et *Sur la plage.*

En 1886, un mois avant la Huitième Exposition parisienne, Durand-Ruel, dont l'ambition et le goût de l'aventure ne connaissent pas de limites, présente à New York la première exposition d'Impressionnistes dans le Nouveau Monde : « *Works in oil and pastel by the Impressionists* ». Trois cents toiles ont fait le voyage jusqu'à Madison Square. A l'American Art Galleries, les six peintures de Berthe Morisot portent des titres en anglais — ou en franco-anglais : *In the Garden, The Toilette, Port of Nice...*

A la Cinquième Exposition, elle présente dix

peintures (et cinq aquarelles). A la Sixième quatre, dont *Nourrice et Bébé* et *Jeune Femme en rose* (et trois pastels). A la Septième six, dont *Blanchisseuse, Vue de Saint-Denis, Port de Nice* (et trois pastels). A la Huitième, onze, dont *Jeune Fille sur l'herbe, Jardin à Bougival, Petite Servante* et *Au bain,* de nombreux dessins et aquarelles. Elle ne chôme pas. Le travail est chez elle régulier, constant, sans relâche. Comme est régulière, constante et sans relâche sa fidélité à son engagement.

Manet n'honore aucune des expositions qui portent pour emblème le nom du groupe. Cézanne ne figure qu'à la Première et à la Troisième. Renoir et Sisley, qui ne sont pas d'accord avec l'obligation pour demeurer dans le groupe de renoncer au Salon, désertent quatre d'entre elles (les Quatrième, Cinquième, Sixième et Huitième). Monet manque la Cinquième, la Sixième et la Huitième : il ne peut souffrir la présence de Gauguin — « la petite église est devenue une école banale qui ouvre sa porte au dernier barbouilleur venu », dira-t-il à un journaliste ; quand Gauguin expose, lui préfère s'abstenir plutôt que cohabiter. Caillebotte manque la Sixième à la suite d'une querelle avec Degas, qui a selon lui la manie de la persécution et « dit pis que pendre de tout le monde ». Il se désolidarise aussi de la Huitième. Degas boude la Septième. De la part de Morisot, jamais un mot contre le groupe. Jamais une querelle, jamais une dissension. Alors que les hommes se disputent, s'interpellent, grognent ou désertent, elle demeure solide et sereine. Elle maintient le cap. Edouard Manet a beau jeu d'ironiser : « Je viens de recevoir la visite du terrible Pissarro, qui m'a parlé de votre exposition prochaine, lui écrit-il au printemps 1882. Ces messieurs n'ont pas l'air de s'entendre... Gauguin joue les dictateurs. Sisley que j'ai vu aussi voudrait savoir ce que va faire Monet ; quant à Renoir, il n'est pas encore rentré à Paris... Les affaires vont mal. » Imperméable à l'ironie de Manet comme aux insultes de la critique, Berthe reste sur la droite ligne de son choix : Impressionniste engagée, par goût et par défi.

Longtemps la seule femme, elle aura peu de compagnes près d'elle de 1874 — date de la Première Exposition impressionniste — à 1886 — date de la dernière à témoigner d'une volonté communautaire. Ce n'est qu'à partir de 1879 que deux autres femmes joignent leurs noms au catalogue des peintres associés : Marie et Mary. Marie Bracquemond, l'épouse de Félix Bracquemond, le graveur ami de Manet, présente à la Quatrième Exposition *Les Muses des arts,* sur les cartons qui ont servi de modèles à ses plats de faïence. Et Mary Cassatt, l'Américaine, y fait son entrée à la même date, avec des portraits de femmes et d'enfants qui ne sont pas sans rappeler l'inspiration de Berthe ; Berthe Morisot et Mary Cassatt, qui resteront les deux grands peintres impressionnistes du « deuxième sexe », puisent toutes deux, si proches l'une de l'autre par le choix des sujets, aux sources d'un monde uniquement féminin. De la même génération — si Marie Bracquemond est née la même année que Berthe, Cassatt a à peine trois ans de moins —, elles ne s'imposent dans un milieu d'hommes qu'en restant fidèles à l'imagination, aux fantasmes, au style qui sont les leurs. Pas plus qu'avec l'art officiel, Berthe ou Mary ne transigeront avec le monde viril, son inspiration, son ambition, ses joutes. Malgré leur communauté de sujets — l'enfant, la femme, la famille —, leur pinceau, propre à chacune d'elles, ne permet pas plus de les confondre que celui de Renoir avec ceux de

Monet ou de Degas. Le pinceau de Mary Cassatt cerne davantage, pousse le sujet vers l'avant, et exprime une prédilection pour le blanc. Berthe Morisot est plus colorée, plus rapide ; sa manière de peindre qui se pose à peine sur la toile reste unique. Légère, elle évolue vers toujours plus de liberté et plus de lumière. Un jour, le trait ne sera plus que suggestion pure.

Les spécialistes donnent souvent Claude Monet comme figure de proue de l'Impressionnisme. Non seulement parce que son tableau, *Impression, soleil levant*, à la Première Exposition, fut, par accident, éponyme du mouvement. Mais parce que sa manière de peindre, par touches allusives, incarne le mieux la rupture de ces artistes : leur volonté de voir et de dire autrement. Si Manet conserve un culte pour le dessin classique et une volonté de respecter les Anciens, Monet innove, Monet bouscule les idées reçues, Monet est révolutionnaire. Ces deux presque homonymes, qui appartiennent à la même confrérie et sont amis de longue date, s'opposent dans leur art aussi radicalement que leurs vies, leurs sentiments les rapprochent. Manet aime le noir, Monet surtout les couleurs vives ou tendres. Manet peint lisse et fort, Monet tremblé ou irisé. Manet exprime une vision simple et puissante. Chez Monet, elle est multiple et plutôt suggérée. Manet, quoique ses contemporains en aient dit, est encore un classique. Il admire et copie des maîtres — Goya, Vélasquez, Titien —, dont ses toiles portent toujours l'influence : il a le génie du regard, et celui de l'interprétation. Tout ce qu'il peint est original, et révèle un don magistral de la représentation. Monet navigue vers l'inconnu. Le sujet qui l'inspire a moins d'importance que ce qu'il ressent. L'extérieur n'est qu'un prétexte à un envol vers l'imaginaire ou vers les tréfonds intérieurs. Homme, femme, jardin, nénuphar ou cathédrale sont des débauches de couleurs, des vibrations mystérieuses, des coulées vertes ou bleutées d'émotions. Manet incarne. Monet désincarne. Le premier construit. Le second envoûte. L'un est architecte ou sculpteur. Le second, magicien de la couleur.

Berthe Morisot a longtemps travaillé dans le sillage d'Edouard Manet. Mais dès avant la Première Exposition impressionniste, tandis qu'elle pose pour lui, elle mûrit, elle change. Un jour, elle rêve qu'il quittera pour elle son atelier et elle l'entraîne à peindre dans son jardin de Passy. Il fait beau, son amie Valentine pose assise dans l'herbe, près d'un homme et près d'un enfant. Il y a de l'herbe, des arbres, des fleurs. Le vent souffle doucement et caresse les pétales des dernières roses. Manet peint quelque chose qui ressemble à du Morisot : une scène intime et sage, avec des couleurs vives et un pinceau moins rude, moins définitif qu'à l'ordinaire. Elle comprend tout à coup ce qu'elle aime. Ou ce qu'elle est vraiment. Et dès lors, elle suit sa voie avec un calme plus maîtrisé, sans plus de panique ni de culpabilité, avec une claire conscience de ce que la peinture signifie pour elle : un affranchissement, une liberté. Elle assumera son style et mettra tous ses efforts, toute sa tension dans la recherche de cette vérité intérieure qui est si difficile à saisir mais qui seule l'intéresse, car elle exprime sa vie, son âme tout entière. Elle cherchera en elle la source de sa lumière. Et, insensiblement, sans l'avoir désiré, elle s'éloignera de Manet pour se rapprocher de Monet. Le peintre, surchargé de soucis familiaux, de problèmes d'argent, de santé, de cœur, se partage entre Argenteuil et Paris, et mène une existence compliquée, entre une épouse malade et une nombreuse progéniture, qu'il n'a pas assez de fortune pour entretenir. Il peint des œuvres où rien ne pèse, détachées du monde, les plus aériennes, les plus légères qu'on puisse voir. Alors que Claude Monet peine à trouver de l'argent — il passe une grande partie de son temps à en quémander auprès de ses amis —, rien n'apparaît de cette existence prosaïque et tourmentée. Ses toiles, toutes lumière pure, sont délivrées du quotidien. Essence de poésie et d'imagination.

Berthe admire Claude Monet, il devient un ami. Elle se sent proche de sa peinture, plus proche qu'elle ne le fut jamais de celle de Manet. Tandis que son style se sépare de celui dont elle porte le nom par alliance, tandis qu'elle exprime, contre son avis, le credo d'un art nouveau, résolument moderne, et expose avec courage, malgré ses conseils, parmi les malheureux Impressionnistes, ces « aliénés » de la peinture, elle quitte l'homme à jamais. Sur toutes les toiles du peintre qui la représentent, elle porte le deuil de leur amour.

Mlle Morisot devient Mme Manet

Consentie à regret et sans qu'aucun coup de foudre, aucune passion même y ait eu leur part, la vie conjugale n'est pas le pensum attendu de Berthe : elle n'offre pas seulement contraintes, inconvénients. Certes, Eugène Manet n'est pas un caractère facile et il ne montre guère — c'est le moins que l'on puisse dire — de prédispositions au bonheur. « Eugène est plus taciturne que moi », avoue la jeune mariée à Edma Pontillon. De santé fragile, victime de migraines fréquentes et sujet à une fatigue chronique qui est un des symptômes de sa nature nerveuse et inquiète, il manque de tonus et ne sera jamais près de sa femme la force qui entraîne, enthousiasme ou subjugue. C'est un homme délicat et prévenant, aux petits soins pour la jeune femme, mais qu'un rien contrarie ou assombrit.

Les toilettes négligées de Berthe, qui n'accorde aucune attention à son apparence lorsqu'elle est occupée à peindre, et ses coiffures défaites ont le don de l'exaspérer. Il aime que son épouse fasse preuve d'élégance et qu'à tout moment elle soit lisse et impeccable, tirée à quatre épingles. « Je suis partie avec mon sac et mon carton, décidée à faire une aquarelle sur le pied, raconte Berthe à Edma, mais arrivée là-bas, un vent atroce, mon chapeau enlevé, mes cheveux dans les yeux : Eugène, de mauvaise humeur, comme toujours lorsque j'ai les cheveux en désordre. » Son mari veille à ce qu'elle ne plonge pas dans la bohème. Comme si avoir une femme artiste était bien suffisant, il tient — comme sa mère jadis — à ce qu'elle garde son allure bourgeoise et respecte les conventions.

Berthe aura toujours eu près d'elle un mentor ou plutôt une espèce de gendarme : quelqu'un qui veille à sa santé, à sa sécurité, mais aussi à son maintien, à sa conduite. A ce qu'elle marche droit. Respectueuse de son milieu et des mœurs de sa classe, elle réprime un caractère passionné et des pulsions d'artiste, pour rentrer dans le rang. On l'imagine relevant ses mèches brunes en bataille, les lissant de la main et tentant avec quelques épingles qu'elle tient dans la bouche de remettre un peu d'ordre dans le désastre du chignon. Les cheveux de Berthe, épais, fournis et indisciplinés par nature, échappent à ses tentatives de lissage et d'embrigadement. On les devine capricieux, rebelles. Résistant aux peignes, aux brosses et refusant de se soumettre aux diktats de la mode. Ce sont les cheveux qu'Edouard Manet a peints sur toutes les toiles qui représentent Berthe Morisot : des cheveux décoiffés d'amante au sortir d'une bataille au lit, des cheveux d'artiste après son combat avec les pinceaux et les couleurs. Des cheveux en liberté. Glissant par-dessus sa belle oreille en coquille, échappés du chapeau, emmêlés aux rubans en désordre, Manet leur a donné un érotisme fou.

Mais Eugène s'en offusque. Exige-t-il d'elle la même allure compassée et sage quand il la tient dans ses bras ? Il la veut toute à lui. L'emprise de sa famille — sa mère, ses sœurs — sur sa femme l'agace. Lorsque Berthe se rend chez Yves ou chez Edma — une habitude à laquelle elle ne renoncera jamais mais qu'elle finira par espacer —, il se plaint qu'elle lui manque. Il ne supporte plus de vivre sans elle. « Je me sens esseulé sans vous ; votre joli ramage, votre joli plumage me manquent beaucoup », lui écrit-il, amoureux, avant d'ajouter cette phrase comme un reproche destiné à la culpabiliser : « Il me semble que vous prenez de fortes vacances. » Il apparaît si visiblement contrarié lorsqu'elle s'absente que Mme Morisot, déjà peu encline à souligner les qualités d'Eugène, s'insurge contre cette jalousie de mâle qui refuse de laisser sa compagne s'éloigner. « Comment ! Ne jouirais-tu donc pas du plaisir de vous voir réunies [elle parle de ses trois filles], et ce fourbe d'Eugène qui me parlait de trois semaines ou un mois ressemblerait-il tant à son cher frère Edouard ? » — lequel a également horreur de se séparer de sa grosse moitié. La mère n'est pas dupe. Elle sait où sont les vrais liens d'amour. Elle déplore non seulement le caractère possessif, un peu mesquin d'Eugène, mais son incapacité à se trouver un intérêt dans la vie, une occupation saine. Il lui semble trop dépendre de sa fille. Partout il la suit tel un chien fidèle, perdu lorsqu'elle n'est pas là.

Comme il n'a pas de métier et qu'il se contente de gérer vaguement ses rentes (les terrains de Gennevilliers), il a tout son temps pour s'occuper d'elle. Il porte ses toiles et son chevalet lorsqu'elle veut peindre à l'extérieur ; il s'assied alors près d'elle et la regarde travailler. Parfois, il peint à ses côtés pour se distraire. C'est lui qui se charge d'accrocher les œuvres de sa femme dans les Salons et les galeries, c'est lui qui tente d'obtenir pour elle les meilleures places lors des diverses expositions du groupe. Il défend ses intérêts : il négocie avec Durand-Ruel d'éventuels achats ; il négocie avec Degas ou Caillebotte le déroulement du calendrier impressionniste ou l'emplacement des Morisot parmi les autres peintres ; il flatte Alphonse Portier, un courtier d'art qui s'est pris de passion pour le groupe des peintres indépendants et tente de leur trouver des acheteurs parmi d'éventuels collectionneurs. A cet homme discret, modeste, mais très efficace et qui a su souvent dépanner Monet ou Renoir dans leurs difficultés financières, Eugène vante les qualités des tableaux de sa femme. Il se préoccupe d'en fixer les prix, et les aligne en général sur ceux que pratiquent Degas, Monet ou Renoir — en les baissant un peu... Berthe le charge de toutes les missions délicates ou ennuyeuses comme d'aller chez l'encadreur — un dénommé Nivard — pour vérifier si les toiles ont bien été mises dans un bois clair, à peine relevé d'or, selon ses vœux. Eugène joue les chaperons. Il accompagne son épouse aux vernissages, il l'accompagne aux expositions et aux ventes aux enchères, il l'accompagne aux musées. Lorsqu'un voyage, un séjour chez ses sœurs la retiennent loin de Paris, il visite l'exposition pour elle et — comme sa mère jadis — il lui écrit un compte rendu fidèle et circonstancié de l'événement. Il n'oublie pas d'apprécier à l'aune de leur talent les tableaux des autres peintres et lui livre à vif son jugement. Dans ces occasions-là, il est aussi impitoyable et sûr de lui que sa belle-mère. « Sisley est le plus complet et très en progrès, écrit-il à propos de la Septième Exposition (1882). Pissarro est plus inégal... Monet a des choses faibles à côté de choses excellentes, surtout des paysages d'hiver, fleuves charriant de la glace, tout à fait beaux... Le tableau des canotiers de Renoir fait fort bien... Deux figures de femmes très jolies...

Gauguin et Vignon très médiocres... Caillebotte a des figures à l'encre bleue très ennuyeuses ; de petits paysages au pastel excellents. » Il lui commente l'emplacement, l'éclairage et l'impression générale que donnent ses propres toiles. Pour comparer la lumière du soir avec celle du matin et éprouver l'effet qu'aura l'heure du jour ou de la nuit sur les spectateurs, il n'hésite pas à se rendre à plusieurs reprises dans les locaux de l'exposition. Il déplace un tableau, le réoriente, voire l'enlève du mur pour le placer sur un chevalet. Il se donne beaucoup de peine. Il court de leur appartement où Berthe entrepose ses tableaux, à l'exposition, effectuant plusieurs fois le long trajet, chargé de toiles de tous formats qu'il a auparavant portés chez l'encadreur. Il n'oublie pas de rendre une petite visite au passage à Portier, devenu « gérant » des expositions impressionnistes : dès la Quatrième, le bonhomme organise et structure, veille à tous les détails, convoque les journalistes, qu'il suit d'une toile à l'autre et s'efforce d'amadouer.

« J'oubliais de vous dire que j'ai rapporté aussi vos pastels, tout cela sous une pluie battante » : Eugène aime lui aussi se rendre utile. « J'y ai été hier soir, ce matin et deux fois dans le jour... » Quel autre époux aurait fait preuve d'un pareil dévouement ? Il s'émeut de trouver ainsi sa place dans le cercle des artistes et de s'y voir considéré : « J'ai trouvé tout le brillant essaim des Impressionnistes travaillant dans une immense salle à accrocher des quantités de toiles, écrit-il à Berthe en 1882. J'ai été fort bien reçu de tous, aussi de vous faire exposer... » Ce qu'il préfère, dans le travail un peu ingrat qu'il s'est attribué, c'est emmener son frère Edouard devant les toiles de Berthe, les mieux choisies, les mieux encadrées et mises en valeur

par ses soins, puis, guettant son approbation, surprendre l'éclair de joie qui passe alors dans ses
yeux. Il tient là sa récompense.

Eugène Manet soutient l'effort de sa compagne.
Il l'incite à travailler davantage. « Econduisez vos
visiteurs, lui écrit-il quand il n'est pas près d'elle
pour veiller à sa tranquillité. Prenez des heures de
réception le soir et fermez votre porte pendant
votre travail. » Ou encore : « Donnez un coup de
collier. » Tous ses conseils sont empreints de solli-
citude. Il sait combien la concentration de l'artiste
est difficile et que le cadre de vie doit ménager le
silence et la paix. Il n'est pas jaloux de sa peinture.
La savoir au travail, tout entière absorbée par la
création, le rend heureux. Jamais il ne la détournera de sa vocation. Il respecte son métier, la force
de sa passion. Cette force qui émane d'elle,
lorsqu'elle est devant son chevalet, le fascine. Il
voudrait la partager. Il s'en sait incapable. Lui, n'a
que son amour à donner. Il l'aime peintre. Et il
aime le couple qu'ils forment ensemble : elle,
l'artiste, lui, le conseiller, le servant. Sublime
modestie ? Ou orgueil de l'homme qui se sait incapable d'égaler jamais ces deux talents que possèdent son frère aîné et son épouse...

L'ombre est le royaume d'Eugène. Son œuvre
— car il n'a pas renoncé à peindre, pour son
propre plaisir — demeure dans le cercle familial
et privé. De par sa volonté, une affaire discrète.
Jamais Eugène n'acceptera de montrer ses toiles
en public, dans les galeries où expose sa femme.
Même prié de le faire par quelques amis chers,
Henri Rouart ou Edgar Degas par exemple, à
l'occasion de la Troisième Exposition impressionniste (« Je ne sais si votre mari se rappelle avoir
l'année passée promis d'exposer avec nous. Votre
tout dévoué, E. Degas »), il se dérobe.

Il garde son énergie pour la servir. Il suit son travail, l'assure de ses conseils et, quand Berthe manque de courage, quand le doute l'envahit, quand l'angoisse la ronge, il tente de la réconforter, d'adoucir sa peine, de lui insuffler un peu d'espoir, un peu d'optimisme — or, Dieu sait s'il en manque pour lui-même ! Son dévouement l'exalte et l'incite parfois à se surpasser. Il se battrait pour elle : lorsque Albert Wolff écrit dans *Le Figaro* son article sévère à propos de la Deuxième Exposition impressionniste, celle de 1876, et traite les exposants de « fous », d'« aliénés », faisant remarquer la femme au milieu d'eux — « Il y a une femme dans le groupe comme dans toutes les bandes fameuses ; elle s'appelle Berthe Morisot et est curieuse à observer. Chez elle, la grâce féminine se maintient au milieu des débordements d'un esprit en délire » —, Eugène veut aussitôt le provoquer en duel. Il faudra que Berthe et sa famille le supplient de n'en rien faire.

De cette admiration d'Eugène pour le travail de Berthe, de cette connivence qu'il a su tisser autour de sa peinture, va naître une affection durable et profonde. Toutes les femmes peintres n'ont pas cette chance d'épouser un homme qui croit en leur destin d'artiste et les encourage dans leur voie. Marie Bracquemond, par exemple, doit peu à peu renoncer à une carrière qui porte ombrage à son mari. Le graveur Félix Bracquemond ne supporte pas que l'art de sa femme empiète sur leur vie commune. A moins qu'il ne s'inquiète en secret qu'elle puisse avoir plus de talent que lui... Présente lors de la Quatrième puis de la Cinquième Exposition impressionnistes, avec ses *Muses des arts* puis un très joli *Portrait de femme* qui est un jeu de variations sur le blanc, elle expose encore à la Huitième, le portrait de son fils et le portrait

de son mari — deux toiles très fortes, très réflé-
chies —, puis des *Joueuses de jacquet*, une
Cueilleuse de pommes, et un groupe de *Jeunes
Filles* à faire pâlir d'envie certains messieurs
moins doués qu'elle. A l'aquarelle, elle n'a pas la
légèreté — il est vrai inimitable, à jamais inégalée
de Berthe Morisot —, à l'huile elle est moins nova-
trice, moins hardie — sa main est un rien plus
classique —, mais elle a tout de même un pinceau
qui aurait mérité mieux que l'ombre profonde, à
laquelle elle a consenti, par amour pour Félix. Ou
par respect de la stricte hiérarchie des sexes. Sa
quatrième et dernière exposition sera posthume,
organisée chez Bernheim en 1919, trois ans après
sa mort.

Si Marie Bracquemond a sacrifié son épanouissement de peintre, d'autres comme Camille Claudel, et d'une manière moins violente mais aussi
radicale, Suzanne Valadon, ont sacrifié leur vie de
femme. Camille Claudel s'éloigne de Rodin,
Suzanne perd Toulouse-Lautrec... Comme si de
deux artistes, homme et femme qui travaillent
côte à côte, l'un devait renoncer — ou partir
— pour que l'autre soit. Berthe Morisot, elle,
refuse de choisir. Elle assume ensemble ses deux
destins : l'artiste et la femme se réconcilient en
elle. Le métier et la vie de famille cessent de
s'opposer. Elle est l'exemple même d'une harmonie voulue, organisée et méritée. En son temps
mais encore aujourd'hui, son accomplissement est
un modèle de défi personnel.

Mais ce miracle eût-il été possible, sans son
association avec Eugène ? Cet homme n'est pas
son enfer, il est son ami. Si elle peut se consacrer
librement à son travail, c'est aussi grâce à lui. Tandis que Marie Bracquemond s'efface, appelée par
l'ombre où se plaît à la voir demeurer son époux,

elle peut œuvrer en toute bonne conscience pour la cause commune de l'Art. Dans son cœur impatient, un patient *amour* commencerait-il à naître ?

Berthe Morisot, qui aime peindre des scènes de la vie familiale, n'a toutefois que rarement représenté le couple. Une seule de ses toiles, baptisée *Le Déjeuner sur l'herbe* comme les œuvres célèbres de Manet (1863), de Monet (1865), de Cézanne (1869), lève le voile sur sa vision idéale du bonheur conjugal. On y voit, mi-allongée, mi-assise sur l'herbe, à l'ombre, une jeune femme en robe claire et chapeau de paille, occupée à choisir des fruits dans une assiette. A ses côtés, à plat ventre, canotier sur la tête, un homme à barbe blond-roux la contemple. C'est Eugène Manet qui a posé. La femme est un modèle professionnel dont on ignore le nom. Ce pourrait être Berthe Morisot, avec ses cheveux noirs, pour une fois bien coiffés, et sa taille fine. Eugène est allongé à ses pieds. Le soleil joue dans le fond de la toile une symphonie colorée et joyeuse ; on aperçoit un cerisier en fleur. Au premier plan, sur une nappe blanche, les restes d'un pique-nique suggèrent des agapes champêtres. Un verre à demi plein de vin, une carafe vide. L'homme en a fini avec le déjeuner.

Derrière lui, une ombrelle renversée — seule touche de désordre — évoque on ne sait quelles secousses avant la pose. Le vent ou des étreintes ? Le tableau est sage — bien plus sage que celui de Manet, avec sa femme nue entre les deux messieurs pour le plaisir desquels elle s'est déshabillée. Mais il y a une nonchalance ; une lumière sensuelle ; une évidente sensation de bien-être physique qui traversent cette toile. Quelque chose même qui ressemble au bonheur.

Peinte en 1875, exposée en 1876 à la Deuxième Exposition impressionniste, cette toile — il en existe une version à l'aquarelle —, qu'achète le docteur Georges de Bellio (le médecin de Monet et de Renoir est un fin collectionneur), représente-t-elle un rêve de complicité, d'harmonie amoureuses, ou la réalité ? Fenêtre ouverte sur l'intimité conjugale des Manet, elle est une trace unique. Il n'y aura pas d'autre peinture de couple à interroger pour en savoir davantage. De même que les portraits de Berthe par Edouard Manet, qui sont autant d'indices de leur histoire, gardent une part de secret, ce *Déjeuner sur l'herbe* occupe une place à part dans l'œuvre : à mi-chemin entre l'idéal et l'aveu, elle contient une pointe d'érotisme et, dans l'ombrelle renversée, un je-ne-sais-quoi de coquin, très inhabituel.

Tandis que se resserrent les liens avec son époux et que s'organise sa vie de couple, les relations avec sa propre famille semblent se distendre. Berthe Morisot se sent de mieux en mieux à l'intérieur de sa nouvelle vie. Elle prend quelque distance avec ses sœurs, qui se plaignent de ne plus recevoir de ses nouvelles. Edma : « Que deviens-tu, ma chère Berthe ? Pas un mot de toi, pas une visite depuis bientôt quinze jours. Tu me fais l'effet de te détacher singulièrement de moi. » A moins que ce ne soit Berthe qui s'excuse elle-même de ne plus écrire aussi souvent. A Yves : « Ne m'accuse pas de négligence, ma chère amie, je pense à toi et à tes enfants, continuellement, mais la vie se complique pour moi, me laisse peu de temps... » De son côté, Mme Morisot déplore l'attitude d'Eugène qui ne se sépare jamais de Berthe qu'à contrecœur et en rechignant ; elle l'accuse de vouloir garder sa fille toute à lui. Après ses reproches, elle ajoute cette remarque qui montre qu'elle n'est pas dupe des sentiments de Berthe — elle connaît sa fille par cœur : « C'est peut-être toi qui ne peux te passer de lui... » Berthe serait-elle en train de devenir amoureuse de son mari ?

Vis-à-vis de ses sœurs, de sa mère, elle se sent coupable. Or, sa mère est malade. Berthe, pourtant la seule des trois filles qui habite Paris, ne peut pas lui consacrer assez de temps, ni l'aider à mieux supporter des souffrances qui s'avivent de semaine en semaine. Elle s'accuse d'être trop prise par son travail, par son mari. Mme Morisot se voit obligée de la rassurer, et elle lui pardonne de ne pas être plus souvent ou plus longtemps près d'elle. Elle impute la faute de l'éloignement de Berthe au nécessaire devoir conjugal : « Ton mari désormais fait partie de toi-même et doit compter le premier dans tes affections. » Evoquant « les liens si forts entre mère et fille » qui sont les leurs depuis toujours : « C'est de bon cœur, je t'assure, que je suis prête à y confondre ton mari. » Elle se résigne à sa solitude, à son veuvage. L'équilibre familial a changé. Berthe et Eugène Manet constituent désormais un pôle. Les proches, insidieusement, ne peuvent plus considérer Berthe sans Eugène et vice versa. Les Eugène Manet, ainsi qu'on les appelle parfois, forment ensemble une entité indissociable et, pour les leurs, ces deux êtres si dissemblables un couple uni. Comme le sont déjà les Pontillon et les Gobillard.

L'agacement vient de la famille Manet. La mère d'Eugène trouve sa nouvelle belle-fille distante, trop absorbée par la peinture. Elle lui reproche aussi d'accaparer Eugène qui, depuis son mariage, se montre beaucoup moins attentif, et qu'on ne voit plus que les sacro-saints jeudis rue de Saint-Pétersbourg. Mme Manet mère n'a pas approuvé le mariage de son fils. Dot insuffisante de Berthe ?

Volonté implacable et rebelle de la jeune femme de poursuivre sa carrière au-delà des liens du mariage ? Hostilité de caractères ? Ou banale irritation entre femmes — de belle-mère à belle-fille ? Mme Morisot, qui a le sens des réalités, doit intervenir à plusieurs reprises avec sa diplomatie coutumière et son goût instinctif du bonheur, pour réconcilier les deux Madame Manet par-dessus la tête d'Eugène, dépassé et mal à l'aise, et qui se montre incapable de les accorder : « Je ne saurai trop te recommander, te conseiller, ma chère enfant, de mettre de côté les préventions que tu as pu concevoir contre toute la famille, au moment d'un mariage qu'elle a été peu empressée à accepter, il faut bien le reconnaître, mais je ne pense pas que l'union de Suzanne ait semblé meilleure et tu vois la place qu'elle s'est faite. »

Suzanne Manet est la belle-fille préférée. La première dans le cœur de Mme Auguste Manet, malgré son passé mystérieux. Elle aime Léon Koëlla en grand-mère, elle le tient pour son petit-fils. Et elle n'a pas d'autre descendance — Gustave n'est pas même marié. Trouve-t-elle que Berthe tarde à entrer dans le moule qui prévaut alors pour les bourgeoises et à se dévouer à son « pauvre Eugène » — une expression qui revient fréquemment sous la plume des uns et des autres, dans la famille. Tandis que Suzanne ne joue du piano qu'à la maison, pour le cercle de leurs amis, Berthe prétend à une vie publique. Elle expose son nom sur les affiches. En femme traditionnelle, Mme Manet s'en offusque. Berthe, qui est susceptible, trouve qu'on ne l'aime pas assez et que, de surcroît, l'on est injuste avec Eugène. Elle accuse Mme Manet de préférer son aîné — le charmant, l'irrésistible Edouard — et de cajoler le troisième, son petit dernier. Eugène, tenu pour le moins doué, serait-il un mal-aimé ?

Là encore, Mme Morisot doit apaiser les ressentiments de sa fille. D'abord elle la réconforte, non sans ironie — « je t'accorde volontiers qu'il [Eugène] vaut mieux que le reste de la famille », puis, elle la rappelle à ses devoirs — l'amour de son mari devrait l'inciter à se montrer aimable envers les Manet. Reste cet humour décapant dont elle fait preuve dans les moments les plus difficiles — son arme la plus convaincante : « Vraiment, tu es tellement supérieure à Suzanne en tous points que tu ne devrais pas plus penser à elle que si sa grasse personne n'était pas de ce monde. »

Bisbilles. Inévitables, dérisoires frictions familiales. L'entrée de Berthe chez les Manet ne se passe pas sans heurts. Les sourires, pourtant de mise, sont figés et les amabilités ne vont pas sans arrière-pensées. Berthe souffre. Mais dès qu'elle est chez elle — c'est-à-dire dans l'ancien appartement de sa mère, rue Guichard —, elle retrouve un équilibre. Elle, si tourmentée, si ténébreuse, n'aurait pas cru cette paix possible.

Cependant, le temps passe et Berthe n'est toujours pas enceinte. En se mariant, elle a fait le vœu d'être mère. Déçue, elle espère en vain depuis des mois... « J'attends les événements et jusqu'à présent, la fortune ne nous est pas favorable », écrit-elle à son frère Tiburce un mois à peine après son mariage. A Edma, une année plus tard, elle avoue qu'elle est « horriblement triste ce soir, fatiguée, nerveuse, mal en train et ayant acquis une fois de plus la preuve que les joies de la maternité ne sont pas faites pour [moi] ».

De ses deux filles aînées, Mme Morisot a déjà quatre petits-enfants : Paule et Marcel, du côté Gobillard, nés respectivement en 1867 et 1872, chez Yves. Et Jeanne et Blanche, du côté Pontillon, nées en 1870 et 1871 chez Edma. Elle ne connaîtra pas les suivants. Atteinte d'un cancer, elle meurt après une longue et cruelle agonie, à son domicile, 2 rue Jean-Bologne, le 15 décembre 1876 — l'année de la Deuxième Exposition indépendante.

L'appartement de la rue Guichard, qui venait tout juste d'être refait à neuf, accueille le grand deuil de Berthe. En sa mère, elle perd son plus fidèle, son plus ancien soutien, et un peu de cette flamme vive qui coule aussi dans ses veines. Le sang chaud de Mme Morisot, sa tendresse inépuisable vont lui manquer toujours. Comme lui manqueront son regard lucide et franc sur les êtres et les choses, son esprit critique, et sa manière tout à elle d'aimer ses filles sans les étouffer de son amour ni leur épargner leurs vérités — toujours difficiles à entendre mais nécessaires, revigorantes. Mme Morisot a su passer le témoin de son vivant. La tendresse, la fidélité de Marie-Cornélie, elle les retrouve dans l'amour de son mari. La mère a accompagné sa fille aussi longtemps qu'il l'aura fallu.

Le cercle des génies

Berthe Morisot ne fréquente que des artistes. Puvis de Chavannes et Fantin-Latour, les Bracquemond ou les Riesener, qu'elle connaît depuis l'adolescence, continuent de venir dîner chez elle. Elle sait entretenir les liens profonds qui font les longues histoires. En amitié, à la fois discrète et assidue, quand elle a donné son cœur c'est pour toujours. Désormais, cependant, ses amis les plus proches, on pourrait dire les plus fervents, forment le noyau dur des Impressionnistes. Et elle est à sa manière, si pudique, leur muse. Elle les aime, elle les soutient, elle calme leurs colères. Elle partage leurs joies, leurs peines, elle sait les réconcilier quand ils se fâchent. Leur bon ange, elle a épousé leur Cause.

Ces amis de Berthe, ce sont les Trois Mousquetaires de l'Impressionnisme. Aussi enthousiastes et farouches, aussi insolents, aussi iconoclastes qu'Athos, Porthos et Aramis, tous trois inséparables, ils comptent depuis peu parmi eux, solidaire à leurs côtés, un quatrième soldat, un écrivain (et ce n'est plus Emile Zola), qui vient de rallier sans hésiter tous les combats qui les opposent à la Tradition comme à l'Autorité. Dans ces années 1874-1886, un d'Artagnan accompagne leurs joutes et leurs bagarres et répondra jusqu'à

la fin à leur appel. Car la devise des Mousquetaires
— « Tous pour un, Un pour tous » —, si elle ne va
pas sans anicroches, définit bien leur amitié.

Le premier de ces hommes, mince et noueux
comme un sarment de vigne, a une barbe taillée
en pointe et des yeux malicieux, d'une couleur noi-
sette « tirant sur le jaune ». Né la même année que
Berthe, à Limoges, à deux pas de cette préfecture
où Edme Tiburce Morisot viendra s'installer
quelques mois plus tard, il s'appelle Auguste
Renoir. Parmi les Impressionnistes, il est, avec Pissarro, le seul non-bourgeois. Fils d'artisan — son
père était tailleur —, il a été lui-même artisan
avant d'être artiste. Peintre sur porcelaine, il a
décoré des assiettes pour gagner sa vie et rêvé de
travailler un jour pour la prestigieuse Manufac-
ture de Sèvres. Il n'a jamais renié ses origines, il
a l'esprit de famille. L'un de ses frères, Henri, est
graveur sur médailles chez l'orfèvre Odiot. Un
autre, Edmond, le plus jeune, brillant bretteur et
journaliste à *La Vie moderne*, soutient les initia-
tives du groupe et habite le même immeuble que
lui, à Montmartre, rue Saint-Georges.

Auguste Renoir aurait pu tout aussi bien
devenir chanteur d'opéra. Il possède une belle
voix. Il a chanté, enfant, dans la chorale de
Saint-Eustache, où le compositeur Charles Gou-
nod, l'auteur de *Faust* — qui était alors maître de
chapelle —, l'avait remarqué. Passionné de
musique, Renoir est un wagnérien, aussi fanatique que Mme Edouard Manet, qu'il adore
entendre au piano interpréter leur compositeur
préféré. En janvier 1882, il se rend exprès en
Sicile pour rencontrer Wagner, qui réside à l'hôtel
des Palmes, à Palerme, et peindre son portrait. Il
n'a droit qu'à une seule séance de pose : Wagner
achève *Parsifal*.

Aussi doué pour le dessin que pour la musique, Renoir a choisi lui-même d'entrer aux Beaux-Arts, et il a financé ses études. A l'atelier Gleyre, il a connu la joyeuse bande de Bazille, Sisley et Monet. Il a fait avec eux l'école buissonnière en forêt de Fontainebleau, mais contrairement à Monet il n'a jamais renié ses maîtres et a longtemps signalé ses tableaux dans les catalogues du Salon par cette mention : « Renoir, élève de Gleyre ». C'est Bazille qui l'a introduit chez Edouard Manet. Il figure en bonne place aux côtés de Manet, de Monet, de Bazille, de Maître et de Zola, sur les deux tableaux emblématiques de leur jeunesse : celui de Fantin-Latour, *Un atelier aux Batignolles,* et celui de Bazille, où Manet a mis son coup de main, *L'Atelier de la rue de la Condamine* (tous deux peints en 1870 et réunis au musée d'Orsay).

Auguste Renoir est encore célibataire. On le dit homme à femmes et même, et surtout, homme à jeunes filles. Il aime les nymphettes. Il les choisit bien en chair, plutôt blondes ou rousses, avec des chevelures opulentes, des teints nacrés, et des fossettes placées là où il faut. Lise, Nini, Margot : ses modèles sont ses amies. Repasseuses ou modistes, trottins ou lavandières, elles ont des mines de chattes, la gourmandise à fleur de peau. Pas le genre de femmes à présenter chez les Morisot. En 1879, Aline Charigot entre dans sa vie, mais il la cache. Il tient d'ailleurs à sa liberté, à sa vie de bohème. Il fréquente les cafés, les ateliers, les guinguettes et les bals populaires. Les dimanches soir, il aime aller danser au Moulin de la Galette.

Il passe aussi beaucoup de temps dehors. Dès qu'il fait beau, car il est frileux, il plante son chevalet dans un jardin ou au bord de l'eau. Son plus grand plaisir est de peindre en compagnie de

Claude Monet. L'été 1869, les deux compères l'ont
passé ensemble à Saint-Martin de Bougival, à
peindre côte à côte les mêmes canotiers et les
mêmes baigneurs, les mêmes baigneuses, à la Gre-
nouillère, ou les mêmes convives de la mère Four-
naise. « On ne bouffe pas tous les jours mais je
suis tout de même content, a-t-il écrit à Bazille,
parce que pour la peinture Monet est une bonne
société. » Depuis lors, Renoir a gardé cette habitude d'aller peindre avec Monet. Il le retrouve chez
lui, à Argenteuil, plus tard à Vétheuil et à Giverny.
A Argenteuil, Renoir fait poser le peintre et sa
famille, en particulier son épouse, la ravissante
Camille — *Madame Claude Monet lisant, Madame
Claude Monet sur un divan* (1872) —, mais ce qu'il
préfère c'est peindre le même motif que Monet,
assis ou debout, chacun à son chevalet, devant le
même Nénuphar blanc ou la même *Mare aux
canards*.

L'été 1874, Edouard Manet et son beau-frère
Leenhoff se joignent à eux et, depuis Gennevil-
liers, sur l'autre rive de la Seine, s'en viennent
peindre chez Monet, avec Renoir. Tandis que
Renoir peint *Madame Monet et son fils* (National
Gallery, Washington), Manet peint *La Famille
Monet au jardin* (Metropolitan Museum, New
York) ainsi que *L'Atelier de Monet* (Pinakothek,
Munich) qui représente le peintre au travail dans
sa barque, dérivant au fil de l'eau. Pour *Argenteuil*,
qu'on pourrait prendre pour illustrer un conte de
Maupassant, c'est Rudolf Leenhoff qui a servi de
modèle, au royaume de Claude Monet. Comme
Renoir aime le Midi, son soleil, sa chaleur béné-
fique à ses os que ronge un rhumatisme précoce,
il s'en va volontiers vers le Sud, chez son ami
Cézanne. Il s'installe alors au Jas de Bouffan, ou
parfois à L'Estaque, et là, il peint tranquille, la

même pomme ou le même paysage incandescent que Monsieur Paul. En tout, il recherche moins l'émulation que la joie de vivre ; elle passe aussi pour lui par l'amitié.

Berthe Morisot, il l'a rencontrée au cours des réunions préparatoires des expositions impressionnistes. Il la connaît mieux depuis 1876, depuis qu'il a passé un été chez les Alphonse Daudet, dans leur propriété de Champrosay, en forêt de Sénart. Venu pour peindre un portrait de Mme Daudet — *Portrait de Julie Allard* — et en ayant profité pour peindre aussi *La Seine à Champrosay* (les deux tableaux sont au musée d'Orsay), il s'est lié d'amitié avec les Riesener qui habitent eux aussi Champrosay, la maison de feu leur cousin Delacroix. Outre des amis des Daudet, les Riesener sont des amis des Morisot et ont introduit Renoir dans leur cercle. Il est, depuis, l'hôte de tous les dîners de Berthe et de son mari.

Renoir a la plus grande estime pour l'artiste. A Durand-Ruel, un jour, il dira : « Monet, Sisley, Morisot, c'est de l'art pur. » De Morisot, il possède plusieurs aquarelles. Il a confiance en son coup d'œil et en son jugement. En 1886, il la fera venir à son atelier, déménagé alors rue de Laval, pour lui montrer, encore à l'ébauche, ses *Grandes Baigneuses* et la série de dessins qui les prépare. Il veut connaître son sentiment. « Ces femmes nues entrant dans la mer me charment », dira Berthe, sensible à leur beauté, à leur étrangeté, et à la force d'un dessin qui évoque irrésistiblement pour elle le peintre des peintres, Dominique Ingres.

Très actif parmi les Impressionnistes, président de l'association qui prélude à leurs premières expositions, Renoir anime la plupart des réunions préparatoires du groupe. C'est son jeune frère Edmond, grand amateur de pêche à la ligne, qu'il

charge de faire imprimer les catalogues, vérifiés
par ses soins. Mais tout à l'avant-garde soit-il, il
se défend d'être un révolutionnaire. Il refusera de
se laisser dicter des oukases par Degas et il entraî-
nera Monet à sa suite ; les deux artistes continue-
ront de présenter leurs toiles aux jurys officiels
que boudent non seulement Degas ou Pissarro,
mais Berthe Morisot. Cela n'entamera nullement
leur amitié réciproque.

Chaleureux, jovial, sans jalousie, il ne manque
à Renoir aucune qualité pour être agréable. Il lui
arrive de se montrer « un peu sans-gêne » et de se
rendre envahissant : mais Berthe, qui n'épargne
pas à ses amis sa propre lucidité, reconnaît ses
qualités de cœur. Il a beaucoup d'humour et de
charme. Sa présence ensoleille l'instant et laisse
un peu de sa chaleur à chacun de ses départs.
« Quand Pissarro peignait une rue de Paris, il y
mettait un enterrement, moi j'y aurais mis une
noce », dit-il de lui-même. Comme Berthe, il aime
peindre le bonheur.

Le deuxième Mousquetaire a une barbe de Père
Noël et, dans les yeux, des lueurs de faune. Il est
beaucoup plus inquiétant. C'est un enfant terrible,
toujours dans la dèche, qui ne cesse de demander
de l'argent à ceux qui peuvent lui en donner, à
son père, à sa tante, à ses médecins, à ses amis
— Edouard Manet figure parmi ses généreux
mécènes. Mais cet homme-là, si impécunieux, est
aussi un père de famille. Il vit à la campagne avec
sa nombreuse progéniture : les deux fils, Jean et
Michel, qu'il a eus de Camille Doncieux (*La
Femme à la robe verte*, entre autres chefs-d'œuvre
qui la représentent) et les six enfants d'Alice
Hoschedé, sa compagne depuis la mort de Camille

en 1879. Le petit dernier, Jean-Pierre, qui porte le nom d'Hoschedé — grand collectionneur et ami de Monet, Ernest Hoschedé finira ruiné par ses spéculations sur l'Impressionnisme —, serait le propre fils du peintre.

A Argenteuil, puis à Giverny depuis 1883, Claude Monet peint avec acharnement, au milieu de la marmaille, en proie à mille difficultés familiales et financières qu'il semble susciter lui-même à force de vouloir les éviter, et qui le suivent où qu'il soit, à chacun de ses pas, depuis qu'il est né. Claude Monet a beau vivre au milieu des enfants et des fleurs, dans un paysage d'Eden, ce sont le tourment et l'inquiétude qui l'assaillent et s'il peint tant de blanc, tant de vert, tant de tons immaculés, c'est le noir qui le ronge au quotidien. Cet ami fidèle et tendre est un geignard, qui ne cesse de se plaindre et de s'apitoyer sur lui-même. Ses lettres font pleurer. Elles agacent aussi parfois, mignardes et quémandeuses comme il n'est pas permis ! Claude Monet n'a pas cette sérénité, cet optimisme qui donnent à son ami Renoir tant de charme et de douceur. Mais Berthe, au-delà de la tristesse du bonhomme, a reconnu son génie. Avec son regard qui sait voir la vie sous d'autres couleurs, surtout selon d'autres formes, avec son pinceau si léger qui transfigure le monde, il est pour Berthe un maître. Et un prophète de la peinture, un de ces hommes qui, elle en a la conscience la plus aiguë, vont changer le cours de son histoire. Cela vaut bien de supporter ses mines maussades et tourmentées. Aussi Claude Monet est-il un invité choyé des Morisot. Quand il passe par Paris, il ne manque jamais de venir dîner chez eux. Moins assidu que Renoir chez les Eugène Manet, car il habite la campagne, il n'en apporte pas moins sa lumière au cercle de famille et la force qui irradie de lui, malgré ses jérémiades, en fait un hôte fascinant. Un ami essentiel.

Il évoque souvent Le Havre et sa famille. Ses débuts difficiles — son père le prédestinait au commerce — et ses premiers succès dans la caricature. Il a eu très tôt, d'instinct, un coup de crayon très sûr.

Il garde un souvenir ému d'Eugène Boudin, son maître des ciels ainsi qu'il l'appelle. C'est Boudin qui lui a ouvert les horizons de la peinture et qui, avant que la mode ne s'en mêle, lui a enseigné le plein air. De nature rebelle, récalcitrant à tout apprentissage, Monet se reconnaît une dette envers ce Normand qui expose maintenant avec eux et auquel il voue la plus grande admiration. Il a trouvé, depuis, sa voie en solitaire. Et quoiqu'il aime la joyeuse bande de ses amis, quoiqu'il recherche et apprécie leur compagnie, il refuse toute influence.

Dans le travail, c'est un « forcené » — le mot est de lui. Rien, ni même aucun amour ne peut le détourner de sa tâche : trouver sa propre voie, donner un sens à sa vision. Autant Renoir est joyeux et pacifique jusque dans la concentration de l'atelier, autant Monet ahane devant ses toiles. Il cherche, sans jamais avoir l'impression d'atteindre son but, la lumière parfaite. Pendant des heures, pendant des jours, pendant des nuits, il traque le rayon de soleil ou de lune, l'éclaircie entre deux nuages, l'instant d'un crépuscule qui donneront l'éclat et la force à son tableau. Si Renoir aime surtout la Femme, représenter son corps, sa chair, sa sensualité animale, Monet est le roi de la Nature et des paysages. Il est aussi un peintre de l'eau. Ses paysages, même les plus ter-restres, ont une atmosphère aquatique. Il s'est d'ailleurs bricolé un atelier sur un bateau. Il y a construit une sorte d'abri en bois où il range son matériel, et il travaille à l'avant, sous une tente de toile qui le protège du soleil ou de la pluie. C'est là, sur sa barque de pêcheur à la ligne, qu'Edouard Manet l'a peint, dérivant sur la Seine.

Lorsque Monet travaille, il emporte plusieurs toiles et dépose alternativement ses couleurs sur chacune, attentif aux moindres variations, aux moindres nuances de sa palette, mais l'œil rivé sur l'échantillonnage de la Nature. Autant le pinceau de Renoir lisse les couleurs en grands à-plats, autant celui de Monet, fluide, impalpable, recherche la simplification, et s'envole vers l'abstrait.

Obsessionnel, le peintre peint en séries : les coquelicots, les champs d'avoine, les peupliers, les meules. Un jour, ce seront les *Cathédrales* puis, au tournant du siècle, les *Nymphéas* — que Berthe jamais ne verra. Monet, qui a à peine un an de plus qu'elle, vivra trente et un an de plus.

Monet aime Berthe Morisot comme on aime une sœur. Il possède d'elle cinq tableaux. Ce que ces deux artistes ont en commun ? Le goût du travail, la persévérance, et même une certaine dureté apparente qui les fait passer pour des indifférents. Tous deux hypersensibles, perfectionnistes jusqu'au malaise et à l'insatisfaction, ce sont aussi des amoureux d'aquarelle qui, dans leurs huiles, leurs gouaches, savent manier les douceurs et les transparences, toute l'intimité de la peinture à l'eau. Par les couleurs et par le coup de pinceau, bien des Morisot des années 1880-1890, ceux qui représentent des cygnes blancs glissant à la surface d'un lac, ou les effets du vent dans une futaie au bord de l'eau, annoncent les dernières toiles de Monet — ces *Nymphéas* qu'il ne commencera à peindre qu'après sa mort mais dont elle aura elle-même, dans ses pastels et ses aquarelles, pressenti ou préfiguré les sensuelles abstractions. Le premier nénuphar, c'est elle : un « nénuphar blanc », aujourd'hui disparu, mais dont Stéphane Mallarmé et Claude Monet ont eu entre les mains un exemplaire. Un nénuphar au crayon de couleur, suggéré en quelques volutes à peine, simples et douces. Elle l'avait imaginé pour illustrer un poème en prose de son ami Mallarmé, ainsi intitulé dans le recueil du *Tiroir de laque* ; or, ce dernier a toujours raconté combien ce dessin avait fasciné Monet.

Grognon, acerbe et soupe au lait, le troisième Mousquetaire est le plus fidèle et le plus assidu des familiers de la maison. Né en 1834, de la génération de Manet, près duquel il a combattu les Prussiens sur les fortifications de Paris, son vrai nom est de Gas, avec une particule, et se prononce de Gaz ; il a préféré le populariser. Son père était banquier. Par sa mère, originaire de La Nouvelle-Orléans, il a des cousins en Louisiane mais aussi en Italie (à Naples), et même en Argentine. Sa famille est la moins franco-française de celles des peintres impressionnistes. Il en tire son allure, sa classe pourrait-on dire, une pointe de morgue ou de supériorité. Il a le verbe sec, la repartie cinglante et l'habitude de claquer les portes quand quelqu'un l'agace ou lui tient tête. Avec ça, très grand bourgeois, l'usage du monde — il peut être un convive agréable, il a beaucoup d'humour et un art consommé de la conversation.

Célibataire endurci, il vit avec sa bonne — Zoé — qui le tyrannise, mais c'est bien la seule femme qu'il admette dans son intimité. Il habite rue Victor-Massé un bel immeuble dont l'atelier occupe tout le dernier étage. A cause de son mauvais caractère, il a la réputation d'être à la fois misanthrope et misogyne. Rien de plus faux. Ses amitiés sont solides, et il sait se montrer généreux non seulement avec des confrères peintres qui pourraient être ses rivaux — il se battra notamment pour que Gauguin, malgré la rude opposition de Monet, entre dans le groupe impressionniste —, mais aussi avec des consœurs qu'il admire sans réticence, sans aucun sexisme — Berthe Morisot, de même que Mary Cassatt comptent en lui un indéfectible supporter. Quant à son art, il exprime quoi qu'on en ait dit la palette des sentiments, sans égoïsme, sans rétrécissement. Degas sait voir le malheur, la détresse dans les yeux et les gestes de ceux qu'il peint, et il sait arracher aux femmes leurs secrets, violents ou délicats.

Comme Renoir, il a une tendresse particulière pour les filles du peuple et leurs petits métiers — les lavandières, les blanchisseuses, les modistes, les couturières sont ses reines à lui. Il aime aussi les peindre à leur toilette, se déshabillant ou rajustant un bas, accroupies dans le tub ou se frictionnant le dos avec un linge, dans des poses qui choquent la pudeur bourgeoise. « Je les montre sans leur coquetterie, à l'état de bêtes qui se nettoient », dit-il. Plus que le Beau, ce vieil idéal, il traque la Vérité — un mot qu'il a constamment à la bouche. Il tient à la disposition des modèles qui défilent dans l'atelier le bric-à-brac nécessaire à ses décors de mansardes, de chambres en désordre : le tub et les jarretières, le miroir, le lit, les jupons, les peignes. Zoé ouvre la porte, mais aucun modèle, aucun trottin n'aura laissé de trace durable dans sa vie. Ses biographes ignorent pour la plupart jusqu'à leur nom.

Quelques exceptions : Mary Cassatt pose pour lui, ainsi que Suzanne Valadon (« ma terrible Maria », dit-il) et il aura tout de même eu un béguin notoire pour une cantatrice, Rose Caron.

Edgar Degas est, avec Berthe Morisot, le personnage le plus mystérieux de l'Impressionnisme. Nul n'a pénétré loin dans son jardin secret.

Amateur d'opéras (il préfère Verdi ou Meyerbeer à Wagner) et de ballets, il fréquente les théâtres, et on le voit après chaque représentation, en gibus, dans les coulisses. Il vient souvent aux répétitions. Il adore les ballerines — danseuses étoiles ou petits rats —, leurs corps tendus ou déformés par l'entrechat, la pointe, le grand écart. Il capte leur exquise délicatesse, les tons nacrés des tutus, mais aussi la violence et l'horreur de leurs exercices. Il veut saisir chacun de leurs mouvements, décomposer la danse en autant de poses et de tempos. Fixer surtout l'expression au moment où elle s'apprête à fuir, capter l'instant. C'est le même goût des corps parfaits et douloureux qui l'amène sur les champs de courses. Familier de l'hippodrome de Longchamp, Degas peint les chevaux comme personne, et les jockeys unis à leurs montures dans le même exténuant effort. Il est le peintre de la danse par excellence. Le peintre du mouvement.

Berthe Morisot l'a connu chez Edouard Manet, à l'époque où Mme Manet mère recevait les jeudis. Il est devenu très proche de sa famille. Il a peint Yves, en pastel — il est sans doute un peu amoureux d'elle, sans le dire. Il fait, de loin, la cour à Edma, qu'il incite chaque fois qu'il la voit à revenir à la peinture. Il a pour Berthe une très grande affection. Et une tout aussi grande admiration. Ce prétendu misogyne prise à sa juste valeur son travail. Il apprécie la conscience professionnelle de Berthe — il a horreur des amateurs. Mais cet as du dessin reconnaît aussi la sûreté et la pureté de son pinceau, la délicatesse et les subtilités de ses couleurs à l'eau.

Pour Berthe Morisot, Degas est un maître bien différent de Claude Monet, auquel d'ailleurs — bien que les deux hommes soient amis — presque tout l'oppose. Chez Degas, le dessin prime la couleur qui obsède et enchante Monet, jusque dans les derniers tableaux où, aux crayons à pastel, il traque le bleu outremer et le jaune d'or sur les derniers tutus des danseuses qu'il peint. Au travail en plein air, à l'observation de la Nature qui sont le credo de Monet, il oppose l'exercice de la mémoire et de l'imagination et nul ne l'a jamais vu peindre ni à l'Opéra ni à Longchamp, ni encore moins dans un champ d'avoine : il crée ses toiles dans l'atelier, où des modèles viennent parfois lui rappeler ce qu'il a vu la veille au-dehors, un étirement de ballerine à la barre, une contorsion du buste poussée jusqu'au martyre, ou un bâillement de spectateur à bouche déployée. Tandis que Monet se veut son propre maître et découvreur, il ne jure lui que par les Anciens et, comme son ami Manet, il a fréquenté le Louvre, et étudié en les copiant les chefs-d'œuvre de Titien ou de Poussin.

Pour Berthe Morisot, Edgar Degas est moins un frère, tel Monet, qu'un père, à la fois sévère et protecteur. Il lui inspire en effet du respect pour sa virtuosité, ses incontestables dons de dessinateur. Elle le trouve « supérieur » et nourrit à son égard une sorte de complexe ou de la timidité. Elle aime sa personnalité sans concessions, son caractère entier, son intransigeance — c'est d'ailleurs de ce nom, « les Intransigeants », que Degas avait rêvé de baptiser les Impressionnistes. N'est-elle pas elle-même une Intransigeante ? Si elle apprécie son coup d'œil, elle craint son jugement. Tandis que Monet la fait rêver, Degas la fait trembler. Car elle a dans son verdict une totale confiance et peur de décevoir un interlocuteur hors pair. Il n'y a pas entre elle et lui cette connivence affectueuse, sinon amoureuse, qui a toujours régi ses rapports avec Edouard Manet, cet autre aîné. Avec Degas, il lui semble qu'elle affronte un juge impitoyable et sûr, que rien ne saura détourner de la vérité. C'est un homme terrible. Aussi lorsque Degas approuve l'une de ses toiles, est-elle au septième ciel !

Il a pourtant pour elle beaucoup de gentillesse, beaucoup d'égards, et malgré ses manies il ne refuse jamais un dîner chez elle. Il faut prendre garde de ne pas l'indisposer : pas de fleurs sur la table, pas de parfums sur la peau, pas de chats dans les parages, Degas a des allergies et des phobies qui le mettent en fureur. Mais il sait être un convive agréable. Il aime bavarder et même rire, et son sens de l'amitié ne peut être pris en défaut. Bien sûr, il a ses colères et il s'est fâché mille fois avec les uns ou les autres. Mais il finit toujours par se réconcilier. Pour Berthe, il n'a jamais un mot ni un regard désobligeants. Elle aime sa maison. Les murs en sont couverts de tableaux : Degas collectionne en forcené. Il possède des Delacroix, des Ingres, des Daumier, des Corot, des Courbet et tant d'autres toiles fabuleuses qu'on se croirait dans un musée. Il a, bien sûr, des Manet, des Fantin, des Puvis, des Monet... et des Berthe Morisot, triés sur le volet. Comme Salvador Dali un jour, il admire Meissonier : pour son coup de crayon, bien sûr.

Berthe Morisot aime les portraits que Degas a peints autrefois, *La Famille Bellelli* et *La Duchesse Morbilli*, *Le Vicomte Lepic et ses enfants*. Contrairement à Renoir, il ne peint jamais sur commande.

Il ne représente que des membres de sa famille, son père, ses sœurs, ses tantes, ou des amis. Elle aime leurs visages graves, leurs regards indifférents, leurs airs désenchantés, leurs bouches qui ne sourient pas. Le pessimisme, l'insondable et pudique tristesse de ces portraits l'émeuvent ; ils touchent en elle le secret des non-dits qui sont une part de sa propre vie.

Elle voue une véritable adoration à ses danseuses comme à ses blanchisseuses et aucune scène, si choquante soit-elle à l'aune des mœurs du temps, ne heurte sa morale : chez Berthe Morisot, l'art est tout-puissant. Il dicte sa loi à l'artiste et chacun est libre de l'exprimer jusqu'au paroxysme. Si elle-même demeure d'une pudeur extrême et travaille dans l'effleurement, dans la caresse furtive, elle n'en admire pas moins le dessin acéré de Degas et prise tout particulièrement ses *monotypes* — ces espèces d'eaux-fortes, qu'il retouche au crayon de couleur et où elle retrouve sa propre recherche de légèreté, son obsession du trait pur.

Qu'aurait-elle dit de ces dessins érotiques que le peintre n'a montrés qu'à de rares amis et qui s'entassent là-haut, transcrits en monotypes, dans les tiroirs d'un meuble de son atelier : femmes tordues par le plaisir, femmes béantes, femmes de sa vie occulte ou de ses fantasmes ? Qu'aurait-elle dit, par exemple, de *La Fête de la patronne* qui esquisse une scène gouailleuse de maison close et montre des femmes nues, aux bas aussi noirs que leur toison pubienne, qui rient et jouent autour de la mère maquerelle ? Toulouse-Lautrec s'en inspirera dans dix ans. Et Picasso, plus tard encore, l'achètera : un des chefs-d'œuvre de sa collection. Mais elle ? Qu'aurait-elle dit du *Client*, du *Salon*, de *L'Attente*..., de leurs sujets scabreux, de leur

Le poète s'a-muse

Pour accéder au quatrième Mousquetaire — le poète du cercle des génies —, il faut passer par une femme légère... Elle s'appelle Nina de Callias. C'est une brune piquante, aux petits pieds. Elle joue du piano, elle compose des poèmes et elle reçoit chez elle jusqu'au milieu de la nuit. Sans être une femme galante, elle compte beaucoup d'amis. Mariée trois ans à peine au critique d'art Hector de Callias, elle a divorcé. Cela la rend scandaleuse.

Libre comme l'air, Nina est une princesse de la bohème. Rue Chaptal, dans l'appartement qu'elle partageait avant guerre avec sa mère, sont venus en habitués Charles Cros qui lui a dédié son *Coffret de santal*, Verlaine qui y a emmené Rimbaud, Villiers de L'Isle-Adam, Cézanne, mais aussi de sulfureux personnages, Gambetta, Jules Vallès ou Raoul Rigault. Compter trop de relations parmi les révolutionnaires lui a valu beaucoup d'ennuis après la répression de la Commune et elle a dû se réfugier quelques années en Suisse. De retour à Paris, installée rue des Moines où elle a aussitôt repris ses habitudes nocturnes, retrouvé ses poètes chéris, relancé ses fêtes, elle a fait la connaissance d'Edouard Manet (vers 1873). C'est Charles Cros qui le lui a présenté.

Devenue son amie, elle vient poser chez lui, rue

de Saint-Pétersbourg, où elle apporte son « capiteux parfum d'été ». Elle s'allonge sur un divan. Derrière elle, sur une tenture à motifs de fleurs et d'ibis, Manet a accroché des éventails japonais. Elle porte un boléro noir brodé d'or sur une ample jupe noire et des mules orientales. Elle a un air mutin, une plume fièrement plantée dans le chignon, la frange noire sur les yeux de braise. Parée comme une gitane, à la fois opulente et vulgaire, elle esquisse un charmant sourire. Tout Paris, du moins le Paris qui s'intéresse à la peinture, est bientôt au courant... Inquiet que son patronyme puisse être associé à un nouveau scandale d'*Olympia* — fût-ce version *vestida* —, Hector de Callias écrit à Manet : « Madame Nina Gaillard a fait peindre son portrait par vous, ce dont elle a le droit, à condition que ledit portrait ne sorte pas de chez elle ou de votre atelier. » Gaillard est le nom de jeune fille de Nina, qui se fait aussi appeler Nina de Villard, du nom de sa mère. Nina, ou la femme sans nom... Manet baptisera son portrait *La Dame aux éventails* (1874, aujourd'hui au musée d'Orsay). De fait, jusqu'à sa mort, le tableau ne quittera pas son atelier. Il ne sera jamais exposé. C'est Berthe Morisot — Berthe, bien sûr, n'aura jamais croisé Nina rue de Saint-Pétersbourg, leurs deux mondes ne cohabitent pas — qui l'achètera lors d'une vente publique. L'un des plus beaux Manet de sa collection, sa fille en fera don au Louvre en 1930.

Mais pour l'heure, Nina est bien vivante. Et c'est par elle que le quatrième Mousquetaire, celui qui n'est pas peintre, mais poète, poète méconnu, s'apprête à entrer dans le cercle des génies. Stéphane Mallarmé a connu Nina Gaillard avant son mariage, une jeune fille délurée qui ne craignait pas de se promener en forêt de Fontainebleau, en compagnie de jeunes gens sans fortune ni avenir, bohèmes pour la plupart. C'était en 1862. Le meilleur ami de Mallarmé, qu'il avait connu par un camarade de collège (Emmanuel des Essarts), s'appelait alors Henri Regnault. Il était peintre — il sera tué en 1871, à Buzenval — et connaissait Nina. Il a entraîné Mallarmé dans une promenade dans les bois. Et Mallarmé est tombé amoureux de Nina. Tout le monde tombait toujours amoureux de Nina... Il souffrira de son mariage avec Hector de Callias. Il fréquentera son salon, rue des Moines, à son retour d'exil, quand il sera lui-même redevenu parisien, après de longues années passées en province. Et c'est rue des Moines qu'il rencontre Manet. Probablement à la date où celui-ci peint Nina aux éventails.

En 1874, loin lui paraissent déjà ses premiers poèmes, *L'Azur* ou *Las de l'amer repos*, que la musique baudelairienne a inspirés, vieux de dix ans déjà. Il travaille à sa tragédie d'*Hérodiade*, et publie de-ci de-là, dans des revues à tirage limité, des vers énigmatiques. Mallarmé a de la poésie une conception si haute, si noble, qu'elle s'exprime par des mystères, par un ésotérisme : nul n'est censé ouvrir si tôt la porte des horizons infinis. De 1875 à 1885, il peaufine en secret ses chefs-d'œuvre, n'offrant ses plaquettes, la plupart imprimées à compte d'auteur, qu'à de rares amateurs, de plus rares encore connaisseurs. *Le vierge, le vivace et le bel aujourd'hui,* avant d'emballer toute une génération, stupéfie ses quelques lecteurs éclairés et *Quelle soie aux baumes du temps...* cherche encore ses décrypteurs.

Professeur d'anglais pour gagner sa vie, Stéphane Mallarmé enseigne au lycée Fontanes (aujourd'hui Condorcet), où il est régulièrement victime du chahut de ses élèves. Après avoir vécu à

Tournon, à Besançon, à Avignon, il habite maintenant rue de Rome, dans ce quartier de l'Europe, cher aux artistes d'alors, un appartement modeste (numéro 89) qui n'a pas le charme des ateliers, mais où il ne va pas tarder à célébrer des messes. Messes de l'amitié, messes de la poésie. Poète, avec une vocation de gourou, il distille ses vers à quelques amateurs passionnés qui l'appellent leur Maître. Mais devant Manet, il est toute modestie et toute timidité. Ebloui par l'art de celui qu'il est alors un des rares écrivains à considérer comme un génie, il tient pour un privilège de le connaître et se montre très assidu à le fréquenter.

C'est un homme élégant, raffiné, et « d'une douceur inflexible » (selon Anatole France). Ses bonnes manières, son comportement effacé cachent le tourment qui le dévore. « Je chanterai en désespéré », a-t-il confessé. L'art est sa plus grande souffrance. L'idéal de poésie le fuit et, à travers incantations, suppliques, monologues, il poursuit le rêve inaccessible de l'Œuvre. Avec Berthe Morisot, sa sœur en pessimisme, il partage la peur de ne pas être à la hauteur de l'idéal, la souffrance de poursuivre de trop belles chimères. Plus d'une fois, son démon qui lui fait chercher pendant des nuits entières le mot juste, le rythme adéquat, la rime qui le surpassera, trouve un écho dans les cauchemars de Berthe, toujours dans la crainte de se trouver en défaut d'un regard ou d'un trait de la main, pour saisir ce qui lui échappe : cet instant qui passe, ce rayon de soleil, cette ombre sur les arbres du jardin.

En rentrant du lycée, chaque jour en fin d'après-midi, Stéphane Mallarmé a l'habitude, avant de remonter chez lui, de passer un moment à l'atelier de Manet. Il vient boire un verre, fumer un cigare, bavarder et se détendre dans cette atmosphère de garçon où les tableaux, les fleurs, et le parfum des modèles l'enchantent. Rue de Rome, l'appartement qu'il partage avec son épouse et leurs deux enfants sent plutôt le chou... au dire de ses disciples mêmes (Henri de Régnier, Paul Valéry, Pierre Louÿs unanimes). Edouard Manet lui demande de poser. En 1876, il peint un Mallarmé encore jeune (trente-quatre ans), la moustache à la gauloise, assis de guingois sur un canapé, la main gauche dans la poche, la main droite tenant un cigare, posée sur la page blanche d'un livre. Derrière lui, on reconnaît la même tenture à motifs de fleurs et d'ibis que Manet avait choisie pour *La Dame aux éventails* — mais sans les éventails. Comme si Manet avait voulu rappeler les origines de leur amitié, ou replacer son ami poète sous l'influence et les séductions secrètes de leur commune muse.

Baudelaire est mort, Emile Zola prend ses distances avec le groupe des Impressionnistes... Mallarmé assure la défense d'un peintre toujours en proie aux critiques les plus virulentes. Dès le 12 avril 1874, de sa plus belle plume il écrit un plaidoyer pour Manet dont le Salon vient de refuser *Le Bal de l'Opéra* et *Les Hirondelles* — c'est l'année de l'exposition chez Nadar. Publié dans *La Renaissance artistique et littéraire,* il officialise son entrée dans la famille impressionniste. Mallarmé va bientôt connaître toute la bande, et en particulier Berthe Morisot à laquelle le lieront jusqu'à la mort les liens d'amitié les plus tendres. Deux ans plus tard, dans une revue anglaise, que ne lisent que de rares abonnés, *The Art Monthly Review,* il récidive, dans la langue de Shakespeare, professant une nouvelle fois son admiration pour « *The Impressionists and* Edouard Manet » — c'est le titre de son article. Il s'est trouvé une famille et il milite en sa faveur. Il ne déploiera jamais autant d'énergie ni d'amour pour aucun des poètes qu'il reçoit chez lui et auxquels il voue pourtant une attention toute paternelle. Ainsi que le fera remarquer Henri de Régnier, l'histoire de la peinture se concentre et aboutit pour lui à la personne d'Edouard Manet, auquel il voue une vénération sans bornes.

Cette amitié sera l'occasion d'une collaboration intéressante entre les deux hommes. A la demande du poète, le peintre accepte en effet d'illustrer sa traduction du *Corbeau* d'Edgar Poe, puis *Annabel Lee*, de lavis à l'encre de Chine. Il donnera à Mallarmé une merveilleuse aquarelle pour sa *Cité en la mer* et quatre gravures sur bois pour *L'Après-Midi d'un faune*, poème que Debussy mettra en musique. Jusqu'à la mort de Manet, les deux hommes sont inséparables, comme seront inséparables jusqu'à sa propre mort Stéphane Mallarmé et Berthe Morisot.

Avec Berthe, le ton est plus à la légèreté. Mallarmé lui envoie des petits mots pleins d'esprit, il cherche à l'amuser quand elle est triste, il lui fait toutes sortes de compliments — mais il est son ardent défenseur. Le premier homme qui s'engage à la défendre publiquement, et le premier critique d'art à ne pas établir de hiérarchie entre ses confrères peintres et elle, qui n'est qu'une femme. Pour Mallarmé, et contrairement à Manet qui est beaucoup plus traditionnel dans sa conception du génie féminin, il n'est aucun sexisme dans l'art. De même qu'il réfute toute discrimination entre les genres — majeur et mineur — de l'art, il est prêt à se laisser éblouir par une femme dont l'émeuvent la vision, les rêveries et la technique. Il l'explique à sa manière, toujours compliquée et très sophistiquée. De Manet, l'étonne surtout

« une ingénuité virile de chèvre-pied au pardessus mastic... ». De Morisot : « La magicienne tout à l'heure obéit à un souhait de concordance qu'elle-même choya, d'être aperçue par autrui comme elle se pressentit. »

Caustique, le peintre lui demandera un jour de s'adresser à elle « comme à sa cuisinière ». C'est-à-dire en mots simples et directs. Sans ces contorsions de poète. C'était ignorer que Mallarmé s'adressait en poète au monde entier, y compris à sa cuisinière. Il ne pouvait tout simplement pas s'exprimer autrement qu'à travers ces figures, ces images, ces jeux de mots savants, ces allitérations, ces consonances. « Personne n'a parlé comme lui », dira Paul Valéry. Berthe s'en amuse. Elle tient beaucoup à ces petites missives qu'il lui adresse et qu'elle collectionne — parfois une adresse, sur une enveloppe, rédigée comme une énigme, dut poser quelques soucis au facteur !

> *Apporte ce livre quand naît*
> *Sur le Bois l'Aurore amaranthe*
> *Chez Madame Eugène Manet*
> *Rue au loin Villejust quarante.*

Il en envoie de pareilles, rédigées de son écriture alambiquée, à Monsieur Whistler, « Rue antique du Bac 110 », à Monsieur Monet « que l'hiver ni l'été sa vision ne leurre », à Monsieur Renoir « qui devant une épaule nue broie autre chose que du noir » ou à Monsieur Degas qu'il fait rimer avec « syringas ». Personne n'échappe à ses petits mots malicieux. Pour Berthe, Mallarmé trouvera encore cette rime à Eugène Manet — « planait »...

Comme Monet, comme Degas et Renoir, Mallarmé vouvoie cette amie artiste et l'appelle « Madame ». Elle ne sera jamais Berthe pour aucun d'eux. Lorsqu'ils parlent entre eux du peintre, ils parlent de « Berthe Morisot », comme si c'était un seul mot. Lorsqu'ils évoquent sa vie privée et familiale, lorsqu'ils lui écrivent, ils citent « Madame Manet » — son nom de femme. Ils ne se permettent aucune familiarité. Ils dînent chez elle presque chaque semaine, pendant des années. Ils exposent ensemble. Ils mènent ensemble un même combat au nom d'un même idéal. Ils aiment les mêmes gens, les mêmes choses, les mêmes couleurs du ciel. Ils ont les mêmes valeurs morales, le même goût du risque. Mais jamais ils ne se tutoient. Pour elle, ces meilleurs des amis ne sont ni Claude, ni Edgar, ni Auguste, ni Stéphane. Mais indifféremment chacun et avec beaucoup de respect, « Monsieur ».

Les femmes que l'on tutoie sont d'un autre monde. Mallarmé est à tu et à toi avec Nina de Callias, comme Manet et comme tous les amis de la belle séductrice. Il tutoie également la dernière égérie de Manet, qui deviendra bientôt la sienne : Méry Laurent — une pulpeuse blonde, riche comme Crésus, depuis que l'entretient le docteur américain Evans (ex-dentiste de Napoléon III). Elle s'est fait connaître en apparaissant nue sur la scène du Châtelet, dans une conque d'or, pour figurer Vénus dans *La Belle Hélène*. C'est une mauvaise actrice, mais une excellente amie. De Nina à Méry, le chemin de Mallarmé passait étonnamment par Berthe Morisot, qui a une vie aussi sage (et même plus sage) que la sienne et le fait rêver mais autrement, avec son parfum acide et ses crayons de couleur.

Berthe eut-elle vent de la liaison d'Edouard Manet avec cette Méry Laurent, qu'il connaît depuis 1876 et qu'il va peindre comme il l'a peinte elle jadis ? Il y aura sept pastels de la jeune femme, au carlin, à la voilette, au grand chapeau, à la toque de loutre, au chapeau fleuri, et de profil. On la voit s'accouder à la rampe, en blanc à l'arrière-plan, parmi les clients, dans le miroir du *Bar des Folies-Bergère*. Mais elle est surtout, altière et mûre à point, superbe sur ce portrait qu'elle léguera à sa ville natale et qu'on peut voir aujourd'hui au musée de Nancy : *L'Automne*. Elle y paraît, vêtue d'une somptueuse pelisse de Worth, de couleur fauve, qu'aimait, paraît-il, Manet, sur le fond d'une tenture à fleurs qui rappelle celle utilisée déjà pour Nina et pour Mallarmé, mais en plus bleu, en plus joyeux. Sur ce fond turquoise, Méry, qui est venue poser dans l'atelier transporté rue d'Amsterdam, ressemble à une grosse fleur épanouie. Elle irradie le confort, le sucre et le lait. Elle a la poitrine abondante, à la mesure d'un cœur énorme. Car elle déploie beaucoup de gâteries, beaucoup de tendresse pour ses amis. Elle sera aux petits soins pour Manet, jusque dans les derniers jours, envoyant chez lui sa servante, Elisa, chargée de brassées de fleurs afin qu'il puisse continuer à peindre dans son lit de malade... Manet appelle Méry « Mon gros oiseau ».

Quant à Mallarmé, qui est fou d'elle, il l'abreuve de poèmes de circonstance et trouve qu'elle rend « toutes les robes roses » — la couleur de son teint. Son vrai prénom, que le docteur Evans a américanisé, est d'ailleurs Marie-Rose. Mallarmé préfère l'appeler « Mon petit paon ». Elle habite rue de Rome, à quelques pas de chez lui, mais elle passe beaucoup de temps boulevard Lannes, dans une maison tendue d'andrinople rouge, la Villa des Talus. Elle a fait graver sur la façade ces vers de son ami poète, d'un style inimitable :

> *Ouverte au rire qui l'arrose*
> *Telle sans que rien d'amer y*
> *Séjourne, une embaumante rose*
> *De jardin royal est Méry.*

Leur préfère-t-on ces deux autres ?

> *Heureux pour qui, souriante et farouche*
> *Méry Laurent met le doigt sur la bouche.*

Mallarmé vient muser et s'a-muser en sa compagnie. Il lui donne des conseils de décoration et
il choisit ses robes et ses chapeaux. C'est un spé-
cialiste ès frivolités. Pendant un an (1874-1875), il
a rédigé à lui seul toute une revue qui traite de *La
Dernière Mode*. Il continuera à rendre visite
chaque jour à sa muse, même lorsqu'elle lui pré-
férera, pour d'autres amours, le musicien Rey-
naldo Hahn. Elle aime les artistes : Marcel Proust,
qui est un ami de Hahn, fréquente lui aussi sa Villa
des Talus. Il immortalisera Méry en Odette de
Crécy, dans *Un amour de Swann*. Mais c'est à un
neveu de Mallarmé, lui-même romancier à scandale, qu'elle léguera sa fortune : l'auteur de *La Gar-
çonne* (1922), Victor Margueritte, son dernier
coup de cœur et son dernier protégé. Ce portrait
d'une femme de la nouvelle génération, qui a
coupé ses cheveux et ses jupes et prétend vivre
comme un garçon, est l'exact contraire de ce
qu'elle fut — esclave et reine, avec ses perles et ses
bras nus, ses longs cheveux, ses corsets, ses
pelisses.

« Mon gros oiseau », « Mon petit paon »... Personne n'a donné de ces surnoms à Berthe. Pour
son mari même, elle est « ma chère amie » — son
nom le plus doux.

elle est aussitôt baptisée — « baptisée et vaccinée, écrit Berthe. Voici deux bonnes corvées accomplies ». Edouard Manet est son parrain, en même temps que Jules de Jouy, un avocat, cousin des frères Manet.

Berthe ne se lasse pas de détailler la physionomie de Julie, elle demeure des heures près d'elle à l'observer, comme l'un de ces paysages qu'elle aime peindre. « C'est un petit chat, écrit-elle à Edma. Elle est toute ronde comme une boule avec des petits yeux qui pétillent et une grande bouche qui grimace. » Cherchant en elle des ressemblances, « elle est Manet jusqu'au bout des ongles ; elle est déjà comme ses oncles, rien de moi. » Ses oncles ? Edouard et Gustave, bien sûr. Elle est trop ronde et trop rose pour ressembler à Eugène.

Peu à peu la vie se réorganise et la peinture retrouve sa place, toujours la première mais désormais en partage. Le bébé va grandir près du chevalet de Berthe, un chevalet tout neuf qu'Edouard Manet lui a offert, « très commode pour le pastel », pour le nouvel an 1879. Bibi dort ou gazouille, tandis que sa mère peint. Elle pleure rarement ; est-ce de sentir près d'elle, sans relâche, cet amour maternel qui lui communique sa chaleur ? Ou de deviner près de son berceau cette femme en paix, silencieuse, tout occupée à travailler et à donner le meilleur d'elle-même ? Berthe Morisot a changé. La naissance de son enfant l'a apaisée. On la dirait, cette femme tendue et angoissée, réconciliée avec elle-même. Les traits de son visage sont moins émaciés, ses yeux moins cernés. Comme si la maternité donnait à Berthe son épanouissement et lui laissait deviner ce que peut être le bonheur. Le sentiment de plénitude, qui l'a toujours fuie jusqu'alors, c'est l'enfant qui le lui offre. Il va changer sa conception de la peinture et, venue du plus profond d'elle-même, lui ouvrir une voie vers la maîtrise de son art, vers une expression encore plus juste, encore plus personnelle.

Berthe ne se sépare jamais de sa fille. La mère et l'enfant vont vivre chaque instant côte à côte pendant dix-sept ans — jusqu'à la mort de Berthe. Et Berthe va peindre chacun de ces instants, fixer sur la toile chacun de ces bonheurs uniques, faire de sa peinture un hymne à l'enfant. Elle peindra Julie à tous les âges et dans toutes les situations, dehors, dedans, seule ou en compagnie, dormant, jouant... Au total, quelque soixante-dix toiles de Berthe figurent Julie, sans compter les pastels, les aquarelles, les fusains ! Elles retracent une histoire, celle d'un amour heureux.

De premières têtes de Julie au pastel — elle a quelques semaines à peine — révèlent un nourrisson encore fripé sous son bonnet de dentelles. La première huile qui la représente la montre au sein de sa nourrice, Angèle, qui restera près de trois ans chez les Morisot, jusqu'à l'arrivée d'une domestique, Pasie, qui assumera tous les rôles, cuisinière, femme de ménage et bonne d'enfant. Angèle est une grosse femme que Berthe Morisot a voulu peindre dans le jardin, sur un fond de verdure acidulée. Elle a ouvert son corsage sur le sein gauche. Gonflé de lait, éclairé d'une lumière blanche, il est plus rond et plus volumineux que la tête de l'enfant posée contre lui. Ce tableau est une *Maternité*, traitée au quotidien : réaliste, avec cette grosse dondon sans grâce qui remplace les élégants modèles à la minceur de sylphide auxquels Berthe Morisot nous a habitués, il montre non pas une mère mais une nourrice allaitant. La mère, elle, ne donne pas le sein. Elle tient les pinceaux. Son rôle est autre. Pour peindre son enfant, elle a besoin de cette distance entre le modèle et la toile. Mais elle est, invisible pour nous, une présence stable et solide, dont le regard ne s'éloigne jamais.

Pas de mièvreries chez Berthe Morisot. Mary Cassatt, qui ne sera jamais mère, se fait déjà une spécialité de ces tableaux de mères et d'enfants, de leurs câlins, baisers, enlacements. Elle est dans ce genre beaucoup plus traditionnelle que Berthe, et beaucoup plus sentimentale. Chez Berthe Morisot, pour la première fois, l'enfant n'apparaît pas comme un jouet, comme une marionnette, ou comme un ornement dans un monde d'adultes. Il est peint pour lui-même. Il existe. Il est une personne. Le peintre porte sur lui le même regard que sur un modèle adulte. Il capte la moindre nuance de l'expression, l'ombre et la lumière de sa vie. Sur toutes les toiles où elle a représenté des enfants — Julie, ou d'autres jeunes modèles qui viennent encore accroître le nombre de ses tableaux dédiés à l'enfance (il doit y en avoir une centaine) — on sent très bien cet amour de Berthe Morisot. Et, phénomène complètement neuf alors, son respect de cet âge.

Iridescent, son pinceau n'est jamais plus subtil, plus troublant, que lorsqu'elle peint l'enfance. Si on les regarde attentivement, tous ces enfants qui défilent sur ses toiles, de Julie au petit Marcel (Marcel Gobillard, à trois ou cinq ans, le fils d'Yves) en passant par Paule, Jeanne et Blanche, ses nièces, mais aussi par de petits modèles anonymes ou quasi inconnus, Rose ou Lucie, Marthe ou Cocotte, presque toujours des filles, on perçoit dans les portraits les plus exquis et les plus souriants, hors l'innocence ou la naïveté — sujets bateaux, a priori, de l'enfance —, leur profonde fragilité et parfois leur air de souffrance, comme si l'enfant était toujours, dans toutes les classes sociales, une victime en puissance. Devant ces petits modèles, Berthe Morisot laisse percer son inquiétude — cette inquiétude éternelle de la mère face à la vie qu'elle a donnée.

La relation mère-fille devient le pilier de l'existence du peintre. Une grande paix s'installe dans la famille, soudée autour de l'enfant-reine. Berthe élève Julie avec plus de sévérité que d'indulgence. Elle établit une discipline qui règle la vie de sa fille sur la sienne ; mais en même temps elle réforme la sienne, et elle apprend à voir le monde à travers les yeux de sa fille. Elle retrouve des sensations perdues. L'enfant élargit ou approfondit son champ de vision, l'empêche de se figer dans des principes ou dans des habitudes. Julie interroge sans cesse, et Berthe tâche de répondre, sans fuir, sans mentir, aux questions les plus abruptes, les plus déconcertantes.

Le bébé grandit, devient une petite fille enjouée et rieuse, qui apprend à marcher dans les jardins où peint sa mère, de l'arbre qu'elle veut représenter au chevalet où il figure. La peinture n'est pas un simple décor. Chez les Manet-Morisot, c'est la vie même. Et chez Berthe, une passion vécue au jour le jour, qu'elle a l'intention de faire partager à Julie.

Voici Julie faisant ses premiers pas « dans les roses trémières ». La voici assise « avec Pasie dans le jardin », ou jouant avec ses jouets préférés, « Julie et son tonneau », « Julie et sa poupée ». Les années passent. La petite fille a bientôt l'âge d'aller se promener au bois de Boulogne : on la voit, debout au bord du lac, lancer du pain aux cygnes ou se promener en barque avec Pasie. La voici « faisant des pâtés de sable », sur une plage, l'été. La voici avec sa perruche. Avec son premier chien, un minuscule bichon blanc tout bouclé. A la campagne, avec sa chèvre, baptisée Colette. En 1885, un très joli tableau, intitulé *La Leçon de couture*, la montre, encore avec Pasie, penchée sur l'ouvrage que tient la bonne et tout appliquée à la regarder. Elle tourne le dos à la fenêtre. Sur d'autres toiles, on voit Julie ranger ses jouets dans la véranda, en tablier rouge, bâiller près d'une fenêtre, arranger les rideaux. Elle s'ennuie au piano, bâille là encore et somnole à demi au-dessus du clavier. On la voit bientôt rêver, lire et puis écrire penchée sur son cahier, un grand nœud bleu retient ses cheveux. L'œuvre de Berthe Morisot ressemble à un album de photographies familiales. Le souvenir des jours anciens demeure dans ces toiles qui retiennent la douceur des jours.

Voici Julie avec son père. Eugène et Julie sont assis sur un banc de bois, dans le jardin. Eugène Manet porte un chapeau de paille, il a le dos voûté, il semble très fatigué. Sur une première toile, il bavarde gentiment avec sa fille, sur une seconde il lui fait probablement réciter une leçon, une fable, ou bien lui apprend à lire. Il semble doux, patient. Le pinceau de Berthe s'attarde sur cette scène intime, sur ce secret d'un père et de sa fille. Elle a moins de hâte, moins de fébrilité à saisir cette image, elle s'y complaît. Les visages, les mains, les gestes sont d'une précision extraordinaire et le jardin lui-même, qui apparaît souvent comme un fond de verdure dans son œuvre, s'anime et se précise. On dirait que Berthe a voulu fixer le moindre détail. Alors qu'elle recherche de plus en plus l'évocation, l'esquisse, elle a exceptionnellement retracé ici, sous une lumière intense, une page de sa vie. Le lien passionné ou passionnel qui unit Berthe à sa fille n'exclut pas Eugène. Le père a trouvé sa place entre les deux femmes, sur lesquelles il veille et dont il partage l'intimité. Le féminin l'emporte dans le foyer, où Eugène représente la minorité. Une minorité passive et consentante, parfois bougonne, souvent plaintive et lasse, mais dévouée. Il n'exerce pas l'autorité. Le couple a trouvé une harmonie dans son enfant, qui concentre leur amour et les rapproche encore.

Julie est une jeune fille longue et mince, avec d'abondants cheveux châtains où dansent les reflets roux des frères Manet. Elle a des attaches fines, des gestes gracieux et dans toute sa personne des airs de jeune chatte, espiègle et élégante. Très bien élevée, mais timide et même un peu sauvage, elle n'a jamais quitté les jupons maternels. Elle vit dans le cocon. Ses amies sont ses cousines, les filles d'Yves et d'Edma. Ses seuls amis, les amis de ses parents, car elle assiste dès son adolescence aux dîners comme aux réceptions. Elle connaît donc Renoir, Degas, Monet et Mallarmé, toute la bande en somme. Elle rit de leurs bons mots, s'amuse de leurs farces ou de leurs caresses, et voit en eux, ces vieux messieurs à barbes, des oncles ou des parrains. Ce sont les bons génies du foyer. Ils l'appellent Julie ou Mademoiselle Julie. Elle leur dit « Monsieur », bien entendu.

> *Sur Pégase si bien en selle*
> *Où que vous jette son élan*
> *Restez Bibi, Mademoiselle*
> *Julie, avec le nouvel an*

lui écrit Mallarmé, dont on aura reconnu l'écriture alambiquée. Ou encore :

> *Ici même l'humble greffier*
> *Atteste la mélancolie*
> *Qui le prend d'orthographier*
> *Julie autrement que Jolie.*

Et voilà comment elle grandit. Entre « l'hommage ému de vieux messieurs » (dixit Mallarmé) et l'amour fou quoique distant de ses parents, elle mène une vie tranquille et ordonnée, dont l'axe est le totem de l'art. Peinture, poésie, musique : il n'est ni d'autre intérêt ni d'autre sujet de conversation, chez les Manet. Sa mère l'emmène aux concerts et aux musées. Julie apprend le piano, la flûte, le violon et même la mandoline — *Julie au violon* et *Julie à la mandoline* sont deux splendides Morisot. Très tôt, Berthe Morisot entraîne sa fille à peindre près d'elle, elle lui enseigne les rudiments du dessin et de la couleur. Julie n'aura ni maître ni maîtresse d'école. Tout ce qu'elle sait — lire, écrire ou peindre, jouer de la musique —, elle l'aura appris à la maison. On assiste très tôt à cette scène qui deviendra familière aux amis de la famille : la mère et la fille peignant côte à côte sur le même motif. Julie suit des yeux le pinceau de sa mère, reproduit sur la toile les mêmes couleurs. Elle travaille en osmose. Parfois, pour s'entraîner, elle copie un Morisot. Un jour, elle tâchera de copier « Bon-Papa et Bonne-Maman par l'oncle Edouard », c'est-à-dire *Les Parents de l'artiste* d'Edouard Manet ! Elle ne sort pas de la famille.

Pour Noël, elle reçoit des crayons de couleur. Alors, Berthe se met à dessiner elle aussi aux crayons. Encouragée par Degas, un maître dans ce domaine, elle découvre les mille possibilités qu'offre le matériel le plus pauvre : un crayon rouge, un bleu, un jaune suffisent pour exprimer l'un de ces moments fugitifs qui sont le meilleur de la vie — un souffle de vent sur une fleur, un sourire d'enfant, une aile de papillon. Julie a bientôt son propre matériel : un chevalet et un tabouret à sa taille, une boîte de vraies couleurs. Elle s'exerce à l'aquarelle avec sa mère, qui a instauré avec amour une discipline de fer. La mère et la fille passent leur vie à peindre... Même en déplacement, même en vacances, même en visite chez les Mallarmé, dans leur maison de campagne, il ne se passe jamais un jour sans peindre. Ainsi, alors qu'elles partagent toutes deux la même chambre de l'hôtel de Valvins-les-Bains, s'installent-elles à leur fenêtre qui a vue sur la Seine (il pleut dehors) pour peindre en attendant leur hôte, qui vient les chercher en calèche avec sa fille (Geneviève). Le matin, quand il fait beau, elles travaillent dans le jardin, quand il fait froid ou qu'il pleut, dans le salon ou dans la chambre. Mme Morisot n'est plus là pour protester contre le désordre ou se plaindre que sa fille ne fait que cela... Peindre et toujours peindre...

Edouard Manet fera un portrait de Julie, en 1882 : *Julie sur l'arrosoir*. Degas, plusieurs esquisses. Renoir peindra deux grandes toiles : l'une, *Julie Manet au chat*, est un ravissant portrait de la fillette, à dix ans. L'autre, *Berthe Morisot et sa fille*, en 1894, un tableau de ce couple uni, inaltérable, que forment la mère et la fille. Côte à côte, le bras de Julie, debout, entourant tendrement l'épaule de Berthe assise, les deux femmes, l'une encore très jeune, l'autre déjà vieille, sont comme deux versions de la même personne, en des âges différents. Julie porte une robe blanche et un chapeau assorti, coquet. Berthe est en noir, de profil, songeuse. Il y a de la tristesse dans les yeux de Julie.

Sur un tableau de Berthe, la jeune fille apparaît, tout juste un an avant, négligemment assise sur un canapé et caressant Laërte, le lévrier que Mallarmé lui a donné. Une levrette, en fait. Le tableau est au musée Marmottan. Julie y a ce même regard sérieux, rêveur, qui la caractérise et Mallarmé a raison de dire que son prénom rime avec Jolie. Elle a déjà son air de tristesse, elle porte une robe de deuil. Cette jeune fille rieuse, que la vie a beaucoup gâtée, et qui a passé les premières années de son existence si sage, la plus grande part de sa jeunesse, à peindre et à jouer de la musique, à cueillir des fleurs, des cerises ou des pommes, à lire des poèmes et à visiter des musées, cette jeune fille qui a tout pour être heureuse, éprouve très tôt le sentiment d'une menace qui pèse sur elle — le pressentiment du malheur.

En la faisant figurer sur l'un des autoportraits qu'elle commence vers les années 1885, Berthe Morisot semble vouloir rappeler que sa fille est d'elle inséparable. Inséparable même d'un autoportrait. Près de sa figure en buste, imposante et sévère, la fillette, quoique effacée, rayonne de jeunesse. Elle ne sourit pas, elle regarde sa mère, qui regarde elle-même en direction du peintre — c'est-à-dire soi. Comme sur le tableau de Renoir, qui lui est postérieur, leurs deux regards ne se croisent pas. Il existe plusieurs versions de ces autoportraits, qui sont aujourd'hui dans des collections privées : trois *Berthe Morisot à la fenêtre avec sa fille* et ce *Portrait de Berthe Morisot et de sa fille*, mais sur aucun elles ne regardent ensemble dans la même direction. Comme si la vie devait absolument les séparer et elles, déjà, s'y préparer.

Pourtant, une fois n'est pas coutume, le plus beau portrait de Berthe et de sa fille, ce n'est pas Berthe qui l'a peint. Ce n'est peut-être même pas Renoir, avec son pinceau si sûr, ses couleurs vives et franches. Mais c'est Eugène Manet. Sur un fond bleu turquoise comme la mer, dans une atmosphère fœtale, il a simplement tracé, au pastel, leurs deux têtes chéries. Julie doit avoir un an ou deux. On devine qu'elle est dans les bras de sa mère. Berthe, penchée en arrière, la contemple avec adoration. Julie ne sourit pas — elle ne sourit jamais sur aucun de ses portraits. Eugène a uni les deux têtes dans une sorte de nuage — des traits de crayon blanc, qui ajoutent de la transparence mais aussi une unité. On dirait les deux têtes d'un même corps. C'est une modeste étude. Elle a beaucoup de grâce et, surtout, elle diffuse une immense tendresse. Elle pourrait s'appeler « Un amour de mère ». Eugène a été exceptionnellement inspiré. Sa manière évoque à s'y méprendre le style de son épouse. Comme Julie, il imite son trait de pinceau, il peint dans ses couleurs. Mimétisme de l'amour : il s'essaie même à son art de l'esquisse et à ses transparences. Sur cette étude, Berthe Morisot doit avoir trente-huit ou trente-neuf ans. Et cela surprend : la belle jeune femme à la chevelure de jais des tableaux de Manet a blanchi. Comme une très vieille femme, elle a une chevelure de neige.

Les maisons du bonheur

C'est donc une famille où tout le monde peint : la mère, le père, la fille, les oncles, les tantes, les cousines, les nièces... Qui ne peint pas vit au rythme de la peinture, dans cette atmosphère spéciale des maisons d'artistes. L'odeur de l'essence se mêle à celle de la cire ou des gigots qui mijotent ; les meubles, les nappes, les vêtements portent des traces de couleur indélébiles et même la poussière, ailleurs blanche ou grise, se paillette de rose ou de bleu. Il est impossible de ne pas avoir soi-même les doigts un peu salis de quelques grains de cobalt ou de terre de Sienne, mais quelqu'un vous tend aussitôt un chiffon. Il y en a dans toutes les pièces, dissimulés dans un tiroir ou derrière un bibelot.

Dans ces maisons où l'on peint, il faut avoir de la place. Le matériel de l'artiste est imposant : chevalets, pliants, boîtes de couleurs, pots à pinceaux et à fusains, palettes, toiles de divers formats, cadres que l'on s'échange. Tout ne se range pas dans un placard. Le bric-à-brac du peintre distingue la famille du décorum bourgeois. Il y a bien ici des meubles Empire, des lustres d'Italie, de profonds sofas et des boîtes à cigares, mais l'air que l'on respire, comme si on s'était trompé d'adresse, a un parfum de bohème. Quoique Berthe ait toujours respecté les préceptes de rangement que lui a inculqués sa mère et qu'elle s'efforce de transmettre à son tour à sa fille, son métier a fini par envahir sa maison. Les commodes du salon servent de support aux divers ustensiles et le chevalet reste déployé le jour. Si les toiles en cours de réalisation sont ôtées chaque soir et remises au placard, on ne déplie plus le paravent que lorsqu'on a de la visite. Quand on est entre soi — père, mère et fille —, on vit au milieu des esquisses et des tableaux inachevés. On suit le travail, on le voit se faire. On est autant artisan qu'artiste.

Tout ce matériel encombrant, qu'on emporte même en voyage en essayant de l'alléger sous forme de carnets de croquis, de cahiers d'aquarelles, de toiles de petits formats et de chevalets de campagne, dicte le choix des maisons. Les appartements sont loués pour leur clarté, leur orientation au nord qui tamise la lumière et permet de travailler à toutes les heures du jour, enfin pour leur espace — on espère, à défaut d'atelier, pouvoir jouir d'une belle et vaste pièce qui permet de travailler l'hiver ou, en toute autre saison, d'achever une toile commencée en extérieur. Les chambres ont moins d'importance que cette pièce à vivre et à peindre : le cœur du foyer. Les Eugène Manet habitent successivement rue Guichard, l'ancien appartement de Mme Morisot, puis 9 rue d'Eylau (aujourd'hui avenue Victor-Hugo), près de l'Etoile, un appartement où naît Julie. Jusqu'alors locataires, en 1881, ils décident d'acheter un terrain non loin du bois de Boulogne, rue de Villejust, et d'y faire construire un hôtel. Ils contractent une dette auprès de leur banque — la Banque de Lyon — et vont pendant deux ans consacrer beaucoup de temps à ce projet. C'est Eugène Manet qui suit les travaux d'architecture puis de décoration.

Berthe, consultée sur les points essentiels, se décharge sur lui de la plupart des soucis. Pourtant Eugène appelle leur maison « sa » maison — la maison de Berthe. C'est elle qui l'a voulue, choisie, rêvée. Elle aura quatre étages — ils n'en occuperont que deux, loueront les deux autres pour s'assurer ainsi quelques revenus — et un jardin.

« Grande activité dans *votre* maison de la rue de Villejust, écrit Eugène à sa femme, en 1882. On fait les stucs et on apporte les parquets. Elle a assez bon aspect. Les balcons font ventre dans la rue et la terrasse couronne bien la bâtisse. L'écusson au-dessus de l'atelier est manqué faute de pierre. Les autres sculptures sont simples et assez bien exécutées. En somme, elle fait assez bon effet. On pose les rampes. L'escalier n'était pas praticable aujourd'hui et m'a paru spacieux et bien éclairé. » Tandis que Berthe est en vacances à Nice avec Julie, Eugène s'occupe seul de la maison et de l'Exposition (la Septième). Berthe envoie ses consignes par lettres mais se montre plus préoccupée du suivi de l'Exposition que des travaux de la maison.

C'est qu'en attendant que la rue de Villejust soit prête, les Manet ont quitté Paris et vivent à la campagne. Ils n'ont d'abord loué que pour l'été, à Beuzeval non loin de Paris, l'année de la naissance de Julie. Puis ils ont résilié leur bail de la rue d'Eylau et loué pour l'année à Bougival, au 4 de la rue Princesse, une maison spacieuse au milieu d'un parc. Ils vivront deux ans dans cette jolie propriété où Berthe, qui n'aime pas particulièrement la campagne et apprécie la proximité de la capitale, s'enchante du décor que lui offre le jardin. Elle peint à Bougival son *Enfant dans les roses trémières* et les deux tableaux qui représentent *Eugène Manet avec sa fille dans le jardin*.

De Bougival, les Manet se rendent souvent, l'été 1882, chez Edouard, qui a loué une maison à Rueil et y loge avec sa mère, sa femme et son beau-fils Léon. Edouard Manet est malade et, contrairement à son habitude, de méchante humeur : le jardin de Rueil, minuscule, n'offre à sa palette gourmande que trop peu de spécimens de fleurs. Ravi de ces visites qui viennent le distraire, il peint près de Berthe qui s'installe à ses côtés et à laquelle il prête ses tubes de couleurs. Tandis qu'il fait le portrait de Julie avec un arrosoir, elle s'exerce sur des motifs de verdure. Ils profitent de leurs derniers moments ensemble, respirent le même air, peignent dans les mêmes couleurs. Ce *Julie sur l'arrosoir*, délicat et tendre, Berthe aurait pu le signer. Il y a du Morisot dans ce Manet — l'un de ses derniers tableaux.

Le choix de la campagne, pour les deux frères Manet, ce n'est pas seulement, hélas, la peinture qui le leur dicte, mais leur santé défaillante. L'un comme l'autre, Edouard et Eugène montrent des signes inquiétants de faiblesse et les médecins, quoique pour des raisons différentes, leur ont conseillé le grand air. Eugène souffre de faiblesse chronique, Edouard d'inquiétants troubles moteurs.

L'hiver 1883, les travaux de la rue de Villejust enfin terminés, les Manet reviennent à Paris. De cet hôtel de quatre étages, ils occupent le rez-de-chaussée et l'entresol. L'originalité de la demeure, avec ses hauts plafonds et ses vastes proportions, tient à la disposition du salon. Ouvert sur le jardin, qu'a dessiné Eugène, il communique en effet avec la chambre, aménagée en surplomb. Une petite fenêtre, inspirée — selon Berthe — de l'église du Jésus au Vieux Nice, permet de voir depuis la chambre ce qui se passe en bas. C'est une chambre avec vue sur atelier. Bien qu'au rez-de-chaussée, tout l'appartement est très clair. Trop clair même, car orienté au midi, la lumière y pénètre à flots. On se croirait de ce point de vue dans l'atelier d'Edouard Manet qui, lui non plus, n'a jamais choisi de vivre au nord pour son métier. Des stores crème adoucissent à peine cette lumière blanche et changeante.

Aux murs du salon, aucun Morisot, à l'exception d'une copie de Boucher qu'elle vient d'achever : *Vénus demandant des armes à Vulcain*. Des miroirs et quelques Corot — dont *Vue d'Italie*. Au-dessus de la commode, un vide : Claude Monet a promis un tableau auquel il travaille et qui tarde à arriver. Ce sera *Villas à Bordighera*, une toile de grand format (115 × 130 cm), qui représente un luxuriant paysage de la Côte d'Azur, avec des villas colorées et, au premier plan, des palmiers, des aloès géants. Monet, qui habite déjà Giverny, s'est installé pour quelques mois dans le Midi et adresse à Berthe et à son mari toutes sortes d'invitations à venir travailler eux aussi dans cette région, telle qu'on la rêve — un décor de vacances éternelles. Berthe réalisera ce rêve, un jour. Bientôt viendront rejoindre le Monet, sur les murs de la rue de Villejust, les nombreux et magnifiques Manet de Berthe Morisot, puis ses Degas et ses Renoir. Le salon-atelier est un salon-musée. Il ne contient d'abord que des toiles de faible cote, de ces enragés indépendants ou de ces peintres que les Salons refusent, et elle ne sait pas qu'un jour ils vaudront des millions. Mais ce sont les tableaux qu'elle aime et qui l'inspirent, ceux de ses amis qui partagent sa passion de la peinture et ce goût, si étrange chez une femme aux airs conventionnels, pour la liberté et la fantaisie de l'expression. Ses propres toiles, paysages ou portraits de Julie, se trouvent dans sa chambre, dans la cage d'escalier, dans les couloirs, mais pour la plupart dans des cartonniers. Modestie d'artiste.

Rue de Villejust devient le rendez-vous des Impressionnistes. S'y retrouvent tous les jeudis soir — Berthe a institué son jour — les amis du couple, non seulement les peintres et le poète précédemment cités, qui forment le premier cercle, mais aussi Whistler et son épouse ; Caillebotte ; l'écrivain et ami de Manet, grand collectionneur de leurs toiles, Théodore Duret ; les deux sœurs Riesener ; Mary Cassatt qu'on appelle « miss » Cassatt ; Emile Ollivier — l'homme politique, avocat républicain rallié à l'Empire parlementaire, est lié aux frères Manet depuis leur jeunesse —, et même Puvis de Chavannes et Fantin-Latour (ce dernier avec son épouse), qui retrouvent leur place parmi les familiers de la maisonnée. Enfin, le cousin d'Eugène et d'Edouard, parrain de Julie, l'avocat Jules de Jouy, dont Manet a fait un portrait en 1879, fréquente lui aussi les jeudis de la rue de Villejust. Mais les amis peuvent toujours amener leurs amis. Ainsi Degas présente-t-il à Berthe et à son mari le sculpteur Paul Bartholomé qui, avant de se rendre célèbre en sculptant le Monument aux morts du Père-Lachaise, peint des Jeux d'enfants, des Musiciens et des Nourrices qu'il expose avec succès aux Salons. Comme Puvis et Fantin-Latour, Bartholomé, un des meilleurs amis de Degas avec Henri Rouart, sympathise avec le clan. Quant à Mallarmé, il amène chez Berthe, vers 1890, un jeune poète, disciple et ami, gendre de José Maria de Heredia : Henri de Régnier, l'auteur de la *Cité des eaux* et autres chimères symbolistes, qui racontera un jour l'atmosphère si charmante, amicale et intense, des jeudis de Berthe Morisot.

Ces soirs-là (on dîne à six heures), les menus de Berthe sont moins austères et les repas, d'ordinaire bâclés — ils ont toujours été pour Berthe cette « corvée » dont elle parle dans ses lettres —, se déroulent dans une atmosphère détendue et joyeuse. La cuisinière a préparé du riz à la mexicaine ou du poulet aux dattes — menus dont la fantaisie aurait désolé Mme Morisot. Il n'y a pas de fleurs sur la table — pour ne pas indisposer Degas — et le chien a été enfermé dans la chambre de Julie. Le plaisir des hôtes est roi. On parle évidemment de peinture mais aussi de climat : chacun évoque les paysages qu'il préfère, les voyages qu'il vient de faire, à la recherche de la lumière ou des couleurs idéales. Parfois, plus rarement, de politique.

« Monsieur » Mallarmé emmène rarement son épouse avec lui. Il vient dîner seul ou en compagnie de sa fille Geneviève qui est une amie, presque une jeune mère pour Julie. Aussi à l'aise rue de Villejust que dans son propre salon de la rue de Rome où il reçoit les mardis, Mallarmé récite ses poèmes après dîner. Un soir, le 27 février 1890, il sera à lui seul le héros d'une cérémonie mémorable, véritable page d'une Histoire de la littérature du XIXᵉ siècle, au cours de laquelle il prononcera une conférence commençant par ces mots : « Un homme au rêve habitué vient ici parler d'un autre qui est mort. » Il s'agit de Villiers de L'Isle-Adam, l'auteur des *Contes cruels* (1883) et des *Histoires insolites*, un écrivain épris d'absolu et que dégoûtent les vulgarités de l'existence quotidienne. Villiers professe une doctrine littéraire, qui est un sacerdoce. Deux longues heures durant, pendant lesquelles Mallarmé parlera assis (il a prononcé debout la première phrase), il évoque ce conteur philosophe, qui lui permet de réfléchir sur l'art d'écrire et lui renvoie comme un miroir sa propre philosophie, sa propre religion de l'art. « Sait-on ce que c'est d'écrire ? Une ancienne et très vague mais jalouse pratique, dont gît le sens au mystère du cœur. Qui l'accomplit, intégralement se retranche. » L'assistance est médusée. En phrases rythmées et séduisantes, mais très énigmatiques, le discours que lit Mallarmé et qu'il prononce ou plutôt qu'il scande avec solennité ensorcelle les uns et rebute les autres. Eugène et Julie, la petite Jeannie Gobillard qui séjourne alors chez eux, Claude Monet, Emile Ollivier et sa femme, Henri de Régnier se tiennent cois, ainsi que Berthe. Mais Edgar Degas n'attendra pas le mot final — « Message » ! Au beau milieu d'une tirade, il se lève furibond et sort en claquant la porte, bougonnant qu'il n'y comprend rien. Le lendemain, Mallarmé remerciera ses hôtes en leur envoyant la plaquette imprimée de sa conférence, accompagnée de ce quatrain non moins énigmatique :

> *Vous me prêtâtes une ouïe*
> *Fameuse et le temple : si du*
> *Soir la pompe est évanouie*
> *En voici l'humble résidu.*

A la belle saison, Berthe, à laquelle le petit jardin de la rue de Villejust ne suffit pas, s'en va peindre au bois de Boulogne. Elle emmène Julie et souvent la bonne. Voici sur ses toiles Julie au bord du lac, ou assise dans une barque avec Pasie. Berthe Morisot peint là ses premiers cygnes — l'oiseau deviendra un de ses thèmes de prédilection. Le cygne pourrait être, avec le bouquet de violettes inventé par Manet, l'emblème de Morisot. Elle en a le long col et l'élégance, la sauvagerie, la grâce, le goût de l'air et de l'eau. Sa peinture, tantôt aérienne et tantôt aquatique — même quand elle peint des enfants ou des fleurs —, ne tient à la terre que par un fil.

Eugène Manet s'étiole dans l'atmosphère de Paris. L'air du Bois ne suffit pas à ses poumons malades. Le médecin prescrit une nouvelle fois un séjour à la campagne. A regret, Berthe doit quitter son salon, ses amis. L'été 1886, les Manet louent une maison à Jersey, la Villa Montorgueil. Le climat anglo-normand s'en révèle néfaste. Il faut plus de douceur à Eugène. Aussi, dès 1888, les voit-on enfin ensemble dans ce Midi dont Claude Monet les a tant fait rêver. La Villa Ratti leur offre, à Cimiez, sa jolie vue sur Nice et sur la mer, son jardin méditerranéen planté d'oliviers, d'orangers, de figuiers, de bambous, de plantes grasses. La maison, d'un style italien, avec sa façade vert et blanc, a non seulement du charme, elle est confortable, aussi les Manet ne quittent-ils que rarement leur paradis. Pendant toute une année, le couple va vivre là avec Julie, qui y fêtera ses dix ans, des heures de grand calme et d'émerveillement. Sans le souci d'Eugène dont la santé ne cesse de se détériorer malgré la douceur de l'air, ce serait presque le bonheur.

« Ce pays est délicieux, écrit-elle à Edma. Je travaille, je fais des aloès, des orangers, des oliviers, enfin, toute une végétation bien difficile à dessiner. » Le midi de la France ressemble à l'Italie et, dans ce mirage, elle s'exténue à peindre en se remémorant Botticelli. « Je ne comprends pas que ce pays-ci, poursuit-elle, ne serve pas de grand atelier à tous les jeunes paysagistes, outre sa beauté, on y jouit d'une fixité dans le temps qui permet la recherche la plus consciencieuse. Je ne dirai pas que c'est plus facile, car il est diabolique, ce pays, d'un dessin qui ne permet pas les à peu près et d'un ton qu'on ne trouve jamais. C'est extraordinaire combien il y a du Corot dans les oliviers et les fonds. Je m'explique maintenant ce titre qu'il affectionne : Souvenir d'Italie. » Un jour, elle cueille des fleurs et les envoie par la poste à Mallarmé. Elle écrit à Renoir et à Monet pour les inviter à venir peindre avec elle. « Je me sens si au large ici et le pays est si délicieux, que je ne regrette de Paris que les amis », écrit-elle à Monet. Mais Renoir est malade et Monet, retenu à Giverny par l'hiver qui lui inspire des effets de givre et de neige. « Nous sommes sans causerie aucune dans notre villa », confie-t-elle à Mallarmé. Tout un an en Méditerranée, loin des amicales mondanités de la rue de Villejust, dans un environnement qui serait austère sans la magie des végétaux, du ciel et des couleurs, elle peint sans s'accorder de repos. De Cimiez, elle rapportera l'un de ses plus beaux tableaux, *La Mandoline* : il représente Julie, de profil, un collier de corail autour du cou, la taille serrée par un ruban, jouant de cet instrument sur un fond bleuté, où perce un peu de rose.

L'année suivante, changement de décor. Toute la famille est à Mézy, Villa Blotière, dans un jardin qui domine la Seine, entre Meulan et Mantes.

> *Sans te coucher dans l'herbe verte*
> *Naïf distributeur, mets-y*
> *Du tien, cours chez Madame Berthe*
> *Manet, par Meulan, à Mézy.*

« Le naïf distributeur a été bien étonné, répond Berthe, et moi bien enchantée. » Car Mallarmé viendra passer quelques jours chez elle et ils iront ensemble, en train, rendre visite à Claude Monet qui habite tout près, à Giverny. Lequel se morfond et gémit à son habitude, et compte sur ses amis pour lui remonter le moral : « Je suis dans un découragement complet. Cette satanée peinture me torture et je ne puis rien faire. Je ne fais que gratter et crever des toiles. Je sais bien qu'étant resté longtemps sans rien faire, il fallait m'attendre à cela, mais c'est que ce que je fais est au-dessous de tout. » Ses lettres sont de véritables concerts de lamentations : « Vous devez comme nous maudire le temps. Quel été, ici nous sommes dans la désolation, mes jolis modèles ont été malades. Enfin, ennui sur ennui, ce qui nous a empêchés toujours de vous rendre visite. » Avec Eugène et « l'ami Mallarmé » ainsi que Claude Monet appelle le poète, Berthe, à Giverny, joue les saint-bernard.

Renoir au contraire apporte à Mézy, où il vient séjourner à plusieurs reprises, son entrain et sa bonne humeur. Il arrive à l'improviste avec sa valise, car il sait que sa chambre est prête et qu'on l'attend, qu'on est heureux de le voir. Il s'installe, il se sent bien chez Berthe, il aime peindre avec elle, dehors, chapeau sur la tête. Il lui emprunte ses couleurs, et aussi ses modèles. Il aime cette fraternité devant le tableau à peindre, cette complicité avec la femme calme et silencieuse. C'est à Mézy qu'il présentera sa femme et son fils, à l'improviste, sans avoir prévenu personne de son arrivée inaccoutumée en famille. Pierre Renoir, né en 1885, est encore un bambin et son père vient tout juste cette année-là — 1890 — d'épouser Aline Charigot. Elle sort de l'ombre avec son fils pour la première fois. « Je n'arriverai jamais à vous peindre mon étonnement, écrit Berthe à Mallarmé, devant cette personne si lourde que, je ne sais pourquoi, je rêvais toute semblable à la pein-

ture de son mari. Je vous la montrerai cet hiver. »
Berthe Morisot ne se trouve d'atomes crochus
qu'avec les femmes minces. Pour cette ancienne
anorexique, qui juge avec le même mépris spontané les grosses — la grosse Suzanne, la grosse
Valentine et maintenant la grosse Aline —, la
graisse est le défaut le plus terrible, un défaut où
elle voit surtout un manque de grâce. Mais elle
reviendra sur son jugement et l'affection qu'elle
porte à Renoir la rendra plus tolérante. D'autant
qu'Aline est un grand cœur et, comme Berthe, une
mère très aimante. Elle couve déjà son fils aîné
— le futur comédien. Berthe n'aura pas le temps
de connaître les deux autres fils du peintre : Jean
Renoir, le futur cinéaste, naîtra en 1894, à
quelques mois de sa mort, et Claude, dit Coco,
futur céramiste, viendra au monde en 1901. De
passage chez Berthe, Renoir oublie son parapluie
à Mézy.

A Mézy, Berthe a peint *Le Cerisier* — et les
innombrables esquisses qui l'accompagnent. Le
tableau montre Julie, perchée sur une échelle, en
train de cueillir dans l'arbre des fruits que sa cousine Jeannie (future Mme Paul Valéry) recueille
dans un panier d'osier. Les deux jeunes filles, qui
ont à peine un an d'écart (Jeannie est née en 1877),
portent chacune une robe blanche et de longs cheveux défaits ; elles ont les mêmes gestes gracieux
des bras, levés haut vers les branches du cerisier.
Renoir aimait beaucoup cette toile qu'il a encouragé Berthe à achever. Et qu'il a peut-être influencée. Par sa facture, moins aérienne que d'autres
toiles, qui souligne la forme et donne davantage
de poids à la composition, c'est un des Morisot qui
ressemble le plus, en effet, à un Renoir. C'est aussi
un de ceux qui ont demandé à Berthe le plus
d'efforts et de travail. Elle mettra plusieurs années

pour l'achever et il ne sera tout à fait prêt qu'en 1893. Alors, un modèle professionnel, Jeanne Fourmanoir, qui a souvent posé pour Renoir, aura remplacé Julie dans l'atelier, sans que ce tableau perde de sa première fraîcheur, de sa spontanéité adolescente, ni de ses couleurs d'extérieur.

A Mézy, Berthe se trouve proche de Mary Cassatt qui a loué une maison au village voisin de Septeuil. Elles se reçoivent mutuellement et elles se rendront ensemble à Paris, volant toute une journée à leur vie campagnarde pour aller visiter, bras dessus bras dessous, l'exposition d'art japonais qui se tient cet été-là à l'Ecole des Beaux-Arts et se termine bientôt. Tous les Impressionnistes ont connu l'influence de cet art, nouvellement introduit en France, qui enseigne l'économie de moyens, la précision du trait, la fulgurance et la pureté de la couleur... Comme Manet qui possédait plusieurs estampes et les a représentées en fond de ses plus grands portraits, comme Degas qui en raffolait, comme Monet qui en couvre les murs de Giverny, Berthe Morisot saura tirer les leçons d'un art qui, par plus d'un aspect, évoque déjà sa propre manière, sa propre mouvance.

Propriétaires d'un hôtel à Paris, les Manet vont faire l'acquisition d'une maison de campagne. Ou plutôt, le mot vaut d'être prononcé, d'un château ! Berthe, qui se promenait avec son mari et sa fille aux alentours de Mézy, l'a aperçu de loin et en est tombée amoureuse. Elle s'en étonne elle-même : « il y a un château à vendre dans le pays, écrit-elle à Edma, d'un bon marché tellement extraordinaire que nous avons eu une minute la pensée de faire cette folie ; c'est extrêmement joli ; Eugène s'en était toqué et Julie aussi ; mais nous serons raisonnables ; c'est déjà assez de la maison de Paris... » On ne résiste pas longtemps à un coup de foudre. Les négociations seront longues et les hésitations aussi. Mais, renonçant à être raisonnables, les Manet finissent par acheter aux enchères, en 1891, le château du Mesnil.

C'est, près de Juziers, dans cette vallée de la Seine où les Impressionnistes ont pour la plupart élu domicile, une demeure élégante, de facture classique, avec un toit en ardoises et une façade en pierre blanche, au milieu d'un grand parc. Loin d'être imposant ou sévère, il apparaît au premier coup d'œil agréable et séduisant, et on devine aussitôt qu'il sera le plus convivial, le plus aimable des refuges. On l'aperçoit du train, en allant de Paris vers Giverny, à travers les frondaisons des arbres, car il est bâti sur les hauteurs. Il possède un pigeonnier et, au fond du parc, un bois que traverse un cours d'eau. « Une trouvaille » selon un mot de Berthe, Le Mesnil était destiné à devenir une maison de famille. « J'ai une entière satisfaction à penser que plus tard Julie en jouira et le peuplera de ses enfants », écrit Berthe à Louise Riesener. Elle aura elle-même beaucoup de plaisir à le meubler et à le décorer, quoique très simplement. Mais elle y séjournera peu, et sans son mari... Elle n'y peindra jamais autant qu'elle l'aurait désiré. Du mois d'avril 1892 datent les quelques Morisot peints au château du Mesnil : *Le Pigeonnier*, *Le Bois*, *Le Bain* et *Sur le banc* — Julie a posé pour ce dernier. Et aussi l'admirable *Fillettes à la fenêtre*, où devant la perspective enchanteresse d'un parc ensoleillé deux fillettes en robe blanche (les sœurs Baudot, amies de Julie), sagement assises sur un rebord de fenêtre ouverte, avec leur chat, tournent le dos au soleil et regardent le peintre. En quelques coups de pinceau, Berthe a fixé le bonheur fugitif d'un beau printemps, son éclat échappé au deuil, à la tristesse qui dévorent son cœur. C'est Julie qui, après la mort de ses parents, fera du Mesnil sa maison, et, selon le vœu de Berthe, celle de ses enfants et de ses petits-enfants. Est-il bien utile de préciser qu'ils sont de Mallarmé, ces deux premiers vers d'un quatrain :

Julie ou Bibi du Mesnil
Rêvant à l'endroit nommé cieux...

date et parmi les plus acharnés, de poser pour lui. Wolff accepte, puis, son portrait achevé (de l'avis de ses contemporains, Wolff était d'une laideur proverbiale), il refuse de recevoir la toile en cadeau : il la trouve affreuse ! Ce n'est qu'en 1882 que le grand critique reconnaîtra, d'une plume encore réticente, mais de ses mots les moins durs, que Manet (il l'appelle cependant « le tzigane de la peinture »...) a exercé depuis vingt ans « une influence considérable » sur les arts. « C'est lui qui a donné le coup de pioche à la routine... », avoue Wolff. Que de bagarres pour en arriver là ! En réponse, Manet qui n'est pas rancunier lui envoie ce libelle ironique et prémonitoire : « Je vous remercie mon ami des choses aimables que vous me dites à propos de mon exposition, mais je ne serais pas fâché de lire enfin de mon vivant l'article épatant que vous me consacrerez après ma mort. »

Les ventes ne sont pas moins décevantes que l'accueil de la presse ou du public. De son vivant, Manet n'a jamais vendu qu'à bas prix. Et l'Etat ne lui a jamais tendu la main. Il refuse même son projet de décoration du nouvel Hôtel de Ville, pour lequel les peintres contemporains ont été démarchés. Sa pire humiliation, Manet l'a connue lors de la vente Hoschedé, en 1878. Ernest Hoschedé ayant fait faillite, ses biens ont été mis en liquidation judiciaire et dispersés aux enchères. Deux [...] et parmi les plus beaux, *La Femme au perroquet* (aujourd'hui au Metropolitan Museum) et *La [...]teuse des rues* (Museum of Fine Arts, Boston), [...]esquels Victorine Meurent a posé, ont été [...] l'un à 700 francs, l'autre à 450 francs.

[...]is célèbre et méprisé, le peintre a de plus [...] trahison de Zola, qui a émis sur son art [...]s des plus aigres dans une revue inter-

L'ami s'en va

Malade depuis 1876, date à laquelle il a commencé de souffrir du pied gauche — douleurs lancinantes, douleurs mortelles —, Edouard Manet, qui a consulté en vain plusieurs médecins, se persuade qu'il est atteint des mêmes rhumatismes qui ont fait de son père un vieillard impotent et podagre, mais ne l'ont pas empêché de vivre jusqu'à soixante-dix ans. A l'atelier où il continue de peindre malgré ses névralgies, ses amis le trouvent souvent allongé sur le canapé. Obligé d'interrompre son travail pour soulager sa jambe malade, il s'accorde du repos puis reprend la séance de pose comme si de rien n'était.

Son rhumatisme est le symptôme d'une maladie bien plus redoutable et qui demeure alors incurable, la syphilis. Contractée probablement dans sa jeunesse, d'après ses biographes, durant le bref séjour au Brésil qu'il a effectué lors de son stage de pilotin, elle a lentement évolué et se manifeste, d'abord, par ces douleurs dans le membre inférieur gauche. Deux ans plus tard, victime d'un malaise, Manet s'effondre un soir, à la sortie de l'atelier. Le docteur Siredey, appelé en consultation, diagnostique une ataxie — incoordination des mouvements, caractéristique de certaines maladies nerveuses — qui va rendre peu à peu la

vie de Manet pareille à un martyre. La syphilis attaque en effet le sang, les os, les nerfs et même le cerveau. Cette année-là, elle a franchi une étape. Les désordres moteurs qu'elle provoque transforment le beau, le vif et sensuel Manet en invalide. Il ne pourra bientôt plus marcher qu'avec une assistance. Il se retrouve cloîtré. Lui qui aimait tant se promener et suivre dans Paris le mouvement des jolies filles, retrouver ses amis dehors, passer des heures à flâner, il se voit prisonnier de l'atelier et des quelques jardins où il passe ses étés, à maudire sa fatigue et son corps douloureux.

On lui ordonne des bains, des douches, des massages : l'hydrothérapie est déjà à la mode. Elle le soulage un peu, mais elle fait illusion. La camarde poursuit en lui son lent travail de destruction. De la maladie, le nom est tabou. Il est déshonorant, de surcroît il fait peur. Alors, on le cache. On lui préfère « rhumatisme », « névralgie », ou « ataxie », qui ont le mérite d'être des termes vagues, qui disent tout et rien à la fois, et qui sont beaucoup moins inquiétants. Manet ne parle jamais, ou si peu, de ce qu'il endure. Il méprise ses souffrances et poursuit son travail de peintre. Il n'a même jamais autant peint que depuis qu'il est malade. Chaque toile est pour lui un combat contre la maladie. Mais aussi une victoire sur elle.

Torturé dans son corps, Manet l'est aussi dans son âme. Car les critiques n'en ont pas fini avec leurs diatribes et leurs moqueries, et le Salon continue de refuser la plupart des tableaux qu'il présente. Il mène un combat aussi rude contre les Beaux-Arts que contre cette syphilis secrète qui le ronge et aura raison de lui. Refusés, en 1874, date de la Première Exposition impressionniste, *Le Bal masqué à l'Opéra* et *Les Hirondelles*, puis, en 1875,

L'Artiste et *Le Linge* (le tableau préféré de Méry Laurent. Il représente une jeune mère à sa lessive en plein air, son bébé dort près du baquet). En 1877, le jury lui renvoie sa sublime et scandaleuse *Nana* pour laquelle Henriette Hauser a posé et qu'il a baptisée d'après la fille de Gervaise, dans le roman de Zola *L'Assommoir*. C'est une jeune femme en corset et pantalons de dessous en dentelles, décolletée, cambrée, arrogante, sous l'œil du monsieur en gibus qui la contemple du coin de la toile, plongé dans l'ombre. En 78, c'est la totalité de ses toiles que le Salon refuse. La situation n'est pas plus rose, lorsqu'il les lui accepte, car alors la presse se déchaîne et le public ricane. *Argenteuil* en 1875, *Le Portrait de Faure en Hamlet* l'année suivante, *Chez le père Lathuille* en 1880, jusqu'à *Un bar aux Folies-Bergère*, son dernier chef-d'œuvre, lors de son dernier Salon en 1882 : tous ces tableaux sont si décriés par la critique que les éreintements ressemblent chaque fois à un hallali. *Argenteuil* se voit traité de « marmelade ». Lui-même d'« excentrique » par *La Presse* qu[i] trouve qu'« il fait dans la bouffonnerie », ou [«] barbouilleur formidable » par *Le Soir*. O[n] reproche à chaque fois de n'être « jamais t[rop] bas » ! Lui s'entête et fait face. A ses am[is qui] demandent pourquoi il veut à tout p[rix] aux Salons officiels, il répond que ce [n'est pas] briguer médailles ou décorations, [mais se] battre » : « Le Salon, dit-il à Reno[ir, est le] terrain de combat car au Salo[n, les adver-] saires sont obligés de défiler [...]

Dans cette guerre, tous le[s...] compris ceux qui consist[...] Manet n'a jamais répug[...] ner les critiques. Il offre a[...] naliste au *Figaro*, l'un de se[...]

nationale, qu'il croyait à tort confidentielle. Or, *Le Figaro* s'est chargé de traduire cet article du *Messager de l'Europe* : « Sa main n'égale pas son œil, a écrit Zola de son ami, en 1880. Il n'a pas su se constituer une technique... Si le côté technique égalait chez lui la justesse des perceptions, il serait le grand peintre de la seconde moitié du dix-neuvième siècle. » On appréciera le conditionnel. Manet reçoit là un sacré coup. Son plus ardent défenseur le lâche en plein milieu du champ de bataille. Dans son roman, *L'Œuvre*, Zola s'apprête à démolir Cézanne, mais tout le groupe en prend pour son grade : « Les efforts s'éparpillent... Ils [les peintres] en restent tous aux ébauches, aux impressions hâtives. Pas un ne semble avoir la force d'être le maître attendu. »

Manet n'a peut-être jamais été plus seul. Bien sûr, il y a Mallarmé, il y a aussi Joris-Karl Huysmans, journaliste littéraire et artistique, futur auteur d'*A rebours* (1884), un Symboliste, un Décadent. Mais de sa génération, personne... Exclu malgré lui du Salon ou n'y entrant que pour y subir des quolibets, exclu volontaire du clan des Indépendants, Manet demeure en dehors, un Robinson sur son île. Sans céder un pouce de terrain à ses détracteurs, il continue à peindre dans sa manière, avec une liberté souveraine. Qui m'aime me suive... Il est (presque) seul à croire en son avenir.

L'année 1878, il a dû quitter son atelier de la rue de Saint-Pétersbourg. Parmi ses derniers travaux, *La Blonde aux seins nus*. Le même modèle, aux épaules blanches, aux seins lourds, lui a inspiré une série de pastels qui semblent concurrencer Degas : *Femme à la jarretière, Femme au tub, Femme se coiffant, Nu vu de dos*. Sa sensualité est intacte. On a l'impression qu'il caresse un corps de femme.

Dans l'attente de son nouvel atelier, en travaux rue d'Amsterdam, plutôt que de peindre dans son appartement, il préfère se faire conduire à La Nouvelle-Athènes ou à la brasserie Reichschoffen et il fixe sur sa toile l'atmosphère de ces cafés, où il se sent chez lui. *Au café, Au café-concert, Liseuse à la brasserie* et *La Serveuse de bocks* (National Gallery, Londres), qui lui valent un refus unanime au Salon et beaucoup de sarcasmes, sont maintenant parmi les trésors des plus grands musées du monde.

Les années quatre-vingt, celles de sa maladie, il s'attache à peindre des portraits : son ami de collège Antonin Proust ; Clemenceau (musée d'Orsay) que lui a fait connaître son frère Gustave ; son ami George Moore, un Anglais excentrique, dont une version au pastel se trouve au Metropolitan, à New York ; Henry Bernstein enfant ; un ami dénommé Pertuiset, chasseur de lions (musée d'Art moderne de São Paulo), ou encore l'écrivain Henri Rochefort, évadé du bagne. Comme Albert Wolff, Rochefort refusera le cadeau de ce portrait qu'il trouve laid, et qui se trouve aujourd'hui à la Kunsthalle de Hambourg. Attaché à peindre des figures de « grands hommes », à la virilité affichée et aux destins pittoresques — des héros de la Vie moderne —, Manet n'a pas pour autant renoncé à la compagnie des belles femmes. La cantatrice Emilie Ambre (musée de Philadelphie), la demi-mondaine Valtesse de la Bigne (l'une des plus réputées de cette fin de siècle), Isabelle Lemonnier, qui est la belle-sœur de son ami Charpentier — l'éditeur de Maupassant, de Daudet, de Zola, et un des rares collectionneurs à acheter des Manet —, l'actrice Irma Brunner, la comtesse Albazzi se succèdent sans fin dans l'atelier, où il reçoit encore Méry Laurent, son *Automne*, et, dernière conquête, son « papillon de boulevard », la blonde Jeanne de Marsy. Elle pose pour *Le Printemps*.

Avec la maladie, Manet ruse et crâne. Il refuse de rendre les armes. Les jambes le trahissent. Mais ni l'œil, ni la main, ni le cerveau. Son pinceau reste sûr, son dessin d'une précision diabolique et sa couleur fidèle à son premier éclat — ce mélange de « jus de pruneaux », comme l'appelle Degas, et de touches de lumière. L'homme reste jusqu'à la fin fidèle à sa vision du monde, généreuse et simple.

Des œuvres plus intimes, d'une touche impressionniste celles-là, jalonnent les derniers mois de la vie de Manet. Contraint par les médecins à des séjours répétés et prolongés à la campagne, alors qu'il n'aime que l'atelier, il peint plus souvent en plein air. A Argenteuil, chez Monet, ou dans les jardins de Bellevue, de Versailles, de Rueil, où il loue des maisons dans le vain espoir d'améliorer sa santé, il joue du vert, du bleu, du jaune — couleurs éclatantes et fraîches dont sa palette n'est pas familière.

Un beau jour, en 1881, il a la surprise de recevoir la Légion d'honneur ! Son ami Antonin Proust, devenu ministre des Beaux-Arts dans l'éphémère gouvernement Gambetta, s'est battu pour la lui faire avoir. Il a dû demander l'appui de Gambetta en personne pour que la commission accepte enfin de la remettre à ce peintre, éternel Refusé. De sa Légion d'honneur, Manet s'excusera auprès de Degas qui a, entre autres choses, horreur des décorations, mais il en est fier comme un petit garçon qui reçoit son plus beau jouet. Pour lui, c'est un premier pas vers une reconnaissance dont il a soif.

Harcelé par la souffrance, Manet se dit las, en 1881, incapable même d'illustrer les poèmes de Poe que Mallarmé vient de traduire : « Mon cher capitaine, lui écrit-il, vous savez si j'aime m'embarquer avec vous pour un travail quelconque, mais aujourd'hui c'est au-dessus de mes forces. » Il reviendra sur sa décision : « Je tâcherai d'être à la hauteur du poète et du traducteur, et puis, je vous aurai là pour me donner de l'élan. » Tout ce qu'il écrit est toujours plein de cette gentillesse, de cette modestie de Manet, incapable de la moindre acrimonie.

Au moment où la maladie s'est révélée et s'est mise à se développer en lui, il a peint deux auto-portraits, les seuls connus de lui : *L'Autoportrait à la palette* (collection privée américaine) et *L'Autoportrait à la calotte* (musée Bridgestone de Tokyo). Ils montrent un homme émacié, au visage douloureux, inquiet.

Manet est perdu. Il le sait, quoi qu'en ait dit Degas (« Manet est perdu... Il ne se doute pas de son état »), mais continue de vivre ses derniers moments comme si la vie devait durer toujours. Lorsque la maladie lui rend impossible le travail au chevalet et les efforts de concentration du portrait, il ne peint plus que des natures mortes, toutes vibrantes de la vie qu'il leur a donnée. Il a toujours aimé peindre des fleurs et des fruits. Ses premiers *Chardons* datent de 1858, ses premières *Pivoines* de 1864. Mais ces derniers temps, son œuvre embaume des parfums du jardin, du verger, du potager de l'Eden. Lilas, roses-mousse, pivoines, grenades, prunes et raisins, citrons, paniers de fraises et de pêches, bottes d'asperges (Fondation Ephrussi, Saint-Jean-Cap-Ferrat), ont un éclat fragile et pur, et prouvent sa maestria. Ces bouquets de fleurs, ces paniers de fruits, c'est le feu d'artifice du maître. Son ultime hommage à la vie. « Je voudrais les peindre toutes », dit-il des fleurs et des femmes.

Il esquisse *Le Clairon*, puis le portrait d'une jeune femme en costume d'amazone, de face, de profil, en pied. Elle serait la fille du libraire de la rue de Moscou. A Pâques, l'année 1883, il s'alite pour ne plus se relever. La gangrène lui dévore la jambe. Malgré l'avis défavorable du docteur Gachet, qui soigne Pissarro et Renoir et qui verra mourir Van Gogh en 1890, le docteur Siredey décide d'amputer Manet. L'opération a lieu dans la cuisine de l'appartement de la rue de Saint-Pétersbourg. Mais comme l'avait prévu Gachet, elle se révèle inutile et ne fait qu'accroître et prolonger les souffrances du malade. L'agonie de Manet va durer plus de dix jours, cruels, insupportables. Il meurt le 30 avril, à l'âge de cinquante et un ans. Berthe et Eugène Manet sont venus chaque jour le voir. Berthe, raidie dans le chagrin, fermée sur ses sentiments, n'avouera qu'à sa sœur Edma, sa confidente de toujours et la seule personne qui ait jamais partagé son secret, sa détresse profonde. Voici ce qu'elle lui écrit, à la fin d'une lettre qui raconte en quelques mots pudiques le calvaire du peintre, au lendemain de sa mort : « Joins à ces émotions presque physiques, l'amitié déjà si ancienne qui m'unissait à Edouard, tout un passé de jeunesse et de travail s'effondrant, et tu comprendras que je sois brisée. (...) Je n'oublierai jamais les anciens jours d'amitié et d'intimité avec lui, alors que je posais pour lui et que son esprit si charmant me tenait en éveil pendant ces longues heures. »

Ironie du sort : l'enterrement de Manet, le

3 mai, coïncide avec le calendrier du Salon. Toute
la famille est présente au cimetière de Passy. Ce
sont les amis qui portent les cordons du poêle :
Antonin Proust, Claude Monet, Emile Zola, Alfred
Stevens, Fantin-Latour et Théodore Duret. Rudolf
Leenhoff, le frère de Suzanne Manet, a sculpté la
tombe où seront enterrés un jour Eugène et son
épouse. Berthe ne va plus quitter ces robes noires,
ces chapeaux noirs, ces rubans noirs qui plaisaient
tant à Manet.

Toute sa vie fidèle à sa mémoire, elle est au premier rang des défenseurs du peintre et lance la
première offensive d'un long combat de réhabili-
tation. Avec l'aide d'Eugène et de Gustave, elle prépare l'exposition posthume de ses œuvres, qui
aura lieu à partir du 5 janvier 1884, à l'Ecole des
Beaux-Arts — un lourd travail qui a consisté à rassembler les toiles, dispersées chez les amis, dans
la famille et chez de trop rares collectionneurs, à
les numéroter, à les cataloguer puis à veiller à leur
accrochage. « Toute cette peinture jeune, vivante,
va faire vibrer ce Palais des Beaux-Arts, habitué à
de l'art mort, écrit-elle à Edma. Ce sera la
revanche de tant de déboires, mais revanche que
le pauvre garçon prend sous la terre. » Berthe ne
s'est jamais donné autant de mal pour ses propres
accrochages. Elle réalise le vœu de Manet, qui
avait toujours souhaité que le public puisse
contempler son œuvre dans son ensemble et non
par morceaux épars : « Tu sais, moi, il faut me voir
en entier, avait-il dit à Antonin Proust. Et je t'en
prie, si je viens à disparaître, ne me laisse pas
entrer dans les collections publiques par morceaux, on me jugerait mal. » La première rétrospective Manet est celle que Berthe, avec sa famille
et ses amis, a su organiser. Cent seize peintures
ont été réunies, trente et un pastels, une vingtaine

d'aquarelles et de dessins, une douzaine d'eaux-fortes et de lithographies. Berthe a personnellement prêté *Le Gamin aux cerises* et son propre *Portrait à l'éventail*. A Edma : « Le public des connaisseurs est étonné de voir la force que prend son œuvre ainsi exposée en entier. Il y a une sûreté d'exécution, un faire magistral, qui s'imposent même aux ignorants et qui nous abasourdissent tous. (...) Le matin de l'ouverture, Stevens, Chavannes, Duez disaient : "Depuis le père Ingres, nous n'avons rien vu d'aussi fort", et nous, les vrais fidèles, nous disons : "C'est beaucoup plus fort." »

Mais c'est encore trop tôt pour la reconnaissance. La même année, au mois de février, doit avoir lieu à l'hôtel Drouot la vente de l'atelier de l'artiste. Suzanne Manet se débat en effet dans les difficultés financières. Comme chacun l'avait prévu, le Louvre boude, et les grands collectionneurs ainsi que les Américains ne s'intéressent pas encore à Manet. La veuve doit racheter un grand nombre de toiles, dont *Olympia*, et ce sont la famille et les amis qui se partagent une nouvelle fois les autres. Berthe et son mari se portent acquéreurs de huit d'entre elles : *Le Départ du vapeur de Folkestone*, *Chanteuse de café-concert*, *Jeune Fille dans un jardin*, *Femme nue*, *Sous les arbres*, *Huîtres*, ainsi que *La Dame aux éventails*, qui sort de l'atelier pour la première fois, et *Le Linge*, qui plaisait tant à Méry Laurent. Ils achètent également deux pastels : *Femme au bord de la mer* et *Tête de jeune fille*. Mais le bilan de la vente est désastreux, « une déroute extraordinaire » selon Berthe. « C'est raide », dit-elle. S'il dépasse un montant de 110 000 francs, ce total, ainsi que le fait remarquer un témoin, « englobait tout l'atelier de Manet, tout, alors qu'un petit

Meissonier eût, à lui seul, dépassé de beaucoup ce chiffre. »

« Je suis sûre que tu seras enthousiasmée par *Madame de Callias,* écrit Berthe à sa sœur préférée. Moi, j'en suis folle. Je ne la laisse aller que pour entrer au musée (le Louvre) et cela arrivera, si ce n'est de mon vivant, ce sera de celui de Bibi. » Prédiction réalisée en 1930 — la toile est aujourd'hui au musée d'Orsay.

A l'Exposition universelle de 1889, celle de la tour Eiffel, quinze Manet figurent, dont *Olympia.* En s'arrêtant devant la toile qui n'a jamais de sa vie trouvé acquéreur et qui appartient encore à Suzanne Manet, Claude Monet a une soudaine inspiration : il décide d'organiser une souscription afin de rassembler des fonds et d'acheter l'œuvre... pour l'offrir à l'Etat. Il fait aussitôt part de son idée à Berthe Morisot, qui partage sa vénération pour *Olympia*, et ils vont œuvrer ensemble pendant toute une année, déployer leurs efforts de concert pour convaincre amis et relations de verser de l'argent pour son rachat. Berthe se donne beaucoup de mal et partage avec Monet le travail ingrat de chacune de leurs démarches, bien qu'elle écrive à son « cher camarade » : « Vous seul, avec votre nom, votre autorité, pouvez enfoncer les portes si elles sont enfonçables. » Modeste mais efficace quand il ne s'agit pas de se défendre elle-même, elle s'est au moins autant battue que Monet pour *Olympia*. Le projet les aura d'ailleurs beaucoup rapprochés. Mais ni son nom ni celui de son mari ne figurent dans la souscription, par discrétion, afin que le gouvernement ne soupçonne pas la famille d'intriguer en faveur des siens.

Olympia sera exposée d'abord au musée du Luxembourg : l'Etat a l'habitude d'y enterrer les toiles qu'elle ne trouve pas dignes du Louvre. A

Monet, Berthe écrit aussitôt : « Il me paraît impossible qu'*Olympia* ne passe de sa cimaise actuelle à celle du Louvre, car elle est tout simplement admirable et le public a l'air de commencer à s'en douter. En tout cas, on est loin des sottes plaisanteries de jadis. »

La toile (aujourd'hui un des trésors du musée d'Orsay) n'entrera au Louvre qu'en 1907, grâce à un nouveau coup de force, cette fois de Georges Clemenceau, devenu président du Conseil. Mais le « triomphe de Manet » — l'expression est de Paul Valéry — n'aura lieu que trente ans plus tard, à l'exposition organisée en juin 1932 pour le centenaire de la naissance du peintre.

Quant à Berthe, elle entrera aussi au musée, de son vivant, grâce à Edouard Manet, quand *Le Balcon*, cette première toile où il l'a peinte, penchée à une balustrade avec un petit chien à ses pieds, sera légué à l'Etat par son propriétaire, le peintre Gustave Caillebotte, en même temps que toute son immense collection d'Impressionnistes (où ne figure cependant pas un seul Morisot). Ce sera en 1894, un an avant la mort de Berthe, mais on ne sait pas si elle aura pu se revoir, telle qu'elle était jadis en blanc, sur ce tableau de Manet, une belle jeune femme brune au regard pailleté d'or.

avec son allure de gitane et ses yeux moqueurs, sur le tableau qui porte enfin son nom.

Un an après son frère, en décembre 1884, Gustave Manet disparaît, probablement aussi de la syphilis, à quarante-neuf ans. Il se trouvait à Menton, où Eugène, inquiet de sa mauvaise santé, l'avait conduit se soigner. Sa mère le suit un mois plus tard dans la tombe. Après la mort de son fils aîné, elle était venue vivre chez Berthe et Eugène, au deuxième étage de la rue de Villejust, abandonnant le quartier de la rue de Saint-Pétersbourg où elle habitait depuis son veuvage. La vieille dame, qu'une attaque avait rendue impotente, s'éteint sans que ses enfants lui aient laissé savoir la mort de son plus jeune fils. En deuil de sa belle-mère et de ses deux beaux-frères, Berthe doit porter le noir.

Mais c'est Eugène qui est désormais son principal souci. L'ombre majeure sur sa vie. La dernière exposition impressionniste, celle de 1886, a été sa dernière activité : Eugène Manet a dépensé ce qu'il lui restait de forces pour aider sa femme à rassembler les peintres que divisent de plus en plus de dissensions, à donner au public une dernière image de leur solidarité et de leur irrévérence. Les époux Manet financent en grande partie l'exposition en assurant la location du local, situé au 1 rue Laffitte, au-dessus du restaurant de La Maison Dorée, juste en face du Café Tortoni que fréquentait Manet dans sa jeunesse. Degas et Mary Cassatt apportent leur soutien, moral et financier. Mais Berthe doit déployer toute sa diplomatie pour réconcilier les uns et les autres. « Il y a dans ce petit groupe des chocs d'amour-propre qui rendent toute entente difficile », écrit-elle. Le mauvais caractère de Degas n'arrange pas les choses. Monet, Renoir, Sisley et Caillebotte, agacés autant de la présence de Gauguin que de la tyrannie de Degas, refusent leur participation. Berthe, plus tolérante et surtout plus ouverte aux courants nouveaux de la peinture, Berthe qui n'a pas peur de se remettre en question, finit par imposer, à force de patience et de ruse, la présence de jeunes peintres — nouveaux rebelles : Georges Seurat, Paul Signac et Odilon Redon. Il lui faut affronter l'hostilité de Degas qui sera long à se laisser convaincre — non qu'il craigne les nouveautés ou les révolutions dans l'art, mais il n'aime ni les proportions gigantesques de certaines toiles, ni leur coup de pinceau. Les futurs « néo-impressionnistes » le laissent froid. Eugène ne facilite pas la tâche de la réconciliation. A son habitude, il juge chacun de la manière la plus péremptoire. Or, il n'aime pas plus que Degas les tableaux de Seurat. Berthe, qui connaît son entêtement et sa violence, évite de le contredire. Elle préfère lui envoyer son principal allié dans cette affaire, Camille Pissarro. Le peintre a lui-même depuis quelque temps changé son style, il peint selon la toute récente méthode pointilliste — à minuscules taches de couleur juxtaposées. Les deux hommes auront « un rude attrapage » devant le Seurat qui s'intitule *Un dimanche à la Grande Jatte.* Par sa nouveauté et son gigantisme, la toile captera l'intérêt des critiques et du public, qui y verra la nouvelle vedette scandaleuse de l'exposition. Puis, Pissarro s'en ira amadouer Degas, une tâche qui lui paraîtra plus facile en comparaison de la difficulté qu'il a eue à convaincre Eugène Manet. Personne n'est certainement plus entêté, ni plus violent que celui-ci, dans une discussion.

A partir de l'hiver suivant, accablé de fatigue, il ne sort plus de la maison. Ses forces s'étiolent, la consomption le ronge. De cette maladie, des plus répandues et des plus fatales, une nouvelle fois on ne prononce pas le nom. On apprend à vivre avec elle. « Mon mari tousse fort, écrit Berthe. Il ne quitte guère la chambre ; vous voyez d'ici un homme malade, s'asseyant sur tous les meubles, horriblement à plaindre et non moins nerveux. » Cet état de lassitude extrême, rythmé de quintes de toux, accompagné de malaises, de migraines, d'oppressions, de sensations d'étouffement, ne laisse que peu de répit au malade, peu de moments de rémission. La santé d'Eugène se détériore et ira de mal en pis pendant cinq longues années. « Le temps est atroce et Eugène levé si terriblement maigre qu'il ne tient pas sa place à table », avoue-t-elle à Mallarmé. Elle ne lui confie qu'à demi-mot sa détresse mais tient à ce qu'il sache combien le malade souffre et transforme peu à peu l'atmosphère du foyer. De Cimiez, elle lui adresse ce corrigé : « Vous voyez mal mon mari, il est plus *nerveux* que dispos. » Elle souligne le mot. Il revient souvent sous sa plume pour désigner l'état d'Eugène, dont le caractère s'aigrit, s'accompagne de caprices, de colères et de véritables crises de nerfs. « Eugène est si agité que... », commence-t-elle une lettre au poète, son confident, mais elle ne la finit pas, elle passe à autre chose, ne voulant pas ennuyer son ami ou craignant probablement d'en dire trop... « Je vous ennuie de toutes mes affaires, mais c'est une preuve d'amitié que je vous donne bien malgré moi ; je hais le drame. » Or, le drame, Eugène semble le conjurer sans cesse pour qu'il soit au rendez-vous quotidien. Ses exigences sont une manière de se rappeler au souvenir des siens, de rester au centre de leurs préoccupations, de les rappeler à lui. Il s'invente ainsi, vers la fin, un projet de voyage seul ou avec Pissarro en Touraine

— il hésite pendant plus d'un mois devant cette alternative —, quand il ne tient plus sur ses jambes et se voit incapable de quitter la chambre ! « J'aime mieux ne pas causer que de faire naître des emportements », soupire Berthe. De ces rêves hors de portée qui paniquent l'entourage à un état subit d'abattement, Eugène, qui passe par des crises innombrables, va de mal en pis. Les médecins se succèdent près de lui, sans lui apporter d'amélioration, jusqu'à ce docteur Robin, recommandé par Mallarmé parce qu'il a su soulager les souffrances de Villiers de L'Isle-Adam, atteint d'un cancer, et dont le cabinet se trouvait rue de Saint-Pétersbourg. La vie serait triste et morne, à choyer cet homme affaibli, que son mal rend irritable et exigeant, s'il n'y avait l'amour de Berthe, cet amour qui a fini par éclore et qui l'attache à son mari, la rend plus tendre et plus douce.

Elle ne le quitte qu'à contrecœur et de plus en plus rarement. Le couple qu'elle forme avec Eugène Manet est singulièrement uni. Elle n'accepte à son égard aucune critique et le défend lorsqu'une de ses sœurs, par exemple, a des reproches à lui faire. Elle compatit à ses souffrances, lutte pour ne pas se montrer trop impatiente, réprime son impulsivité. Elle tâche seulement que la vie ne soit pas invivable. Pour cela, elle compte beaucoup sur le climat d'amitiés qu'elle a constitué autour d'eux. Ses amis sont sa vraie famille désormais. Pour son mari comme pour elle, les jeudis qu'elle a institués sont chaque fois une fête. La conversation éblouissante de Mallarmé, les éclats de rire de Renoir, les reparties sardoniques de Degas se mêlent à la finesse des propos de Fantin, aux pointes sèches de Puvis de Chavannes, aux tirades d'Emile Ollivier. Le compositeur Emmanuel Chabrier, l'auteur d'*España* et de *La Habanera*, qui songe à devenir le musicien de l'Impressionnisme et s'essaie à peindre en notes de musique des *Cigales,* de *Gros Dindons* ou une *Villanelle de petits cochons roses,* bavarde en aparté avec Paul Bartholomé. Comme lui vieil ami de Degas, vieil ami de Nina de Callias, il est fier de posséder trois portraits de lui-même, par Degas, par Fantin-Latour, par Manet. Il a commencé de constituer une très belle collection des tableaux de ses amis. Stéphane Mallarmé rendra compte un jour du charme de ces soirées dont Berthe est le fanal : « Ces réceptions en l'intimité où, le matériel de travail relégué, l'art même était loin quoique immédiat, dans une causerie égale au décor, ennobli du groupe. » Evoquant les habitués de la rue de Villejust, il les décrit « sachant parmi ce séjour, raréfié dans l'amitié et le beau, quelque chose d'étrange, planer qu'ils sont venus pour indiquer de leur petit nombre, la luxueuse, sans même y penser, exclusion de tout le dehors ». Degas, lui, fixera sur la pellicule le souvenir de son passage chez les Manet-Morisot. Fou de photographie, il captera son reflet dans le miroir, tandis que Renoir et Mallarmé, dos à la cheminée et face à l'objectif, le regardent avec un sourire de farce.

Mallarmé est devenu le compagnon le plus proche de Berthe. Les lient d'abord l'amitié ancienne et profonde d'Edouard Manet et l'admiration qu'ils lui portent l'un et l'autre, la fidélité de leur cœur. Un tempérament comparable, fondé sur une même retenue de sentiments, a pu aussi les rapprocher. Mallarmé a plus de douceur, Berthe plus d'acidité, mais ils partagent sous des airs impénétrables un caractère passionné. Beaucoup d'orgueil aussi et d'exigence. Perfectionnistes l'un et l'autre, ils considèrent l'art comme le but et l'idéal de leur existence, sans pour autant renoncer à la vie sociale et familiale qui sont indispensables à leur équilibre et d'où ils tirent une grande part de leur force. Il y a sous le sourire discret et la moustache de dandy de l'un le bouillonnement des mots, la quête désespérée du Verbe. Et sous le masque sévère, énigmatique de Berthe, ce feu qui anime sa personnalité, irradie autour d'elle la lumière que Manet avait su voir. Mallarmé dit : « Auprès de Mme Manet, je me fais l'effet d'un rustre et d'une brute. » Une même délicatesse leur permet de se comprendre. L'affection, mêlée de respect et d'admiration, que lui voue le poète est le plus grand soutien de Berthe dans les heures difficiles et enchante sa vie devenue si austère.

Un poète plus jeune, Henri de Régnier, trouve à Mme Manet « une singularité énigmatique » et surtout, « une expression de mélancolie taciturne et une sauvagerie farouche ». Amené rue de Villejust par Mallarmé qui y conduit tous ses amis, il mettra quelque temps à apprivoiser la maîtresse des lieux : « Elle apparaissait hautaine et distante dans une sorte de réserve infiniment intimidante qu'elle ne rompait que par de rares paroles, mais sa froideur dégageait un charme auquel on ne pouvait rester indifférent. » Habitué à vivre près d'une épouse primesautière et voluptueuse, qui collectionne les amants et le rend littéralement fou d'amour — la fille du poète José Maria de Heredia —, Régnier, fin psychologue, éprouve une attirance perverse pour les femmes fatales : ce seront les héroïnes de *La Double Maîtresse*, de *La Pécheresse*, des *Rencontres de M. de Bréot*, ses futurs romans. Berthe le déconcerte. Plus à l'aise avec les séductrices, avec les sensuelles, la distinction de Berthe Morisot, son ombrageuse austérité l'intimident. Elle oppose un front dur à toute espèce de familiarité. Régnier a très bien analysé son art de la distance : « Une sorte de timidité hautaine la faisait se tenir à l'écart de toute réclame. Elle n'était pas de celles qui aiment à se mettre en avant. Elle pratiquait son art avec discrétion, acceptait l'estime, l'admiration dues à son talent, mais ne faisait rien pour les provoquer. Berthe Morisot était toute "en retrait". Qui eût osé lui adresser une louange brutale ou un éloge exagéré ? »

Ses proches lui reprochent sa « froideur ». Son mari, un jour de colère (il est très soupe au lait), l'accuse de n'avoir que « du dessus de cœur ». Son frère Tiburce affirme qu'elle ne s'intéresse pas à lui. Edma pleure, parce que Berthe ne lui écrit pas aussi souvent qu'elle le souhaite, et prétend qu'elle l'oublie. Yves se plaint que « depuis quinze ans et plus, un vrai mur de glace » la sépare de sa sœur. Quand on ne lui reproche pas sa froideur, on incrimine sa « dureté », son « exigence » ou son « dédain », voire son « mépris » — on trouve ce sentiment chez elle trop naturel et, il est vrai, Berthe pratique l'ironie. Il lui arrive de paraître sèche et cassante.

Elle se défend. « Je ne sais pourquoi chacun se croit le droit de douter de mon sentiment, toi tout le premier », écrit-elle à Tiburce avant d'ajouter : « Pourquoi dis-tu que je n'écris jamais, lorsque c'est toi qui n'écris jamais ? » A Yves qui évoque « des blessures si anciennes que je les croyais cicatrisées », elle réplique, indignée : « Tu reconnaîtras toi-même, quand l'apaisement se sera fait dans ton esprit, ta profonde injustice. » Et à Edma, avec plus de douceur : « Est-ce toi ? Est-ce moi ? Je n'en sais rien, alors faisons un mea culpa de part et d'autre et entamons l'année 1884 sous de nouveaux auspices. » Elle ne cesse en fait de réclamer la paix. Elle a horreur des chicanes et, pas plus qu'elle ne les supporte en famille, elle n'aime les vivre parmi le groupe de ses compagnons impressionnistes, zélés à se chercher querelle.

Sévère envers elle-même, ne se pardonnant pas la moindre faiblesse, tâchant de s'élever au-dessus de la norme médiocre, la rigueur qu'elle applique à toute chose — et en premier lieu, à sa passion de peindre — agace son entourage, qui ne se sent pas toujours à la hauteur de ses ambitions ni de sa philosophie.

Berthe doit composer pour assumer à la fois sa carrière de peintre et sa vie de famille. Hormis Eugène ou Julie, personne n'a le pouvoir de déranger le bel et strict enchaînement des jours. Il y a en elle beaucoup d'amour. Mais aussi une machine de guerre.

Consciente de n'être pas parfaite et de se déchirer entre deux vocations, elle souffre de faire souffrir les siens, et en particulier ses sœurs. Leur existence de mères de famille les accapare elles aussi, ni Edma ni Yves ne sont irréprochables. Berthe se confie à une amie : « Cet hiver me paraît long, interminable. Je vois très peu Yves, je n'entends jamais parler d'Edma... et voilà ! » Sujette à la mélancolie, aisément taciturne, elle ne trouve plus près d'elles le soutien moral et la consolation auxquels l'avait habituée avant son mariage le clan Morisot. Or, si renfermée soit-elle, cette indépendante, cette sauvage a besoin de se sentir aimée. « Je ne sais si c'est moi qui ai à me plaindre des autres, ou les autres de moi... », écrit-elle à l'amie inconnue à laquelle elle adresse cette lettre de rares confidences, « mais toujours est-il que je me parais vivre à l'écart de tout ce qui a tenu une si grande place dans ma jeunesse (...) Nous vivons très solitaires. Le vide se fait dans notre petit cercle, les uns sont malades, les autres ont pris l'habitude de notre éloignement. La vieillesse se fait sentir... »

Elle sera terriblement déçue lorsque Edma et son mari auxquels elle a voulu offrir une marine de Manet, achetée à leur intention lors de la vente de l'atelier du peintre, et choisie pour complaire à Pontillon, officier de marine, la lui retournent avec condescendance : sur la toile, le capitaine n'occupe pas, selon Pontillon, la place protocolaire ! Erreur de Manet, dit-il. Mesquinerie de sa part. Inélégance et surtout délit des délits : blessure à la mémoire de Manet. Berthe, qui vénère la peinture autant que le souvenir de l'homme, la ressent comme si c'était elle que l'on avait blessée. Elle offrira la marine — *Le Départ du vapeur de Folkestone* — à Degas, qui la mérite mieux : « Vous avez voulu me faire un grand plaisir et vous y avez réussi, lui répond le peintre. Il y a même dans votre cadeau plusieurs intentions dont vous me permettrez de sentir profondément la délicatesse. » Les amis prennent peu à peu le pas sur les sœurs qui s'éloignent et ne partagent plus comme autrefois la complicité de son cœur.

La seule rupture grave de la vie de Berthe Morisot, c'est Tiburce. Son jeune frère, le rebelle de la famille, vit dans la dissipation, comme on dit alors, et jette l'argent par les fenêtres. Il a passé les trois quarts de sa vie d'adulte à barouder ou à faire les quatre cents coups. De retour d'Amérique, il a épousé une femme « de petite réputation » comme on dit encore. Berthe recueille chez elle, pendant plusieurs semaines, la fille de cette dernière, née d'un précédent lit, Alice Gamby. Elle fera de saisissants portraits de la jeune fille, avec son air de tristesse. Il est probable que l'inimitié d'Eugène à l'égard de Tiburce aura contribué à l'éloignement du frère et de la sœur. Leur antipathie réciproque remonte à la Commune. Les frères Manet, républicains, sympathisants communards, ont eu alors de pénibles affrontements avec les Morisot, père et fils, tous deux conservateurs et versaillais. Tiburce a d'ailleurs combattu aux côtés du général de Mac-Mahon et, dans une intention malveillante, quoique avec humour, Edouard Manet lui avait offert son tableau à la gloire des révoltés, *La Barricade*... Jointe à la « dissipation » de son frère, à ses problèmes d'argent, et au fait qu'il ne témoigne aucun intérêt pour les arts, l'hostilité d'Eugène n'aura pas aidé à la réconciliation du clan. Quant au mariage de Tiburce, désapprouvé de concert, au point que la nouvelle épouse ne sera jamais reçue en famille et que — comme la maladie effrayante — on ne prononce pas même son nom, il finit de consommer la cassure. Tiburce semble ne pas avoir gardé rancune à sa sœur. Parmi les nombreux souvenirs qu'il a confiés, il donne d'elle un portrait des plus justes : « L'attitude de toute sa vie fut assez renfermée et, à part sa fille, certainement, son mari, peut-être, personne, croyons-nous, ne surprit chez elle une manifestation de sentiments qui, pour rester internes, pouvaient n'en être que plus vifs. Elle resta méditative, mystérieuse, comme tous ceux dont le silence n'est pas dû au défaut de pensée, mais au dédain de leur expression. »

Secrète même en famille, Berthe Morisot n'en a pas moins une vie intérieure intense, dont témoigne sa peinture. C'est à elle qu'elle confie sa tristesse et son mal de vivre. En 1882, un premier autoportrait à l'huile, exécuté à Bougival, la montre encore jeune (quarante et un ans), le buste moulé dans une robe à haut col, les cheveux ramenés en arrière, mal coiffés à son habitude, enlaçant sa petite Julie dont la frimousse est encore d'un bébé. Berthe ne sourit pas. De ses grands yeux à la pupille dilatée, tandis qu'elle se regarde peindre, elle offre la même image énigmatique que sur les tableaux de Manet. Son visage impassible ne laisse filtrer aucune émotion, aucun sentiment intime. Ce qui se dégage de ce portrait c'est l'évident amour maternel, comme si la force de la femme se trouvait tout entière contenue dans sa tendresse de mère. Quand elle se peint elle-même, elle ne se représente pas en peintre, avec ses pinceaux, comme Edouard Manet dans ses deux autoportraits, ou à son chevalet, comme l'avait peinte Edma autrefois, mais avec sa fille. Leurs deux existences, leurs deux êtres mêmes, s'appuient et se confondent. Berthe, dans son âge mûr, se veut avant tout une mère. Elle exprime le calme, la sérénité, le contrôle de sa personnalité jadis fougueuse et angoissée. Mais nullement le bonheur.

En 1885, tout juste un an après la mort d'Edouard Manet, la voici à nouveau devant son miroir. Rue de Villejust, elle exécute deux autres autoportraits. Le premier la montre seule, de trois quarts, en buste. De tous ses autoportraits, c'est l'exception : elle y apparaît pour une fois sans sa fille. Le changement saute aux yeux. Les cheveux, coiffés de la même manière, rassemblés en catogan, n'ont rien perdu de leurs mèches rebelles, mais ils ont blanchi. C'est à peine si quelques reflets châtains subsistent de la belle chevelure d'ébène et si l'on reconnaît non sans nostalgie, dégagée par le catogan, l'oreille à la coquille parfaite que Manet s'est plu à souligner tant de fois. La jeune femme de naguère a grossi. Son buste est épaissi et elle se représente elle-même, impitoyable, avec une poitrine enflée et basse dont la glace lui renvoie le reflet. Elle qui tenait tant à sa ligne, à son buste androgyne, à ses hanches minces, serait-elle devenue comme les grosses de la famille, comme Suzanne Manet (la tante Suzanne de Julie), cette silhouette empâtée et lourde, cette matrone qui semble avoir abdiqué sa séduction et sa coquetterie ? Le visage a perdu de sa grâce, l'ovale est moins parfait. Berthe marche vers ses cinquante ans, autant dire vers la vieillesse. « L'amour de l'art comme vous l'appelez, écrit-elle à Mary Cassatt, ou tout simplement l'amour, les goûts d'un travail quelconque, ne se perdent pas avec les années. C'est encore ce qui nous fait le mieux prendre en patience les rides et les cheveux blancs. » Demeure sous l'arc impeccable des sourcils ce même regard à la fois mystérieux et noir, d'une extrême lucidité sur soi. Berthe se peint telle qu'elle se voit, telle qu'elle se ressemble, sans concessions, sans indulgence. C'est Berthe au regard droit. La franchise et l'exigence.

Oui, elle a vieilli... Le second autoportrait, également à l'huile, daté de la même année, complète et certifie le précédent. Voici Berthe de face, dans la même robe, avec le même foulard autour du cou. Elle paraît moins engoncée, un peu moins lourde. La taille, au-dessus de laquelle s'arrêtait le précédent tableau, est restée fine. Mais l'image n'est pas d'une séductrice, et n'évoque en rien la belle jeune femme qu'aimait peindre Manet. Le bouquet de violettes a flétri. Julie, les cheveux épars, se tient aux côtés de Berthe. Elle observe sa mère, laquelle fixe non pas l'objectif du photographe mais le pinceau du peintre, comme sur une photographie. On dirait que Berthe suit de toute son attention le travail, en train de s'accomplir sur le chevalet. Mais elle ne se montre pas le pinceau à la main. En fait, c'est elle-même qu'elle contemple. Sérieuse, concentrée et grave, saurait-elle exister sans la présence à ses côtés de cette enfant gracieuse dont l'histoire ne fait que commencer. « Mon pauvre amour n'est pas encore au monde », écrit-elle à l'amie mystérieuse en parlant de Julie, de sa fragilité, de son avenir dont elle ne peut rien prévoir.

Oui, la femme a cruellement changé et l'on voit bien sur ces deux tableaux que sa jeunesse s'éloigne. Elle affronte cette nouvelle étape, mais elle ne camoufle pas la tristesse que lui inspire le passage des ans. Elle est forte mais elle est désespérée. Son regard exprime une résignation inconsolable. A la contempler, sur ces toiles qui sont son seul aveu — la seule faiblesse qu'elle s'autorise —, on ne peut que se poser la question : cette femme a-t-elle jamais été heureuse ?

Ces deux autoportraits de 1885 ressemblent à s'y méprendre à des sanguines. Ils en ont la couleur bistre, le trait furtif et précis, l'espèce d'évanescence. Berthe Morisot y a ajouté quelques effets de blanc, qui s'apparentent à l'art du crayon. Le style même de ces deux huiles rappelle celui du dessin ou de l'esquisse. Elle a délimité d'un fin trait noir sa silhouette et à peine mis en scène, en quelques coups de pinceau rapides, la présence de sa fille. Seul son propre regard est intense, tout le reste est plus suggéré que peint. On a le sentiment d'une œuvre inachevée. Ce qui n'est pas le cas. Berthe Morisot a voulu cet effet. Refusant de donner à son tableau, traditionnellement, un aspect « fini », elle le livre dans cette espèce d'instantané, comme on dirait d'une photographie, comme pour mieux donner à sentir le temps qui passe. Son pinceau a franchi une étape. Préoccupée de saisir l'instant, elle allège ses couleurs, simplifie son trait à l'extrême, pose à peine le pinceau sur la toile et cherche à reproduire, avec une concentration inouïe, le sentiment du fugitif et de l'éphémère. Miracle de cette peinture : chez Berthe Morisot, la légèreté s'accompagne d'intensité.

Elle est, avec Monet, l'un des premiers peintres à rechercher l'inachèvement. Comme lui, maître de la suggestion, de l'esquisse pure, elle se laissera absorber par la tentation de l'abstrait. Ses dernières toiles ne figurent plus que le mouvement.

« Fixer quelque chose de ce qui passe. » Son intention d'artiste, définie dans sa jeunesse, prend alors toute son envergure. Obsédée par la fuite du temps, à travers ses signes, sur son propre visage, Berthe Morisot montre la cruelle mélancolie du vieillissement. On ne possède pas sa vie. Elle s'enfuit, à peine commencée. Et il ne reste que quelques images : celles que l'art réussit à dérober à une destinée.

Elle poursuit sa recherche, encore en 1887, avec deux derniers autoportraits, où elle se représente, assise en robe noire chez elle, devant une fenêtre, près de son inséparable compagne, sa fille. Ce sont deux huiles sur toile, mais là encore peintes à la manière du fusain ou de l'aquarelle. Le peintre a pris du recul par rapport à son reflet dans le miroir, il s'est éloigné de lui-même. Le pinceau est resté en suspens au-dessus de ces deux images, comme irréelles, un moment d'intimité au salon. Le visage de Julie est vide, tout juste un ovale, sans yeux, ni nez ni bouche, et son corps à peine indiqué. Un petit fantôme blanc. Quant à la mère, elle n'est plus que cette lourde silhouette, qu'entraîne le poids des ans. Son expression s'estompe dans le flou, ses mains ne sont pas même dessinées. On dirait une image qui a perdu ses couleurs et s'efface, dans un vieil album de photos de famille. On n'y lit qu'un lointain souvenir, la trace légère de quelque amour perdu. Une indicible angoisse se dégage de ces deux toiles. Elles ont, à l'état brut, un air rongé par le temps.

« Je travaille et m'applique à vieillir », écrit Berthe à peu près à la même époque à son fidèle Mallarmé, en reprenant une phrase que le poète a inventée pour lui-même. « Votre phrase est absolument moi, lui dit-elle. Si vous parliez toujours à ma place ! » Mais voilà, elle ne parle pas. Elle préfère le silence, et saisir avec son pinceau la mélancolie des existences, dont rien ne reste ou presque, que le souvenir des instants, heureux ou malheureux, mais dont le caractère éphémère fait tout le prix. Elle n'a fixé sur la toile ni fête ni cérémonie, ni grand événement, ni même un anniversaire de Julie ou un de ces dîners du jeudi qui mettent du piment dans sa vie, elle n'a voulu garder que des moments anodins, insignifiants, de ces moments intenses sous leur apparente banalité, le sourire ou le spleen passagers d'un enfant, la candeur fragile d'une jeune fille, un jardin en fleurs, un rayon de soleil printanier. Sa propre image abîmée par les ans est l'unique témoignage qu'elle a voulu laisser de sa tristesse devant la vie, de son secret désespoir.

Décidée à vivre

Le 13 avril 1892, Berthe Morisot envoie ce simple billet à Stéphane Mallarmé : « Mon cher ami, tout est fini. » Elle n'en dira pas plus. Eugène s'est éteint après une longue agonie. Berthe se retrouve veuve, à cinquante et un ans. Elle a épargné à Julie les derniers instants de son père et, pour la seule fois de leurs deux existences, elle a accepté de se séparer d'elle pour l'envoyer passer la fin de l'hiver et le début du printemps chez Tante Edma et ses cousines. « Julie est à la campagne, a-t-elle écrit à Mallarmé. Il est impossible qu'elle continue à le voir, ce serait un souvenir atroce pour toute sa vie. » Elle ne la rappelle près d'elle qu'après l'enterrement au cimetière de Passy, où Eugène repose sous la même pierre tombale qu'Edouard Manet. Elle entame alors bravement son deuil.

A la jeune fille, âgée de quatorze ans, qui vient de perdre un père attentif et tendre, elle cache son chagrin. La vie va reprendre : leçons de musique et de littérature (l'écrivain Camille Mauclair sera le professeur de français de Julie), promenades au Louvre, travail du dessin, de la couleur et de l'aquarelle, ou séances de pose avec sa mère. Rien ne saurait freiner la formation artistique de la jeune fille, ni assombrir son adolescence. Berthe lui offre un visage serein, d'affectueux sourires. Elle souffre cependant et sa détresse est grande. Pour soulager son cœur, elle retrouve l'habitude depuis longtemps perdue de confier à des cahiers ses états d'âme, et c'est là, au milieu des larmes, qu'elle note ses pensées au plus noir des jours. « Je n'ai plus envie de vivre, écrit-elle. J'aime à descendre jusqu'au fond de la douleur parce qu'il me semble qu'on doit s'élever après ; mais voici trois nuits que je passe à pleurer, grâce ! grâce ! » A ce confident dont elle est sûre qu'il ne trahira pas les sentiments qu'elle cache, elle livre son pessimisme radical, son désabusement. Nulle foi n'anime sa personnalité. « Ce grand nom de Dieu ne me dit rien ; enfant, je croyais le voir dans les nuages, maintenant il est vide de sens pour moi. Il y a des gens qui n'ont jamais eu d'âme, comment serait-elle éternelle ? » Athée sans aucun doute, Berthe Morisot professe un stoïcisme à la romaine : « le troupeau meurt tout entier ou gagne l'éternité à la force de son travail... » Elle ne croit à la survie de l'âme des morts que dans le souvenir des vivants. Son impiété n'a d'égal que son courage.

« Le souvenir est vraie vie impérissable ; ce qui a sombré, ce qui s'est effacé ne valait pas la peine d'être vécu ; donc n'a pas été. Les heures douces, les terribles, restent immuables et avons-nous besoin d'objets matériels pour les revoir comme reliques ? Cela est bien grossier. Mieux vaut brûler la lettre d'amour... »

La nostalgie n'est pas son fort. Du moins ne cherche-t-elle pas, cette femme en voiles de deuil, à se figer dans le regret du temps passé, de ce qui ne reviendra plus. Elle refuse de s'apitoyer sur elle-même. Elle garde vivant le souvenir de ceux qu'elle a aimés, mais elle continue à aller de l'avant. Pour sa fille mais aussi pour elle-même, elle veut regarder vers l'avenir et mépriser le désespoir. Toutes ses faiblesses, son journal est seul à les entendre. Et encore ne les confie-t-elle pas sans répugnance : « Je voudrais revivre ma vie, la noter, dire mes faiblesses ; non cela est inutile ; j'ai péché, j'ai souffert, j'ai expié ; je ne pourrai faire qu'un mauvais roman en racontant ce qui a été mille fois raconté. » Si son vocabulaire est celui de sa religion chrétienne, avec ses notions de péché et de culpabilité, son attitude est efficace et concrète, tout entière dictée par une autre foi : son amour pour sa fille.

Dans un premier temps, elle s'efforce de trouver une solution à des problèmes urgents. Eugène lui a en effet laissé une succession difficile. Les tracas matériels, dont il la déchargeait entièrement, s'ajoutent à sa tristesse pour lui compliquer l'existence. Elle craint qu'ils ne menacent son train de vie, la sécurité et le confort, mais surtout ne l'empêchent de se remettre à peindre, qu'ils ne viennent troubler la tranquillité à laquelle elle tient par-dessus tout. Consciente de son peu de disposition pour les « affaires », elle confie à un avocat, Gustave-Adolphe Hubbard, député de Seine-et-Oise, que lui a recommandé sa famille, le soin de régler l'héritage et notamment ce qu'elle appelle « une liquidation embrouillée » — une dernière vente de terrains à Gennevilliers. « J'ai traîné chez ces horribles gens d'affaires mon voile de veuve, mes paperasses, mon chagrin, écrit-elle à Mallarmé, cela ne pouvait durer. » Elle lui décrit le dénommé Hubbard comme « un sauveur » : « ce beau garçon que vous verrez avec son air de dieu indien... » — le coup d'œil du peintre ! — lui inspire confiance et va lui permettre de retrouver, au moins matériellement, la paix.

Le sort de Julie l'inquiète davantage. Qu'arriverait-il si elle venait à son tour à mourir ? Qui s'occuperait de sa fille ? La tutelle naturelle d'Edma, sa sœur la plus proche, à laquelle elle demande de veiller sur l'adolescente si elle venait à disparaître, ne lui paraît pas suffisante. C'est à Mallarmé qu'elle va confier Julie, en le nommant par testament son « subrogé tuteur ». Elle tient à l'en informer elle-même : « C'est à vous qu'il appartiendra de prendre la direction de tout. » Degas, Monet et Renoir formeront selon ses vœux le conseil de famille. « Merci d'avance pour la peine que je vais vous donner », écrit-elle dès le 26 avril, comme si elle devinait sa fin prochaine.

La conscience sereine, elle décide de consacrer le temps qui lui reste à vivre à la peinture. Ses amis l'encouragent dans cette voie. « Si du moins, Madame, lui écrit l'un d'entre eux, vous pouviez maintenant vous remettre des fatigues que vous avez dû endurer depuis tant d'années ! et si la peinture pouvait vous distraire, et si vous pouviez vous y donner tout entière... » Avant sa mort, Eugène avait organisé pour sa femme une exposition en solo. Il avait lui-même pris contact avec Maurice Joyant, ami d'enfance de Toulouse-Lautrec et directeur de la galerie Boussod-Valadon depuis la mort de Théo Van Gogh, le frère de Vincent, en 1890. Eugène Manet et Joyant étaient ensemble convenus d'une date. Aussi, au lendemain de la mort de son époux, Joyant, inquiet, écrit-il à Berthe pour avoir confirmation du projet. En dépit de son deuil, elle ne se dérobe pas. Elle veut honorer la promesse d'Eugène et tenir son engagement. Elle sait aussi que la peinture est le meilleur dérivatif au chagrin et qu'elle seule a tout pouvoir de l'aider à vaincre le désespoir. Elle s'enferme pendant un mois au Mesnil avec sa fille, afin de terminer les tableaux en cours, de sorte qu'au jour J, un mois à peine après les obsèques, elle est prête. Du 25 mai jusqu'à mi-juin 1892, sa peinture est la vedette d'une superbe exposition, à elle seule consacrée, au 19 boulevard Montmartre. Gustave Geffroy, ami de Clemenceau, journaliste au *Gaulois* et à *L'Art dans les Deux Mondes*, « le critique qui monte », celui dont les éreintements (innombrables) commencent de créer la panique dans le milieu de l'art — « il éreinte presque tout le monde », dira Goncourt —, a écrit la préface du catalogue. Il paraît fasciné par l'art de Berthe Morisot, qu'il qualifie de « délicieuse hallucination », et trouve des accents poétiques pour vanter son travail et le résultat que selon lui elle obtient : une « vérité fantastique ». Il sera toute sa vie un ardent défenseur de Berthe Morisot, comme il l'est déjà de Monet, de Cézanne, de Rodin. Quarante peintures et aquarelles, c'est, du vivant de Berthe, sa plus grande exposition. L'accueil de la critique est, dans l'ensemble, excellent ainsi qu'en témoigne *La Chronique des arts* : « un ensemble d'une rare délicatesse où revit l'art impressionniste de Manet, affiné, quintessencié par une nature de femme qui lui imprime un cachet particulier de goût et d'élégance... » L'artiste réussit à vendre quelques toiles, dessins et aquarelles, quoique à des prix modestes et la plupart à des amis, ou amis d'amis : *La Jatte de lait* à Claude Monet, *Dans la vérandah* à Ernest Chausson, *La Vue du bois de Boulogne* à Denys Cochin. A cause de son deuil, Berthe Morisot n'a pas assisté au vernissage. « Renoir en Espagne, Mallarmé occupé..., écrit-elle à une amie, vous pensez bien que ce n'est pas Miss Cassatt qui m'écrirait un mot sur une exposition de moi. » Elle s'est cependant occupée de l'accrochage, puisque Eugène n'est plus là pour le faire à sa place, et ce qu'elle confie à cette amie, sur un ton amer, n'est rien d'autre que sa difficulté à s'adapter à une situation pour elle totalement neuve : elle affronte seule pour la première fois le monde. Sans le réconfort d'une mère ou d'un mari, elle découvre, à la cinquantaine, à la fois l'émancipation et la solitude.

Elle renonce à habiter le château du Mesnil, comme au plaisir de se voir « une fois avant sa mort dans un si joli cadre ». La bâtisse lui paraît soudain trop vaste et l'attriste. Elle serait une trop lourde charge pour elle. Aussi y achève-t-elle les réparations nécessaires, quelque décoration, puis trouve-t-elle des locataires qui, pour un bail de trois ans, la soulageront des frais d'entretien. « Depuis trois semaines que je suis là à surveiller les ouvriers, à faire poser des tentures, repeindre..., enfin, toutes choses ruineuses, je trouve cette habitation de plus en plus jolie », raconte-t-elle à Louise Riesener, « mais moi je m'y sens mortellement triste et ai hâte d'en sortir. Ce château hantait l'esprit de mon mari dans les derniers temps, en sorte que son souvenir y est présent dans toute la tristesse de la maladie ».

Pour les mêmes raisons financières, elle doit se résoudre à quitter l'hôtel de la rue de Villejust, l'atelier plein de soleil ouvert sur le jardin qu'avait dessiné Eugène. Elle s'installe dans un appartement plus petit, 10 rue Weber, à proximité du Bois où elle aime peindre, et elle fait aménager dans les combles, à l'étage des chambres de bonne, un atelier, qui sera son domaine. Elle peut ainsi louer son ancien appartement, qui devient une bonne source de revenus. Elle y passe tout l'été 1892, pour profiter jusqu'au dernier moment de ce cadre qui abrite tant de chers souvenirs. Signe de détresse : c'est à son cahier secret qu'elle confie son intention d'être forte : « Ai-je été bête de penser une minute que les choses extérieures avaient de l'importance, qu'un peu de mon bonheur tenait à ces murailles. Je me suis habituée à quitter cet intérieur où Julie a grandi et où je me suis fanée. Mes souvenirs sont en moi, impérissables et à ma mort n'intéresseront plus personne. J'ai eu toujours beaucoup de peine à me détacher des lieux, des personnes, et même des bêtes, et le plus joli c'est qu'on me croit l'insensibilité même. »

Les amis lui écrivent pour la distraire et prendre de ses nouvelles. Mallarmé l'invite à séjourner à Valvins ; Renoir hésite à lui dire de la rejoindre à Pornic et à Noirmoutier — « c'est superbe et tout à fait le Midi, bien supérieur à Jersey et Guernesey, mais trop loin, beaucoup trop loin... » —, il craint qu'elle ne se fatigue ou qu'elle ne s'ennuie « là où je m'ennuie tant, je suis d'une humeur massacrante »... Monet l'appelle à venir déjeuner le dimanche en famille, à Giverny, et Degas, fidèle au poste, la prie tout simplement à dîner avec Julie. Au menu, la cuisine de Zoé : soupe, rôti bouilli et confiture d'oranges.

Berthe maintient dans son foyer la discipline que la mort du père aurait pu faire oublier, de sorte qu'une organisation de fer empêche l'atmosphère toute féminine du cocon de devenir voluptueuse. Parfois une visite au musée vient remplacer une promenade au Bois, c'est là la seule fantaisie permise. L'essentiel des journées est consacré au travail, et en particulier à peindre. Il n'y a pas de relâche. Pas de paresse autorisée. Une rigoureuse discipline préside à l'emploi du temps. Pour ne pas se replier sur elles-mêmes, la mère et la fille se prescrivent des sorties régulières, mais ces sorties obéissent au même rituel ; nullement improvisées, elles font partie d'un programme de vie. On va avec Mallarmé aux concerts Colonne, avec Renoir à l'Opéra-Comique... Le dimanche, après le concert, Mallarmé les invite chaque fois à batifoler : on remonte ensemble, à pied, les Champs-Elysées, en bavardant ! Une escapade à Montmartre chez Renoir, une autre à Giverny pour admirer la série des vingt-six *Cathédrales* de Monet et les aménagements de sa maison, une troisième dans la caverne d'Ali Baba de Degas qui a toujours de nouvelles « trouvailles » à leur montrer (sa collectionnite atteint son paroxysme) et chez lequel elles dînent avec ces deux joyeux compères que sont Forain et Bartholomé... Cette vie si monotone, réglée comme papier à musique et presque tout entière consacrée aux arts, ne manque pas d'amusements. Lorsque le temps officiel du deuil a passé, Berthe Morisot reçoit à nouveau à dîner, tous les jeudis. Les mêmes amis sont là : le conseil de famille — les quatre Mousquetaires — mais aussi Rodin et Mary Cassatt, Emile Ollivier et Paul Bartholomé, Chabrier et Chausson, même les sœurs Riesener — sous leurs noms d'épouses, mesdames Léouzon-Leduc et Pillaut. Seule la bonne a changé : elle s'appelle maintenant Octavie.

Julie n'est plus la seule jeune fille de la maison. Souvent, ses cousines germaines, Paule et Jeannie Gobillard, se joignent aux invités. Elles habitent rue de Villejust (au deuxième étage) depuis la mort de leur mère, Yves, tragiquement disparue quelques mois après Eugène Manet, d'un cancer de la bouche, à l'âge de cinquante-cinq ans. Comme leur père, Théodore Gobillard, est mort en 1879 (à quarante-six ans !), et qu'elles n'ont plus personne au monde que leur petit frère Marcel, leur tante Berthe leur sert de mère. Elles viennent chaque jour rue Weber et égaient de leur présence juvénile les soirées de Berthe et de ses amis. Les trois jeunes filles, devenues inséparables, forment un trio délicat, raffiné et plein de charme, qui ravive le cœur endolori de Berthe. La voici au centre d'un foyer qui, comme au temps de sa jeunesse, est tout entier féminin. Les hommes, en invités, n'y font que passer. Ils emportent avec eux la fumée de leurs cigares, tandis que la porte de la maison se referme sur le parfum des fleurs et le bruissement du taffetas des longues robes.

Aux dîners du jeudi, on fête les jeunes filles, qui participent aux conversations et sont souvent priées de donner leur avis. C'est ainsi qu'un soir apparaît sous leurs yeux le fantôme d'une autre jeune fille, moins chanceuse qu'elles car elle vient tout juste de mourir de tuberculose, à vingt-quatre ans, et dont le journal, récemment publié (1887), leur semble un chef-d'œuvre : Marie Bashkirtseff. Cette jeune fille-là, Russe exilée en France, a vécu comme un météore, enfant douée, enfant prodige. Elle n'écrivait pas seulement, elle peignait aussi, elle admirait Manet. « C'est incohérent, enfantin et grandiose ! » a-t-elle écrit de lui. A la vente de l'atelier, elle a acheté une *Indienne fumant une cigarette*. Ce dernier point aurait d'ailleurs suffi à l'imposer au cercle, si sa personnalité ne la rendait infiniment attachante. Sa sensibilité inquiète, son imagination passionnée enfièvrent non seulement Julie, Paule et Jeannie, qui la citent à tout propos, mais Berthe qui voit en elle une artiste à admirer. Si Marie travaille en plein air et peint des *Jeunes Filles sous un pommier*, son style demeure très académique. Et si elle reconnaît Manet, elle ignore tout des Impressionnistes. Son maître, c'est Jules Bastien-Lepage. Comme peintre, Marie Bashkirtseff n'emballe pas Morisot : « Mon admiration est contrariée par sa médiocre peinture, note-t-elle

Une frénésie de jeunesse

Berthe Morisot vit au milieu d'un bouquet de jeunes filles en fleurs. Paule Gobillard, de loin la plus âgée, a onze ans de plus que Julie. Brune et d'allure empruntée, avec des traits de visage lourds, physiquement, elle manque de grâce. Mais c'est la nièce préférée de Berthe qui a reconnu en elle un don pour la peinture. Elle marche d'ailleurs sur les traces de sa tante : elle voudrait faire de la peinture un métier. Aussi travaille-t-elle avec assiduité, de crainte de passer pour un peintre du dimanche, une de ces femmes qui s'amusent à peindre en dilettantes, dans le seul but de se distraire ou d'étonner leurs maris. Comme Julie, elle imite le coup de pinceau et les couleurs de Berthe Morisot — Tante Berthe. Elle n'aura jamais sa force ni son génie, mais son talent, tout de douceur et de mélancolie, ne manque pas de charme. Peut-être parce que la vie l'a habituée trop tôt à un rôle de mère, elle en oublie de plaire aux hommes, elle n'a guère de prétendants. Berthe l'a peinte une première fois en 1884, un bibi posé de guingois sur la tête, avec un air de solitude ; en 1887, elle lui met un bichon blanc dans les bras, comme une poupée. « En robe de bal », elle n'en est pas plus séduisante, son portrait exprime son caractère farouche et renfermé, sa difficulté à

communiquer. Elle apparaît pourtant, transfigu-
rée, sur un tableau qui la représente à son chevalet. C'est la vraie Paule Gobillard : dans tout son
éclat, le peintre.

Sa petite sœur, Jeannie, figure une quinzaine de
fois dans l'œuvre de sa tante, depuis ses premiers
portraits « à la poupée » (1883 et 1886) ou en
« petite danseuse ». Complice des jeux de Julie
enfant, confidente de ses secrets de jeune fille, elle
est sa cousine préférée. Berthe Morisot les peindra souvent ensemble, se souvenant sans doute du
couple qu'elle formait autrefois elle-même avec
Edma. En duo pour *La Sonate de Mozart* (1894),
Jeannie au piano accompagne Julie au violon.
Ensemble « dans le pommier » (Jeannie est assise
sur la branche), sous « le cerisier » (c'est Jeannie
qui tend le panier et Julie qui grimpe à l'échelle),
« en conversation » au bord du lac du bois de Boulogne, assises sur un banc ou étendues sur la rive,
contemplant un coucher de soleil, elles inspirent
à Berthe entre 1890 et 1894 ses plus purs chefs-
d'œuvre. *Le Flageolet*, qui les montre jouant de la
flûte, fait d'elles deux petits lutins, enfouis dans
l'herbe, essayant de produire les mêmes notes en
même temps. Julie de face y met plus d'enthousiasme que Jeannie, coiffée d'un chapeau, et qui
peine visiblement à ne pas jouer faux. Le fond du
tableau, toute cette herbe envahissante qui fait un
écrin aux jeunes filles, est une admirable illustration de la manière impressionniste : aucun détail
n'y est souligné, mais il semble que le jardin tout
entier, celui de la maison Blotière à Mézy, est présent, qu'il vit sur la toile, qu'il frémit et bruisse
sous la douceur du vent.

A Jeannie, Berthe Morisot a consacré un grand
portrait en buste un an avant de mourir. C'est fou
comme la jeune fille s'est mise à ressembler à

Paule ! Elle a la lourdeur du visage Gobillard, et quelque chose de cet air buté, fermé que Berthe aime peindre chez toutes les jeunes filles — comme une douleur d'être trop jeune, comme un ennui. Un détail l'apparente à sa tante : comme elle pose de profil, on remarque, bien dessinée, sa grande oreille en coquille — signe distinctif de Berthe Morisot.

L'atelier ne désemplit pas de fleurs en bouton, modèles qui n'ont pas vingt ans. Voici Marthe Givaudan, la fille de la concierge de la rue de Villejust. Avec sa tête ronde et brune, ses gros yeux, sa frimousse boudeuse, elle pose, tout enfant, rue de Villejust, au côté de Julie, près d'une vasque qu'Edouard Manet avait jadis offerte à Berthe. On la voit dans les bras d'une nurse, dans une scène intitulée *Toilette de nuit,* puis en fillette au tablier rouge et, sur une autre toile, la tête ceinte d'une couronne de roses blanches. Mais l'enfant grandit, la fillette devient femme. Peint rue Weber, *La Fleur aux cheveux* (1893) révèle un décolleté pulpeux, une jolie peau nacrée. *Jeune Fille en corset* dévoile des seins en fleurs qui s'épanouissent déjà. Un érotisme discret habite ses portraits. Sur les douze huiles que Berthe Morisot lui consacre, plus de la moitié l'expose dans des scènes intimes d'une vie de femme, la toilette, la coiffure ou le bain. Aux trois quarts dénudée, lissant sa longue chevelure ou se livrant à des ablutions en chemise, Marthe offre au pinceau du peintre un corps promis à l'amour.

Tandis que le deuil a envahi la vie de Berthe Morisot et revêtu de noir ses robes et sa maison, elle peint les scènes les plus gourmandes et les plus sensuelles de son œuvre. Obsédée par la vieillesse, ainsi qu'en témoignent ses notes secrètes, elle ne veut voir que la jeunesse, ses charmes acides et ses perversités ingénues.

Voici le joli corps mince de Gabrielle Dufour, une jeune fille du village de Mézy, en « faneuse », au milieu des foins, ou en « bergère couchée », un fichu rouge sur la tête, à plat ventre sur l'herbe ; une chèvre blanche broute à ses côtés. Une variante s'intitule *Bergère nue couchée* (1891) : c'est la même scène et le même modèle, nu cette fois comme un ver. Elle n'a gardé que le fichu sur la tête. Son corps est lisse, encore impubère. Elle a de longues jambes, un petit ventre rond, des hanches qui commencent à se former, pas du tout de seins. Elle rêve, dans son simple appareil, abandonnée au soleil et aux caresses de l'herbe.

Gabrielle pose nue encore, en « baigneuse », le même fichu cache ses cheveux, assise près d'une rivière où poussent des roseaux. Elle trempe une jambe dans l'eau. Un canard noir passe au loin, près d'une barque échouée. Le corps juvénile et gracieux se détache sur le fond bleu-vert de l'étang (ou bien est-ce une rivière ?), au point que le fichu lui-même se fond dans les tons d'orange clair de la peau. La chair fraîche de l'adolescence, le goût vert de l'enfance avant qu'elle ne se perde : il y a dans ces nus qu'inspira Gabrielle Dufour une espèce d'amour sincère et passionné pour la vie, dans son tout premier état. Une nostalgie du paradis perdu.

Le seul tableau où Gabrielle laisse voir ses cheveux (ils sont châtains, mi-bruns mi-clairs) est la *Paysanne aux tulipes*, un tableau qui se trouve aujourd'hui dans un musée de Memphis — Tennessee.

Cocotte vient relayer Gabrielle avec son visage de madone-enfant. Sous ses chapeaux de dentelles en cloche, elle a des yeux tirés en amande et une bouche pulpeuse, très charnue et très rouge, phénomène assez rare chez les modèles que choisit Berthe Morisot pour qu'on le souligne. Le modèle Cocotte a inspiré au peintre une étude minutieuse et douce des signes d'une sexualité naissante. Aucune brutalité dans cette représentation, aucune obscénité. *L'Enfant dans le salon bleu,* petite fille aux jupes soulevées sur sa culotte, de Mary Cassatt est à la fois beaucoup plus explicite et cru, et beaucoup moins voluptueux. En tablier, un panier posé sur les genoux, Cocotte est d'une extrême féminité et, le regard perdu dans sa rêverie, elle dégage un érotisme aussi innocent que violent.

Puis vient Jeanne Fourmanoir, un modèle que le peintre Federico Zandomeneghi a recommandé à Berthe et qu'elle partage avec Renoir. Avec une chevelure blond-roux, un air niais et provocant, moins innocente que Gabrielle, moins adorable que Cocotte, elle a ce qu'on appelle « du chien ». Berthe la peint endormie, buste nu, la tête renversée sur l'oreiller et la bouche entrouverte. On la croirait pâmée d'amour.

Lucie Léon, avec ses bras potelés et ses airs de bonne élève, sort tout droit des Concerts bleus : à dix ans, elle est une pianiste prodige.

Une jolie rousse, prénommée Stéphanie, natte ses longs cheveux devant la glace ; elle doit avoir quatorze ou quinze ans, l'âge des coquetteries qui s'affirment.

Voici Isabelle Lambert, dix-sept ans. Elle pose pour *Le Lever,* pour *Le Bain,* et pour un ravissant pastel de jeune femme aux épaules nues.

Voici Carmen Gaudin, sur un autre de ces pastels éblouissants du talent de Morisot. Parfaitement nue, de face, elle s'essuie le dos. Un fusain la représente, toujours nue, mais de dos, la ligne des vertèbres souligne la souple architecture. (Carmen, qui gagne sa vie en posant pour les peintres, sert de modèle à Toulouse-Lautrec mais, tous les peintres n'ayant pas la même inspiration, jamais Toulouse-Lautrec n'aura envie de faire poser Carmen nue...)

Et puis, voici, sous le pinceau de Berthe Morisot, les inconnues : des modèles professionnels qui, contrairement à Carmen ou à Isabelle, n'ont laissé aucun souvenir de leur état civil. Cueilleuses d'oranges, paysannes avec des oies ou porteuses de cruches d'eau, elles sont souples et gracieuses, avec de longs bras nus, des cheveux défaits, des jupes qui laissent voir des chevilles fines. Aucune n'a vingt ans.

A la ronde des jeunes filles qui entourent Berthe Morisot et lui inspirent sa peinture, il faut encore ajouter les deux sœurs, Jeanne et Emma Baudot. La première surtout est une grande amie de Julie et sa contemporaine. C'est Renoir qui les a présentées à Berthe Morisot, pour qu'elle les peigne et les adopte dans sa maisonnée. Blondes et jolies, elles posent aussi pour lui. Il les a connues par Paul Gallimard — le père de Gaston Gallimard, fondateur de la maison d'édition qui porte leur nom, est un grand collectionneur d'Impressionnistes. Il possède notamment plusieurs *Cygnes* de Berthe Morisot — l'un des thèmes qu'il préfère chez ce peintre — ainsi qu'une *Jeune Fille en robe rouge,* mais sa collection est surtout riche en Renoir. Le père des petites Baudot, médecin-chef des Chemins de fer de l'Ouest, est un ami de Paul Gallimard et ainsi va la ronde.

Renoir fera un jour un portrait de Jeanne Baudot, « en chapeau à fleurs » (1896). Elle est la marraine de son deuxième fils, Jean. Elle est aussi son élève, travaille dans son atelier et l'accompagne au Louvre où il lui donne des conseils. Car Jeanne Baudot peint — comme Paule Gobillard, comme Julie Manet. Berthe Morisot ne verra s'éclore ni la carrière de Jeanne Baudot ni celle de sa nièce Paule. Elle meurt trop tôt. Mais tandis que le temps passe, elle croque Jeanne et sa sœur Emma au Mesnil, en chemises, au bord de l'eau.

À la kyrielle des adolescentes, qui apportent à son existence austère et grave tant de fraîcheur et de naïveté, se joint l'autre duo des nièces, côté Pontillon cette fois, Jeanne et Blanche, les filles d'Edma. Elles vivent à Paris depuis que leur père, l'officier de marine, a pris sa retraite, en octobre 1893. Elles voient beaucoup plus Tante Berthe que ne la fréquente désormais leur propre mère. Depuis *Le Berceau*, Blanche a beaucoup grandi ! Mais c'est sa sœur cadette, Jeanne, que Berthe aime désormais représenter. La jeune fille est très Morisot, avec son élégance austère et son expression détachée ou revenue de tout. Pour le grand portrait que Berthe lui dédie en 1893 (collection privée, Genève), elle a posé devant la cheminée de la rue Weber, assise sur une méridienne à col de cygne que l'artiste a héritée de son père parmi d'autres meubles Empire et qui semble avoir été sculptée exprès pour elle, à son emblème. Sur ce tableau, d'un grand format (116 × 81 cm), Jeanne Pontillon ressemble à s'y méprendre à Edma et à Berthe Morisot, quand elles étaient autrefois ces jeunes filles rêveuses, voluptueuses malgré soi.

Les jeunes filles sont la compagnie fidèle de Berthe. Elle vit avec sa fille et ses nièces, qui l'accompagnent au Bois ou en vacances, viennent prendre leurs repas avec elle ou poser pour elle dans l'atelier. Une atmosphère de nichée règne rue Weber, hors les jours où les vieux messieurs passent. Quand elles ne posent pas, les unes travaillent à ses côtés, les autres bavardent à voix basse ou rêvent en regardant la main de leur tante tracer sur la toile des traits sûrs et fins. Quand les modèles les remplacent, c'est la même atmosphère douce et parfumée, un rien acidulée. Il n'y a dans l'œuvre de Berthe Morisot, tout entière consacrée au sexe féminin, aucun homme sauf Eugène. Ni même aucun jeune homme. Et presque aucun garçon.

Berthe Morisot n'a peint que quatre tableaux d'enfants mâles. Le premier, un *Petit Saint Jean* (1890), représente Gaston, un garçonnet de cinq ou six ans, qu'elle a déniché dans les rues de Mézy. Il arrive souvent à Berthe d'arrêter ainsi dans la rue ou dans les chemins de campagne un enfant dont l'allure ou le visage lui plaisent et lui donnent aussitôt envie de le peindre... Deux autres, *Petit Garçon en gris* (collection privée, Genève) et *Petit Garçon*, datés tous deux de 1880, ont été posés par son neveu, Marcel Gobillard. Ils montrent un enfant en veste sombre à col blanc, avec un visage de fille, des boucles dorées. Tel un ange tombé du ciel en costume du dimanche, il tient fièrement son canotier de paille à la main. Plus féminin et tendre à croquer qu'une image de la virilité, il représente lui aussi l'enfance chère au cœur de Berthe Morisot. L'un des thèmes fondamentaux de sa peinture. Enfin, le dernier tableau de garçon, posé par un petit inconnu en 1894, représente un *Enfant de chœur* en aube blanche (collection privée, New York) : lui aussi l'innocence, la soumission, la pureté que la vie menace.

De la femme, à part quelques visages de soi, saisis à l'âge où tout bascule et va bientôt mourir, ne demeurent que quelques portraits d'amies, Louise Riesener ou Marie Hubbard, leur douceur, leur inexpérience. On devine chez tous ces modèles, dont les plus âgées doivent avoir une trentaine d'années à peine, une totale vulnérabilité et des rêves que la vie n'a pas su contenter.

coup plus angoissée. Lorsqu'elle se plaint auprès d'Edma ou de ses nièces, ou auprès de ses amis peintres, de « ne pas bien travailler » — une plainte qui revient comme une litanie dans ses lettres —, elle est sincère et en cela d'autant plus touchante. Il ne faut voir dans les jugements drastiques qu'elle porte sur sa peinture — « c'est mauvais... », « je travaille mal... » — aucune fausse modestie, mais une conscience claire de cet écart terrible qui existe entre son rêve ou sa volonté et l'image que lui renvoie la toile. A force de l'entendre se lamenter sur ses piètres résultats, ceux du moins qu'elle veut bien commenter, car elle est avare de confidences, on finit par trouver enthousiaste et quasi hystérique ce pauvre aveu d'un début de contentement : « L'ensemble m'a paru moins mal que je ne m'y attendais », écrit-elle à propos de son exposition en solo, en 1892. C'est le jugement le plus positif qu'elle aura proféré sur elle-même. Mais elle est la plupart du temps si mécontente que, rendant visite un jour à Durand-Ruel qui expose quelques-unes de ses toiles dans sa galerie de la rue Laffitte, elle trouve l'un des portraits de Julie « atroce » — « on n'en voit que les aspérités et la facture » — et demande à son assistant qu'on le décroche ! Elle aurait sans doute obtenu gain de cause si Puvis de Chavannes, qui passait par là, ne lui en avait fait des compliments qui la touchent et la rassurent (un peu).

Berthe Morisot peint comme on réfléchit ou comme on voyage, dans une sorte de quête perpétuelle et insatiable. C'est qu'elle croit à une Vérité, à un sens supérieur de l'Art. Aussi comme artiste ne professe-t-elle aucune certitude. Le doute du créateur l'habite du premier jusqu'au dernier jour.

A partir de 1885, de nombreuses études préparatoires précèdent la plupart de ses grandes toiles.

Ainsi pour *Le Piano* (1888), elle a réalisé huit dessins, un pastel et trois huiles avant de déterminer son choix. Encore ce choix n'est-il, en fait, qu'une vision de plus ; les huiles et le pastel, les dessins sont autant de variations sur un même moment enchanteur, qu'elle peine à fixer sur la toile ou qui refuse de se laisser fixer. C'est entre la peinture et Berthe Morisot un jeu comme du chat et de la souris. Les impressions s'enfuient dès qu'on cherche à les prendre.

Cinq dessins et un pastel précèdent *Dans le pommier* (1890). Dix dessins préparent *Le Flageolet* (1890). Il existe deux versions à l'huile de ce dernier tableau, l'un a un plan plus resserré, comme si Berthe avait rapproché son œil de l'objectif. Mais il en va ainsi de la plupart de ses toiles. Non seulement Berthe s'entraîne au dessin ou au pastel, à l'aquarelle, avant d'interpréter la même scène ou la même figure à l'huile, mais elle prend désormais l'habitude d'en exécuter, dans la phase finale, deux ou plusieurs versions. Il existe deux *Flageolet*. Deux *Sonate de Mozart*, en 1894. Et, la même année, deux tableaux intitulés *Dans un jardin*, où deux jeunes filles (modèles inconnus) croquent des pommes sous un pommier, assises sur un banc. On pourrait aussi citer, entre autres exemples, les trois *Lucie Léon au piano* de 1892, avec leurs quatre dessins préparatoires.

La toile qui lui a demandé le plus de mal et de patience est sans nul doute *Le Cerisier*. Pour peindre Jeannie et Julie cueillant des cerises, elle a passé les trois quarts d'une année en hésitations, en tourments, à remettre cent fois en cause son ouvrage. Son travail a été si long que, commencé en extérieur, à Mézy, l'été 1891, puis poursuivi dans l'atelier de la rue Weber, il ne s'achève qu'à la fin de l'hiver suivant ! Berthe aura dû accepter

de remplacer Julie par un modèle professionnel.
Sa fille n'avait plus de temps à consacrer à ses
autres activités... C'est Jeanne Fourmanoir qui
prend alors la relève, obligeant Berthe à un nouvel effort d'interprétation, et presque à un nouveau
style. Car Jeanne est plus femme que Julie ; elle n'a
pas sa grâce aérienne, mais plus sensuelle, plus
paysanne, elle a apporté au *Cerisier,* dans sa dernière version hivernale, sa propre couleur d'été.

Un dessin au crayon de couleur puis une longue
série d'études dont une au pastel précèdent l'exécution de ce chef-d'œuvre. Etape suivante, une
ébauche à l'huile, de dimensions restreintes,
amène doucement l'artiste vers sa vision finale du
Cerisier : la construction pyramidale, avec les bras
levés des deux jeunes filles qui servent de pilier
central au tableau, pilier mouvant et ondulé, pilier
couleur nacrée..., annonce la première grande version du *Cerisier* (avec Julie), puis la seconde qui
sera inlassablement corrigée, à l'atelier, pendant
de longs mois. Pour ce tableau, l'un des plus
célèbres de Berthe Morisot, qu'on croirait peint
avec nonchalance, et presque avec paresse, du
bout du pinceau, sans appuyer, sans s'attarder, et
qui rend si bien l'atmosphère d'un jour de
vacances ensoleillé, Berthe aura souffert comme
sur nul autre. Le public ne doit rien en savoir, mais
Le Cerisier, avec sa douceur fruitée, fut longtemps
son calvaire.

Il n'y a jamais pour Berthe Morisot de vision
définitive. Elle pourrait travailler indéfiniment
devant un visage ou un coin de jardin. Mais par
un curieux paradoxe, plus elle peine, plus s'accen-
tue l'effet d'élégance et de légèreté de ses tableaux.
Tandis que son pinceau se pose en traits vifs et
doux, tandis qu'il effleure la toile, elle tire de cette
exécution ses effets les plus forts.

Cette manière, qui fait son génie, a dérouté la plupart des critiques de son temps avant de les captiver. Dès la Première Exposition impressionniste, celle qui donnera son nom au mouvement, Paul Mantz s'étonne, dans *La Gazette des Beaux-Arts*, qu'« elle ne puisse pas achever une toile, un pastel, une aquarelle ». L'époque a l'habitude des toiles bien « finies ». « Elle fait des préfaces pour des livres qu'elle n'écrit pas, écrit le journaliste, mais quand elle s'amuse avec sa gamme de tons clairs, elle trouve des gris d'une finesse extrême... » Arthur Baignères s'approche un peu plus de son secret dessein : « Elle pousse le système impressionniste jusqu'à l'extrême », pense-t-il. Il donne ce conseil au visiteur d'une exposition Morisot : « Il ne faut pas que vous vous approchiez des toiles ou cherchiez des détails ; l'illusion disparaît et vous vous trouvez en présence d'êtres monstrueux, de taches incohérentes et de folles perspectives. Mlle Morisot est une impressionniste si convaincue qu'elle veut peindre jusqu'au mouvement des choses inanimées. »

Cette volonté ancienne, chez elle, n'a pas changé. Elle n'a pas cessé d'accentuer sa recherche, toute de subtilité. Théodore Duret, dans le premier livre jamais consacré aux Impressionnistes, dès 1878, a beau jeu de noter qu'« elle termine ses toiles en donnant, de-ci de-là, de légers coups de pinceau ; c'est comme si elle effeuillait des fleurs... ». Deux ans plus tard, Charles Ephrussi livre à *La Gazette des Beaux-Arts* ce commentaire enflammé : « Elle broie sur sa palette des pétales de fleurs, pour les étaler ensuite sur sa toile en touches spirituelles, soufflées, jetées un peu au hasard, qui s'accordent, se combinent, et finissent par produire quelque chose de fin, de vif et de charmant, qu'on devine plutôt qu'on ne le voit. »

Si beaucoup de critiques jugent ses toiles
« embryonnaires », son pinceau « incohérent »,
son style « décousu », c'est que sa vision comme
sa manière de peindre sont — n'ayons pas peur des
mots — révolutionnaires. De tous les Impressionnistes, elle est la première à cultiver sciemment ce
manque de fini, qui lui paraît essentiel, le cœur
même de sa recherche. C'est elle qui sans nul
doute va le plus loin dans cette voie, où elle veut
rester une apprentie. Avec le recul des ans, on
comprend mieux sa démarche, qui parut très
audacieuse alors et qui fut mal comprise de ses
contemporains. Il semble aujourd'hui aisé et
évident de la définir comme un pionnier, dans
l'histoire de l'art. Son style annonce... la peinture
abstraite.

Paul Mantz, en 1881 : « Mme Morisot a fini par
exagérer sa manière au point d'estomper des
formes déjà imprécises. Elle ne fait que des débuts
de débuts ; le résultat est curieux, mais de plus en
plus métaphysique. Il faut évidemment des talents
de coloriste pour tirer du néant cette délicatesse. »
Charles Ephrussi : « Un pas de plus et distinguer
ou comprendre quoi que ce soit deviendra impossible. » L'un comme l'autre éprouvent déjà devant
les toiles de Berthe Morisot le vertige du public
qui viendra, quelque soixante ans plus tard, s'étonner devant les premiers exemples de l'expression-
nisme abstrait, vers 1950.

En 1886, à l'occasion de la dernière exposition
impressionniste, Jean Ajalbert, poète et critique,
publie dans *La Revue moderne* une analyse fulgu-
rante du style de Berthe Morisot. Y figure ce
résumé, des plus concis : « La construction claire
de sa phrase ne s'encombre pas d'épithètes ou de
pesants adverbes ; tout est sujet et verbe. » Il
ajoute : « Elle a une sorte de style télégraphique

avec des vocables bien choisis ; deux mots suffisent à traduire sa pensée. » Peu loquace dans sa
vie comme dans sa peinture, efficace et allusive,
Berthe Morisot cultivait ses silences et ses non-
dits. Ce sont ces non-dits qui contribuent au mystère et à la force de sa peinture. Elle l'a noté vers
la fin de sa vie dans un cahier : « Je crois que,
quand nous pensons très vite, nous omettons les
verbes et soulignons les adjectifs. A mon avis c'est
ainsi que pensent les gens qui ont des tempéraments froids. Moi, je vois les choses. »

Quant à savoir si sa féminité fut, pour peindre,
un avantage ou un handicap, les critiques en
ont débattu longtemps devant ses toiles. De ses
premières à ses dernières expositions, la question
a toujours été de savoir d'abord si elle méritait des
autres Impressionnistes, si son talent valait,
jusque dans la dérision, celui de Monet, de Degas,
de Renoir. Puis, les années passant, on a cru
que les peintres, ses amis, l'avaient entièrement
influencée, alors que les influences se sont produi-
tes dans les deux sens et que Monet, par exemple,
l'a autant admirée qu'elle l'admirait, lui. Le *Nénuphar blanc* de Berthe Morisot précède les *Nymphéas* de Monet, sa *Meule* sa série de meules de
foin. Il en va de même pour Manet, pour Renoir.
Leurs échanges sont réciproques et les conseils
ont voyagé des uns comme de l'une aux autres.
Seul Degas a vraiment intimidé Berthe Morisot :
devant lui, elle rendait les armes, reconnaissant sa
supériorité d'artiste — sa vision comme son génie
du dessin.

Sur son sexe, qui la mettait à part dans le
cénacle des Impressionnistes, elle n'a jamais voulu
s'attarder. Elle a méprisé le problème. En s'efforçant de travailler beaucoup — autant qu'un
homme, sinon plus —, en refusant de se laisser

Retour au bouquet de violettes

L'année 1894 est celle de ses derniers bonheurs. Début mars, un grand succès l'attend à Bruxelles, au Salon de la Libre Esthétique, qui succède au prestigieux Cercle des Vingt et constitue sous la houlette d'Octave Maus, son vibrionnant organisateur, une vitrine de l'avant-garde. Elle a envoyé quatre tableaux : *Bergère couchée*, *Dans la vérandah*, une *Tête de jeune fille* (sans doute celle de Cocotte, 1892) et une marine. Ils lui valent un article élogieux de Paul Gauguin dans une revue que publie l'exposition ainsi que l'admiration du public belge. Celui-ci est friand de nouveauté et moins frileux, moins conventionnel que le public parisien. Julie a accompagné sa mère à Bruxelles et elles se sont promenées ensemble dans la belle capitale. Elles ont visité la cathédrale Sainte-Gudule, arpenté la place de l'Hôtel-de-Ville, admiré son beffroi, les façades dorées de ses immeubles — « cela donne un air très riche », écrit Julie — et, bien sûr, visité son musée. Elles passent un long moment devant les Rubens, le matin devant les esquisses, l'après-midi devant une Vierge à l'Enfant, tout entourée de roses. Descendues à l'hôtel de Suède, sur la recommandation de Suzanne Manet, les attend une divine surprise. Leur hôte, Henri Van Cutsem, possède un Manet dont il a raison d'être fier : *Argenteuil* (celui qu'un critique parisien avait taxé de « marmelade » ; il est aujourd'hui au musée de Tournai). Elles ont tout loisir de le contempler et s'en font une fête comme d'un rendez-vous amoureux.

Un soir, Octave Maus les invite au premier concert d'un débutant, Eugène Ysaye.

Au Salon de la Libre Esthétique, les quatre Morisot se trouvent dans la même salle qu'un Renoir représentant deux jeunes femmes en train de lire, l'une en rose l'autre en vert. Ils voisinent avec des Gauguin, des Maurice Denis, des Pissarro (père et fils, désormais), des Odilon Redon. Ils participent de la nouvelle jeunesse.

L'accueil chaleureux des Belges met du baume au cœur de Berthe car elle a éprouvé du dépit, au mois de février qui précédait son voyage, lorsqu'elle a appris que Caillebotte, son confrère tout juste décédé, léguait son immense collection de toiles impressionnistes au musée du Luxembourg. Or, il possédait des Degas et des Monet, des Sisley en pagaille, des Renoir — il a d'ailleurs institué Renoir son exécuteur testamentaire —, et même des Manet, des Fantin, des Bazille — mais pas un seul Morisot ! S'il n'avait dépendu que de Caillebotte, elle n'aurait donc pas existé, comme peintre, au sein du mouvement ! La voilà exclue du musée. Non seulement rejetée, du moins en apparence, du groupe qui est sa famille, mais superbement ignorée. Effacée du catalogue...

A peine rentrée de Bruxelles, elle aura sa revanche. Théodore Duret, cet ami de Manet, d'origine charentaise, met lui aussi sa collection en vente. Non qu'il soit mort, il est en parfaite santé au contraire, mais il a de sérieux ennuis d'argent. Il possède de nombreux tableaux des artistes auxquels il a consacré — dès 1878, l'année de la naissance de Julie — une *Histoire des peintres impressionnistes*. Il vend trois Cézanne, huit Degas, six Manet, six Monet, quatre Pissarro, trois Renoir, trois Sisley, un Whistler, et un Berthe Morisot. Tous ces tableaux sont de première qualité et illustrent bien le style et la palette de l'artiste. Ses *Danseuses* ou ses *Chevaux de course* de Degas sont parmi les plus belles pièces de sa collection, en concurrence avec plusieurs *Pommes* et *La Route dans un village* de Cézanne, *Les Dindons blancs* de Monet, ou *La Gelée blanche* de Pissarro. Mais les Manet valent bien qu'on se batte dans la salle autour des enchères. *Chez le père Lathuille* et le *Portrait d'Albert Wolff*, *Le Port de Bordeaux* et *Le Torero saluant* (le premier Manet acquis par Duret en 1870) vont trouver acquéreurs, sans que les prix flambent. Mais il y a dans la salle Berthe Morisot elle-même... Elle a confié à Paul Durand-Ruel la délicate mission de suivre pour elle les enchères. Elle veut acheter ses deux portraits par Manet : *Le Repos* (son portrait en blanc, abandonnée sur un canapé rouge) et *Berthe Morisot au bouquet de violettes*, les deux chefs-d'œuvre pour lesquels elle a posé.

Le premier, son préféré, lui échappe. Les offres dépassent ses moyens financiers. Le chanteur Faure, dont la collection d'Impressionnistes est encore plus importante que celle de Duret, l'acquiert pour la somme de 11 000 francs, en même temps que *Le Port de Bordeaux*. Elle emporte le second portrait à 4 500 francs. Il va venir rejoindre dans son salon, où il l'attendait depuis des années, solitaire, le minuscule bouquet de violettes que Manet lui avait offert en 1872, en souvenir de son amitié. Il y restera au-delà de sa mort ; sa fille le léguera à ses enfants, qui le légueront à leurs enfants. Racheté par l'Etat, il est entré au musée d'Orsay en 1999.

« Quel joli coup de pinceau avait mon oncle Edouard ! » s'extasie naïvement Julie dans son *Journal*.

Autre bonheur inattendu : l'ami Renoir et l'ami Mallarmé, déçus qu'aucun Berthe Morisot ne figure au sein du legs Caillebotte, usent de leur influence auprès du ministre des Beaux-Arts pour que l'Etat rachète à Duret sa *Jeune Femme en toilette de bal* — un tableau qu'elle a peint d'après un modèle professionnel, quand elle habitait encore rue d'Eylau.

La vie, qui lui est douce cette année-là, lui réserve d'autres cadeaux. Sitôt après la vente Duret, Renoir lui annonce qu'il veut faire son portrait. En fait, elle souhaitait qu'il peigne Julie. Mais il préfère rendre l'exceptionnelle qualité du couple que forment la mère et la fille. Priées de venir poser à son atelier, Berthe et Julie se rendent deux matinées par semaine rue Tourlaque, où ont lieu les séances de travail. Elles remontent ensuite déjeuner chez le peintre, dans la maison qu'il a aménagée à Montmartre, et qu'on appelle le Château des Brouillards. Berthe et Julie aiment s'attarder dans cette atmosphère de famille heureuse, au milieu d'un quartier populaire. L'affection de Renoir semble à Berthe un don trop précieux pour risquer de le perdre, en fuyant ces repas trop copieux qu'en ancienne anorexique elle redoute comme une épreuve. Renoir fait un dessin de son profil, dont il tirera après sa mort une petite gravure.

Avant de quitter Paris pour l'été, elle a la joie d'aller visiter une exposition Edouard Manet à la galerie Durand-Ruel. Puis, abandonnant les souvenirs à Paris, avec les nostalgies, elle part pour un long séjour en Bretagne, avec Julie, avec Paule et Jeannie, et avec Octavie (la bonne). Laërte est aussi de la partie. Arrivées à Saint-Brieuc le 9 août, les cinq femmes se rendent à Saint-Quay-Portrieux, où Berthe a loué une maison baptisée « La Roche Plate ». Elles visitent les environs, Saint-Ornay, Binic, Etables. Tandis que Julie et Paule font de l'aquarelle à ses côtés et que Jeannie baye aux corneilles, tandis qu'Octavie leur prépare des fruits en compote ou des quatre-quarts pour le thé, Berthe travaille dans le jardin ou sur la plage. Voici des bateaux, des dunes, des rochers, des falaises. Le pinceau suggère les lignes, esquisse à peine les volumes, mincit les traits, estompe les sujets. On dirait un pinceau japonais, dans l'esprit qu'on appelle aujourd'hui minimaliste. Zen et minimaliste, Berthe Morisot ? Ses plages et ses bateaux ne sont pas de simples sujets de peinture figurative, des « motifs », mais bien plutôt des occasions données pour rendre la magie du mouvement, le charme de la lumière. Certaines de ces toiles du Portrieux sont quasiment abstraites. S'il n'était mort pendant leur séjour, au début du mois de septembre, le lieutenant de vaisseau Pontillon, mari d'Edma, n'y eût reconnu ni ses ports ni ses embarcations. Mais ce sont pourtant des morceaux vivants de Bretagne, un échantillon de l'atmosphère, des embruns, des rêves de marins que ces toiles représentent, en touches infinitésimales.

Mallarmé lui écrit, fidèle à rédiger en quatrain ses enveloppes :

> *Ce mot, qui sur elle planait*
> *A Portrieux, la Roche plate,*
> *Retraite des Dames Manet,*
> *Dans les Côtes-du-Nord éclate.*

« Maman Manet », ainsi que l'appelle Renoir dans un autre style, et ses trois jeunes filles qu'accompagne Octavie — que de femmes ensemble ! — ne se pressent pas de rentrer à Paris. Elles s'arrêtent à Morlaix, puis à Nantes où elles vont admirer un tableau d'Ingres au musée : le portrait de *Madame de Senonnes*. Aucune présence masculine ne vient déranger leur promenade. Même le chien est une chienne.

« ... d'une chevelure blanchie par l'abstrait, épuration en le beau qu'âgée, avec quelque longueur de voile, un jugement, foyer serein de vision ou n'ayant pas besoin dans la circonstance, du recul de la mort... » ; Morisot rentre à Paris, purifiée, sereine, ainsi que la voit Mallarmé. Elle reprend le rythme monotone, habituel, des jours, rue Weber, à la lisière du Bois.

En septembre, elle peint un *Portrait des enfants Thomas,* aujourd'hui au musée d'Orsay, que lui a commandé son cousin germain, Gabriel Thomas, directeur du musée Grévin. Jeannie et Charley Thomas posent avec Laërte, le lévrier de Julie. Charley, en costume de marin, mais les cheveux dans le cou comme une fille, regarde fièrement devant lui. La petite Jeannie, une poupée blonde et rose, a cette moue boudeuse qui distingue les enfants que peint Berthe Morisot. Elle semble dédaigneuse, ne regarde pas même le chien qui, lui, la contemple avec amour. Il a fallu beaucoup de persévérance pour garder sages les deux enfants pendant les longues séances où ils durent poser, Berthe ayant d'abord travaillé à trois dessins différents puis à deux aquarelles avant de passer à l'huile.

L'année 1894, le travail de Berthe est si assidu, qu'elle mène à leur terme plus de cinquante toiles (sans compter les dessins ni les aquarelles préparatoires) — une performance dans sa vie d'artiste. Elle peint plusieurs portraits de petites filles, comme *La Poupée noire*, de jeunes filles, comme *L'Hortensia*, les deux portraits de Jeanne Pontillon (dont le très grand portrait sur la méridienne Empire) et plusieurs de Julie — dont deux chefs-d'œuvre : *Julie jouant du violon* et *Julie rêveuse*. La grâce de la jeune fille c'est un mélange d'élégance et de volupté, et c'est cet air rêveur qui flotte sur les grands yeux noirs, sur la bouche pulpeuse. Julie Manet est beaucoup plus jolie que Berthe Morisot au même âge. Moins arrogante et moins ténébreuse, plus douce, plus arrondie, elle n'en exprime pas moins cette même espèce de sensualité réservée et toute une part de mystère — le mystère, inhérent à sa personnalité, fait partie de ses gènes.

Tandis que Berthe Morisot peint ses derniers cygnes au Bois, *Cygnes en automne* et *Cygnes dans la brume*, la jeune fille qu'elle a mise au monde ressemble elle aussi à un cygne, le plus beau de ceux que Berthe a peints. Mais un cygne blanc, non pas noir comme celui qui demeure son emblème.

Le 14 novembre, Julie fête ses seize ans. Paule et Jeannie lui apportent des fleurs. Berthe lui offre une soirée à la Comédie-Française, où l'on joue *Le Mariage forcé* de Molière. Julie se laisse gâter, mais le plus beau cadeau, c'est le ciel qui le lui a fait. « J'ai seize ans..., écrit-elle dans son *Journal*. Le lever du soleil est extraordinaire, il est féerique, rose, complètement rose comme un feu de Bengale, tout est enveloppé de tarlatane, c'est merveilleux. » Sa mère lui a appris à s'extasier sur les spectacles de la nature.

Ce même soir, au Français, on donnait deux

autres courtes pièces, *La joie fait peur* et *Il ne faut jurer de rien*. Lorsque prend fin l'année heureuse, le malheur s'apprête à frapper.

Atmosphère légère de ce début d'année. Berthe travaille à un portrait de sa fille « en chapeau Liberty », où perce une pointe d'humour. Le rire, si peu présent dans cette vie de femme, semble trouver sa place quand la mort prépare son coup de théâtre. Elle est même si bien en train, notre Ténébreuse, que Mallarmé, touché par sa bonne humeur, lui envoie ce quatrain pour la féliciter. Le rire est contagieux :

> *Le rire trop prompt à se taire*
> *dont votre air grave est diverti*
> *L'ombrage d'un autre mystère*
> *Que le seul chapeau Liberty.*

Si extravagant, le chapeau de Julie inspire au poète non seulement une invitation au théâtre mais le choix d'une loge spéciale « vaste quoique en famille et de proportions favorables au chapeau », ainsi qu'il s'exprime. Or, Julie est malade. Rien de grave. Berthe a appelé le médecin, qui a diagnostiqué une grippe. Elle est si peu inquiète qu'elle accepte, elle si mère poule, de se rendre au théâtre avec son ami, sans sa fille : « Julie est au lit avec la grippe, lui répond-elle le jour même, par la poste. Le docteur m'assure que je puis la quitter, en sorte que j'irai assister à votre apothéose mais sans ce joli chapeau devant moi, ce dont je m'excuse. Berthe Manet. » L'apothéose dont il est question est sans doute la représentation de *L'Après-Midi d'un faune*.

A quelques jours de là, elle décline une invitation de Renoir à venir le rejoindre avec Julie à Carry-le-Rouet, où il se trouve en compagnie de la famille Baudot. Julie est encore trop faible. Elle-même travaille à un portrait de la petite Marcelle, qui lui donne de la peine car la fillette ne tient pas en place et ne cesse de lui répéter comme une antienne : « Je suis Marcelle, une petite fille. »

En somme, rien que l'agréable routine. Une atmosphère heureuse et chaleureuse. L'équilibre rêvé serait-il enfin trouvé ? Une photographie montre Berthe, en peignoir blanc, assorti à sa chevelure, reprenant la pose sur un canapé, comme au temps où elle s'abandonnait au pinceau de Manet. Est-ce Degas qui a pris la photo ? La tête appuyée sur la main, elle apparaît à la fois lasse et sereine, et sourit vaguement. La vie a eu raison de sa jeunesse et de sa beauté. Mais elle a forgé une femme, dont on devine la force et la puissante vie intérieure, l'équilibre maîtrisé des émotions, des désirs. Cette interprétation n'est que regard — évident constat d'un individu en paix avec lui-même, avec son passé.

Le sort, toujours injuste, décide que cet équilibre, à peine trouvé après une vie d'efforts, doit être rompu.

Mi-février, alors que Julie va mieux, Berthe s'alite à son tour. Répugnant à se soigner, elle appelle trop tard le médecin. La grippe évolue en pneumonie. Elle tousse et elle étouffe, en proie à d'affreux maux de gorge et de poitrine. Le 27 février, elle écrit pour la dernière fois un mot à Mallarmé, le priant de ne pas se déranger — elle ne peut le recevoir : « Je suis malade, mon cher ami, je ne vous demande pas de venir parce qu'il m'est impossible de parler. »

Edma accourt au chevet de sa sœur, accompagnée de ses filles Blanche et Jeannie. Paule et Jeannie Gobillard, qui croient revivre l'agonie de leur mère, n'osent plus entrer dans la chambre. Le docteur Ganne vient ausculter sa patiente deux fois par jour, mais il ne peut que constater les progrès de la fièvre et de la congestion. Edma passe les nuits près de Berthe, Paule la relaie le jour. « Oh ! mon Dieu, guérissez maman ! » écrit Julie le 1ᵉʳ mars. On tient la jeune fille à l'écart, Blanche l'emmène se promener au Bois et ne la quitte pas un instant. A la demande de sa mère, elle n'assistera pas à ses derniers moments. Berthe Morisot, qui s'est vue mourir, a voulu épargner à sa fille le spectacle de ses souffrances qui, à en croire l'entourage, furent cruelles. Lucide jusqu'au dernier instant, elle a le temps de dicter ses dernières volontés. Le 2 mars, elle demande à parler à Julie, en début d'après-midi, elle sait que c'est la dernière fois. Le soir, ses souffrances s'accroissent ; elle rend l'âme en présence de sa sœur Edma et de sa nièce Paule, à dix heures et demie. Dehors, ce sera bientôt le printemps qu'elle a tant aimé peindre. Et dedans, rue Weber, c'est la nuit.

« Oh ! mon Dieu, faites que maman soit heureuse auprès de vous », écrit Julie. Et puis aussi : « Oh ! malheur, malheur, jamais je ne pensais être sans maman. »

Le dernier mot de Berthe Morisot a été « Julie ». La veille de sa mort, elle a trouvé la force d'écrire une lettre à sa fille. La voici :

« Ma petite Julie, je t'aime mourante ; je t'aimerai encore morte ; je t'en prie, ne pleure pas ; cette séparation était inévitable ; j'aurais voulu aller jusqu'à ton mariage... Travaille et sois bonne comme tu l'as toujours été. Tu ne m'as pas causé un chagrin dans ta petite vie. Tu as la beauté, la fortune ; fais-en bon usage. Je crois que le mieux serait de vivre avec tes cousines, rue de Villejust, mais je ne t'impose rien. Tu donneras un souvenir de moi à ta tante Edma et à tes cousines ; à ton cousin Gabriel, les *Bateaux en réparation*, de Monet. Tu diras à M. Degas que s'il fonde un musée, il choisisse un Manet. Un souvenir à Monet, à Renoir et un dessin de moi à Bartholomé. Tu donneras aux deux concierges. Ne pleure pas ; je t'aime encore plus que je t'embrasse.

Jeannie, je te recommande Julie. »

Par discrétion, elle a demandé qu'on l'enterre dans l'intimité et qu'il n'y ait pas de faire-part. C'est Mallarmé qui, par télégramme, avertit quelques amis. « Je suis le messager d'une affreuse nouvelle ; notre pauvre amie, Mme Eugène Manet, Berthe Morisot, est morte. Sa discrétion a voulu qu'aucune lettre de faire-part ne fût envoyée. Mais que seuls on prévînt personnellement ceux qui ne lui furent pas étrangers. Je n'aurais pu en aucune façon ne pas vous y comprendre. » C'est ainsi que Renoir, qui était en train de peindre à Aix-en-Provence, chez son ami Cézanne, abandonna sur-le-champ ses pinceaux et courut à la gare : « J'avais le sentiment d'être tout seul dans un désert », dira-t-il un jour.

Il assiste à l'enterrement, de même que Degas, Mallarmé, et Pissarro. Ce dernier écrit à son fils Lucien, à Londres : « Vous ne pouvez vous rendre compte quelle fut notre surprise et notre émotion aussi en apprenant la mort de cette femme distinguée, qui avait un superbe talent si féminin et qui honora tant notre groupe impressionniste, qui s'en va — comme toute chose. »

Sur le certificat de décès, à la rubrique profession, un fonctionnaire a noté « sans ».

« Berthe Morisot, veuve d'Eugène Manet », est-il simplement écrit, sur la pierre sous laquelle elle repose, aux côtés d'Eugène et d'Edouard — bientôt de Suzanne Leenhoff-Manet. Au cimetière de Passy, parmi les luxueux tombeaux, le granit nu et l'inscription austère sont bien dans sa manière : discrétion absolue. Seul le buste en bronze de Manet, qu'a sculpté Ferdinand Leenhoff, posé sur une courte colonne, apporte une touche personnelle et artistique au monument funéraire.

Des lettres de condoléances arrivent en grand nombre à Julie. Parmi celles des cousins Mayniel de Montauban, d'Alice Gamby et de sa mère depuis Nice, ou de la famille Hubbard en vacances à Monte-Carlo, figure ce petit mot de Louise Riesener : « J'ai connu votre chère maman presque enfant. Je l'aimais pour tout ce qu'il y avait d'exquis en elle... et mon cœur bat avec le vôtre dans une tristesse profonde. »

Sur papier à en-tête de La Libre Esthétique, Octave Maus adresse, de Bruxelles, à Julie ce message, au diapason de tous les autres : « J'apprends avec une véritable stupeur la mort de votre mère que je ne savais pas malade et que je me réjouissais de revoir à Paris au printemps. Vous savez la grande admiration que j'avais pour elle. Croyez que je souffre véritablement de l'affreuse nouvelle qui vient de me parvenir. (...) C'était une grande artiste, dans la plus haute acception du terme, et je la regrette aussi profondément comme peintre que comme amie. »

En mars 1896, pour le premier anniversaire de sa mort, ses amis et sa fille organisent une rétrospective de son œuvre à la galerie Durand-Ruel. Julie s'occupe de faire encadrer les toiles qui ne le sont pas encore — « Encadrez très simplement ! » lui a dit Renoir — et d'écrire aux collectionneurs de bien vouloir prêter celles qui sont en leur possession. Claude Monet, Auguste Renoir et Stéphane Mallarmé prennent une part active à cette préparation. « M. Monet est déjà arrivé... », écrit Julie, le jour de l'accrochage des œuvres. « Il m'embrasse tendrement et j'ai beaucoup de plaisir à le revoir ; il est bien gentil d'accourir ainsi, de laisser son travail. M. Degas s'occupe aussi de l'accrochage, M. Renoir arrive ensuite ; il a bien mauvaise mine. M. Mallarmé a dans ses attributions d'aller chez l'imprimeur pour le catalogue. » Jamais exposition de peinture ne fut préparée avec tant de soins, par un pareil aréopage !

Plusieurs journées de travail seront nécessaires pour organiser la mise en place des toiles, dessins et aquarelles : au total, 394 numéros. L'œuvre n'est pas toute représentée puisque plusieurs toiles acquises à l'étranger ou en province n'ont pu revenir à temps pour l'exposition, mais elle illustre bien le travail de toute une vie. C'est à Julie que revient la tâche de numéroter les tableaux. Infatigables, Monet, Degas, Renoir et Mallarmé discutent de chaque emplacement, de chaque trait de lumière, dévoués à la mémoire de leur amie. Mais elle n'est plus là pour calmer leurs tempéraments et les mettre d'accord. Soudain entre Degas et Monet éclate une de ces disputes dont ils sont familiers, et qui ont jeté plus d'une ombre sur les anciennes expositions du groupe. Monet soutient que le paravent, sur lequel sont accrochés les dessins, ferait mieux dans la salle du fond, plus intime, avec les aquarelles et les autres dessins, tandis que Degas veut absolument le voir dans la première salle, au milieu des peintures. Il faut dire qu'il a lui-même conçu et fait construire ce paravent par un artisan de la rue de Rome. Il y tient. Aucun des deux hommes ne veut changer d'avis, alors le ton monte, comme d'habitude entre eux. Mallarmé, d'une voix douce, trouve comme Monet que « cela dérouterait le public de voir les dessins au milieu de la peinture ». Du coup, Degas se met en colère : « Est-ce que je m'occupe du public ? grogne-t-il. Il n'y voit rien... C'est pour moi, pour nous, que nous faisons cette exposition. Vous ne voulez pas apprendre au public à voir ! »

Julie, amusée, rapporte le dialogue, le soir, dans son *Journal*. Monet, dit-elle, semble tout aussi exaspéré : « Eh bien si, réplique-t-il, nous voulons essayer. Si nous faisions cette exposition uniquement pour nous, ce ne serait pas la peine d'accrocher tous ces tableaux, nous pourrions les regarder simplement par terre. » Le ton monte. Les quatre amis s'échauffent. Renoir, soudain, réclame un pouf : il veut s'asseoir pour contempler les toiles et il pense que le public aimera en faire autant. Degas, furibond : pas de pouf ! « Je resterais treize heures de suite sur les pieds s'il le fallait... » En attendant, il s'occupe à laver consciencieusement, de ses mains, une marine qui a été mal roulée et salie en atelier. La nuit tombe, Degas, qui en a fini avec sa marine, va et vient dans son manteau à pèlerine et son chapeau haut de forme. Monet, debout, immobile, parle de sa voix sonore et refuse de céder sur la question du paravent. Renoir, éreinté, s'est effondré sur une chaise, il ne dit rien. Et Mallarmé, en vain, d'une voix douce, essaie d'arranger les choses... Le lendemain, Degas boude et reste chez lui, alors Monet prend le paravent qu'il va planter dans la salle du fond, où il restera jusqu'à la fin de l'exposition — à la satisfaction de tous les autres organisateurs.

Julie fait le tour des tableaux, qui lui évoquent chacun un moment de la vie de sa mère, et elle s'extasie, éperdue d'admiration. « Cette exposition est une merveille », dira-t-elle. Dans son *Journal,* elle passe en revue chaque détail de chaque toile, de chaque dessin. « C'est comme une résurrection », dira-t-elle aussi. Depuis *Le Berceau* où Tante Edma pose près de Blanche et *La Chasse aux papillons,* où elle joue avec ses filles près d'un minuscule cerisier, il y a là, entre autres précieux souvenirs, son père allongé sur l'herbe, à Beuzeval, en Normandie, ou lui apprenant à lire sur un banc du jardin ; il y a Pasie, cousant ou l'emmenant promener au Bois ; il y a les *Roses* que Paule a choisies pour décorer sa chambre, les *Pommes* qui sont dans la sienne avec leurs gros pépins noirs, le *Vase bleu* qui orne maintenant la salle à manger de la rue de Villejust ; il y a Lucie Léon et ses bras potelés, Marthe avec ses épaules nues, Gabrielle de Mézy et le Petit Saint Jean. Il y a ses cousines, Jeannie, Paule et Jeanne. Il y a surtout elle, à tous les âges, et elle se revoit, jouant près de sa mère, puis posant ou peignant à ses côtés, dans cette paix qui les rendait heureuses et qu'elle a perdue. Voici les tableaux peints en Angleterre, quand Berthe et Eugène étaient de jeunes mariés, voici la plage de Fécamp et la Villa Ratti, le port de Nice, la ville de Tours, le jardin de Bougival, le bois de Boulogne et le pigeonnier du Mesnil. Il y a les cygnes blancs, et puis le cygne noir...

La lumière des tableaux éclaire la première salle. Dans la pièce du fond, plus intime et plus douce, les dessins et les aquarelles montrent la pureté et la perfection de la main de Berthe Morisot. Posée sur un socle, une terre cuite, la seule sculpture de Berthe Morisot : un buste de sa fille, en terre rose, qu'elle a exécuté en 1887, sur les conseils de Rodin et de Degas. Il en existe une version en bronze. En passant de l'une à l'autre salle, on est tour à tour ébloui et étonné. « Comment !

s'exclame un visiteur. On ne savait pas qu'elle avait tant travaillé ! » Dans le catalogue, Mallarmé se livre à un dithyrambe et, dans son style inimitable, écrit (première phrase) : « Tant de clairs tableaux irisés, ici, exacts, primesautiers, eux peuvent attendre avec le sourire futur... » Il évoque la « fluidité » et la « nitidité » (!) de la peinture de Berthe Morisot, parle d'une « juvénilité constante qui absout l'emphase », et conclut sur la féerie : « Féerie, oui, quotidienne — sans distance, par l'inspiration, plus que le plein air enflant un glissement, le matin ou après-midi, de cygnes à nous... » Pour lui, indépendamment des sortilèges, Berthe fut « une magicienne ».

Et puis, la vie reprend son cours. A Paris, les gens attendent la visite annoncée de Nicolas II, le tsar de toutes les Russies. Julie assiste au défilé des troupes depuis le balcon du docteur Evans (le protecteur de Méry Laurent), chez lequel Mallarmé l'a emmenée. Le soir, avec ses cousines, elle admire le feu d'artifice qui embrase la tour Eiffel.

Julie est retournée vivre rue de Villejust avec ses cousines Paule et Jeannie Gobillard. Mallarmé veille à l'éducation de celles qu'on appelle maintenant « les petites Manet » ; il leur a trouvé une gouvernante qui s'occupe de leurs repas et de leur garde-robe. Mais elles mènent une existence libre et sans mentor, sous leur propre tutelle. Elles continuent à étudier sagement le piano et la peinture. Sous l'aile de Paule, qui restera vieille fille, Julie et Jeannie embellissent. Bientôt, en septembre 1898, Mallarmé meurt, à Valvins. Des grands protecteurs, il était le plus proche et le plus attentif. Renoir continue d'inviter souvent Julie chez lui, en famille, avec femme et enfants, en Bretagne ou à Essoyes. Monet, fidèle aux promesses faites à Berthe Morisot, l'appelle encore à Giverny : Julie restera très liée à Michel Monet et à Jean-Pierre Hoschedé qui ont à peu près son âge, de même qu'à Jean Renoir. Quant à Degas, l'oncle bougon mais tendre, il déposera longtemps des baisers sur le front de cette jeune fille, timide et silencieuse. C'est lui qui présentera à Julie son futur mari, Ernest Rouart. Fils de son ami Henri Rouart, peintre et collectionneur — sa collection, qui sera vendue en 1912, contenait un grand nombre de chefs-d'œuvre du XIXe siècle, de Delacroix, Ingres, David, Corot, Jongkind aux Impressionnistes) —, Ernest est le seul élève qu'aura jamais Degas. On ne quitte pas le cercle de la peinture. On ne quitte pas non plus celui de la poésie. Le jeune peintre ayant un jour amené chez lui son ami le poète Paul Valéry, c'est un double mariage qui sera célébré, en l'église Saint-Honoré-d'Eylau, en mai 1900 : celui de Julie Manet avec Ernest Rouart et celui de Jeannie Gobillard avec Paul Valéry.

Les jeunes mariés ne passent pas leur voyage de noces ensemble : le couple Rouart s'en va à Saint-Valery-en-Caux, entre Fécamp et Dieppe, sur les traces des tableaux de jeunesse de Berthe Morisot, et le couple Valéry à Bruxelles et Amsterdam. Mais ils se retrouvent pour ne plus se quitter, rue de Villejust. Julie et son mari s'installent au quatrième étage de l'hôtel qu'ont fait construire Eugène et Berthe Manet : Julie ne veut pas vivre dans l'atelier de sa mère, elle y a été trop heureuse... Jeannie et Paul Valéry demeureront au troisième, avec Paule Gobillard. Julie aura un jour trois fils, et Jeannie trois enfants. Toute la famille se retrouve l'été au Mesnil ; comme l'avait souhaité Berthe Morisot, la maison accueille une jeunesse vibrion-

> « L'éloge courant veut que son talent
> dénote la Femme — encore, aussi, qu'un
> maître. »

> STÉPHANE MALLARMÉ.

A côté de l'imposante et si belle Bibliothèque
Mazarine, avec laquelle elle communique par une
porte dérobée, la Bibliothèque de l'Institut de
France possède un charme tout à elle, qui tient à
son atmosphère de cénacle. Elle est en effet réservée aux membres de l'Institut, et on n'y entre qu'en
montrant patte blanche. J'étais là pour consulter
les archives de Berthe Morisot, confiées par ses
héritiers au musée Marmottan, qui dépend de
l'Institut. On m'apporte des boîtes en carton,
contenant des lettres, classées avec soin dans
des chemises de couleur : à travers témoignages
et récits intimes, la vie de Berthe Morisot. Je
découvre une centaine de lettres de famille, de
parents ou d'amis, certaines très longues, sur plusieurs feuillets, d'autres tenaient en quelques
phrases simples. J'y trouve quelques télégrammes
sur papier bleu et même une carte postale de
Renoir, en visite à Bayreuth — *Gruss aus Bayreuth*, disait l'image. Certaines lettres sont déchirées, d'autres ont un trou à la place d'un mot, mais
la plupart sont intactes. Elles ont jauni, bien sûr,
mais se laissent parfaitement déchiffrer. Denis

Rouart — un des trois fils de Julie — en a publié
un bon nombre en 1950, dans une belle édition
illustrée, aux Quatre Chemins. Pas toutes cependant.

Lettres sur papier d'école ou de grand papetier,
déchirées d'un cahier ou pliées en quatre, lettres
de vacances ou de voyages, lettres de tous les
jours, lettres tristes, lettres drôles, lettres pour distraire de l'ennui ou de la maladie, lettres d'invitation ou de remerciements, de faire-part, de vœux
ou de condoléances — ces dernières sont bordées
d'une large marge funèbre, qui évoque les fonds
les plus noirs des tableaux de Manet. Elles rendent
un écho de ces vies, dont le centre et le cœur fut
Berthe Morisot. Parfois, une enveloppe rescapée
de la corbeille à papier laisse la trace d'une adresse
perdue, soudain retrouvée. Un télégramme rappelle un personnage qu'on avait oublié. Et la
recherche d'une signature, griffonnée, illisible,
occupe pendant des heures, tandis que la véné-
rable horloge de bronze de la bibliothèque rappelle qu'il est temps de partir.

La première boîte contient les lettres de Berthe
Morisot, celles qu'elle a adressées à son mari, à sa
mère, à ses sœurs, à son frère, à ses nièces, à ses
amis, à sa fille chérie..., et que ces derniers ont gar-
dées. Son écriture, élégante et nerveuse, n'a jamais
changé. D'un petit format, elle est aussi sobre et
efficace, aussi peu emphatique que son coup de
pinceau.

La dernière boîte contient les lettres que sa fille
a reçues à sa mort. Dans les autres, j'ai pu lire
celles que Berthe Morisot a reçues le long de sa
vie, du moins celles qui ont échappé à la destruction du temps. La ronde des écritures n'en finis-
sait pas de danser sous mes yeux. Chaque person-

nage était là, vivant, à travers les mots qu'il écrivait ; chaque écriture est un portrait.

Yves Morisot écrit comme une petite fille appliquée, en appuyant les lettres, sur du papier quadrillé. Elle en est restée à l'âge de l'école. Edma, comme un oiseau : elle est à peine lisible. Son écriture, mince et longiligne, extraordinairement aérienne, prend cependant du poids avec l'âge ; elle se déstructure, elle perd son unité. Comme c'est étrange de voir ainsi sa personnalité se défaire. Tandis que Berthe demeure fidèle à son style, Edma écrit de plus en plus gros, de moins en moins droit.

Puvis de Chavannes choisit un papier à lettres monogrammé. Il rédige à l'encre noire, comme il peint, avec une élégance austère, de longues lettres compliquées.

Mary Cassatt a une écriture pointue ; elle use et abuse des paraphes, la barre de ses T traverse la page et ses M majuscules ont l'air d'avoir des jambes en plus. Un style hardi et conquérant vous saute aux yeux.

La signature de Renoir — « Ami Renoir » — et son style simple, chaud, font battre le cœur. Toujours rassurant — « Pas d'inquiétudes ! », « Vous tracassez pas ! » —, il se fait plus de soucis pour la santé des uns ou des autres, et la sienne, que pour la peinture. Les lettres qu'il adresse à Julie après la mort de sa mère sont adorables de gentillesse. « Chère petite amie », lui dit-il. Il oublie parfois qu'elle est une jeune fille sage et lui confie, par distraction, dans son enthousiasme, ses bonnes fortunes : « A Louveciennes, j'ai trouvé une jolie petite marchande de vin qui pose, mais son mari arrive il faut me dépêcher... » Il aime, comme à sa mère avant elle, lui envoyer les modèles qui posent pour lui et les lui faire partager : « Je vous envoie un petit modèle très gentil, dans le cas où vous en aurez besoin... » D'année en année, les prix montent : « Je vous envoie sans vous y engager naturellement une petite fille fort gentille et qui pose très bien pour son âge, essayez-en si vous voulez. Je la paye 7 francs par jour et le déjeuner. »

L'écriture de l'inventeur des *Nymphéas* est tarabiscotée et difficile à déchiffrer. Claude Monet use du papier à lettres à l'envers ; il faut lire d'abord la page droite et revenir sur la page gauche, comme dans un livre japonais, bien qu'il écrive quand même de gauche à droite. Ses lettres sont souvent très longues, pleines de sollicitations ou d'excuses. Il signe de son nom en entier que souligne un paraphe, plus modeste que celui de Cassatt mais tout de même appuyé, et le fait précéder de la mention « Votre bien dévoué ». Il a le culte des lieux. Chacune de ses lettres porte en tête et en gros caractères la mention de l'endroit où il se trouve. Ce n'est que bien après la mort de Berthe, à partir de 1899, qu'il fera luxueusement graver son adresse sur son papier à lettres. Indiquée en haut à gauche, en caractères gothiques, façon faux manuscrit médiéval, avec enjolivement de feuilles du plus mauvais goût, elle signale un lieu devenu mythique : « Giverny, par Vernon, Eure », et prouve aussi que les moyens financiers du peintre ont changé. Ses tableaux lui rapportent désormais cet argent qu'il a dû tant de fois emprunter, notamment à la famille Manet.

L'écriture de Mallarmé, aussi fine qu'un idéogramme, se pose en courts billets, en quatrains, en quelques mots exquis. Ce sont les enveloppes, on le sait, qui lui demandent le plus grand soin.

Celle de Degas frappe par le formidable jet d'encre ; il tache souvent ses lettres. Frappe aussi

la majuscule étrange qui commence son nom
— le D y ressemble à un O. On devine la main
pressée, fiévreuse. Qu'il écrive à Berthe, à Eugène,
à Ernest ou à Henri Rouart ou encore à Julie, il
signe invariablement « Votre vieil ami ». Il est du
genre expéditif. Il accepte en une ligne une invitation à dîner, y convie de même ou annule précipitamment quand sa gouvernante est malade
— « Zoé au lit, ne venez pas ». En fait, il écrit
beaucoup, quoique brièvement. Il use du télégramme, on sent qu'il n'a pas plus de temps à
perdre en bavardages inutiles qu'en vaines mondanités. En revanche, il sait être drôle. Et très
tendre. Le nombre de ses lettres prouve qu'il n'a
jamais manqué à l'amitié de celle qu'il surnomme
la « terrible » Berthe — « Bonjour à votre terrible
femme ! » écrit-il à Eugène. (Comme Suzanne
Valadon est pour lui la « terrible » Maria, toutes
les femmes seraient-elles donc terribles ?) Il ne
manquera pas davantage à l'affection de sa
« farouche Julie ».

Les lettres d'Eugène Manet font mal aux yeux :
elles abondent en détails multiples, en questions
matérielles, en interrogations auxquelles le mari
de Berthe demande des réponses immédiates. On
sent l'homme préoccupé, anxieux, exigeant. Il n'en
finit pas d'expliquer ce qu'il a à dire. Avec ça, des
pattes de mouche, serrées, obnubilantes.

Celles de Mme Morisot respirent le bon sens,
l'équilibre et la simplicité. La mère souligne les
mots importants, elle ne cache rien, elle dit tout :
voilà au moins un être en apparence sans secrets.
Elle donne beaucoup de leçons de morale.

Suzanne Manet écrit en grosses lignes, très relâ-
chées, très espacées, sur du papier pas du tout
chic. Mais elle déborde d'affection pour la « chère
Berthe » et « la petite Julie ». Elle n'a pas cette

réserve ni cette pudeur des Morisot. Le cœur gros comme sa personne, elle dit tout haut ses sentiments — amour, peine ou remords. C'est la sincérité même.

Pontillon est ennuyeux. Gobillard n'a pas laissé de trace.

En revanche, sa fille Paule entretient avec Berthe Morisot une correspondance assidue. La jeune fille décrit longuement les paysages de ses vacances et, morceau par morceau, les toiles qu'elle peint loin d'elle. Elle a besoin des conseils et du soutien de celle qu'elle appelle sa « chère, chère, chère Tante Berthe ». « Oh, si chère Tante Berthe. » On voit bien qu'elle l'admire éperdument, que Berthe lui trace la route vers sa propre vie d'artiste. A la mort de sa mère, Yves, dont le récit de la maladie est poignant et dont on suit pas à pas le douloureux cancer, elle reporte son amour frustré sur Berthe, qui devient sa seconde mère.

Peu de lettres de Julie, on s'en doute : la mère et la fille ont vécu toute leur vie ensemble. C'est dans le *Journal* de Julie Manet, publié en 1987, par les soins de Rosalind de Boland Roberts et Jane Roberts, que l'on peut découvrir son écriture. Très différente de celle de sa mère, beaucoup plus grande, plus aiguë, elle s'accompagne de ratures, cherche souvent ses mots et abuse du point d'exclamation. Naïf, primesautier, charmant, voilà l'impression qu'elle donne. Les vrais souvenirs, l'album de famille, c'est bien sûr dans la peinture de Berthe Morisot qu'il faut aller les chercher. Chacune de ses toiles est un reflet à la fois fidèle et idéal de sa vie.

Quatre lettres d'Edouard Manet, seulement, se trouvent dans la boîte numéro I. Rédigées à la hâte sur du papier cartonné, de format carré, comme les anciennes cartes de visite, mais nues, sans en-tête, elles rappellent un rendez-vous, accompagnent un cadeau de Noël ou livrent une pensée brève. Invariablement signées du nom de Manet, précédé de Ed pour Edouard (Eugène signe son nom en entier), elles sont adressées à « ma chère Berthe ». Elles ne contiennent rien qui puisse faire penser à autre chose qu'à un lien d'amitié parmi d'autres — moins profond, moins rare que ceux qui lient Berthe à Puvis, à Renoir ou à Mallarmé. Je pensais y trouver l'expression d'une tendresse, d'une complicité, peut-être davantage.

Quarante et une lettres de Puvis de Chavannes à Berthe Morisot, quarante-sept de Renoir, cinquante-neuf de Degas, quatre-vingt-six de Mallarmé, ces dernières augmentées il est vrai de la correspondance de Julie, et seulement quatre d'Edouard Manet ? Et encore, ce sont moins que des lettres, de petits mots anodins. Ecrivait-il si peu ? Sans exprimer aucun sentiment ? Lui, si chaleureux, si bavard avec d'autres... Il n'est que de lire les longues lettres qu'il adresse à ses frères, à sa mère ou à son épouse (boîte IV), pour trouver d'autant plus étrange cette lacune, le grand vide que laisse la lecture de ces quatre messages sans lendemain.

Berthe, de son côté, n'a-t-elle jamais écrit à Edouard Manet ? Cela paraît tout aussi impossible que cette absence de vraies lettres de lui à elle. Alors, où sont les lettres ? Perdues ? Cachées ? Détruites ? Tandis que la peinture parle, que les tableaux de Manet n'en finissent pas de raconter une histoire, les mots ont disparu. Il n'existe, à notre connaissance, aucune trace écrite de leur aventure.

Qui aurait pu vouloir supprimer ces lettres ? Un héritier trop bien intentionné ? Après la mort de Degas, en 1917, son frère Robert détruira les planches et monotypes érotiques que le peintre gardait dans son atelier, sous le prétexte qu'ils auraient « sali » sa mémoire... A moins que Berthe elle-même... Dans un désir de purification, a-t-elle voulu effacer toute trace de ce qui pour elle devait demeurer un secret ? Comme elle a un jour détruit la quasi-totalité de ses œuvres de jeunesse, a-t-elle brûlé ses lettres ? Mais quand l'a-t-elle fait ? Avant de se marier ? Ou avant de mourir ? Ou bien, entre les deux, par hasard, un jour de tristesse ? La tristesse la rendait violente, excessive même. Au fond de son cœur, tapie au plus profond, on n'a pas de mal à déceler une espèce de vertige. L'attraction du néant. L'envie de tout effacer, de se fondre dans le rien. Elle aimait le silence. La grande paix du silence.

« Mieux vaut brûler les lettres d'amour », a-t-elle dit un jour à son amie Louise.

REMERCIEMENTS

Je tiens à exprimer ma gratitude à Yves Rouart, arrière-petit-fils de Berthe Morisot, qui m'a permis de consulter les archives familiales.

Je remercie Arnaud d'Hauterives, secrétaire perpétuel de l'Académie des Beaux-Arts, qui m'a donné accès aux documents, lettres et carnets, déposés par les fils de Julie Manet-Rouart, au musée Marmottan. Je remercie Jean-Marie Granier, membre de l'Institut, directeur du musée Marmottan ; ainsi que Fabienne Queyroux, conservateur chargé des collections de manuscrits à la Bibliothèque de l'Institut de France.

Je remercie Françoise Dufour. Et, tout particulièrement, Sylvie Patin, conservateur en chef au musée d'Orsay, pour ses précieux conseils.

BIBLIOGRAPHIE

Je citerai d'abord deux ouvrages fondamentaux :

— *Berthe Morisot, le catalogue raisonné de l'œuvre peint*, publié par Alain Clairet, Delphine Montalant et Yves Rouart, avec la collaboration de Waring Hopkins et Alain Thomas, Céra Nrs éditions, 1997. Préface de Jean-Marie Rouart.
— *L'Impressionnisme et son époque*, de Sophie Monneret, en 4 volumes, Denoël, 1978-1979. A été publié en format de poche, dans la collection Bouquins en 1987. Préface de René Huyghe.

Puis, les indispensables ouvrages « familiaux » :
— Stéphane Mallarmé, préface au catalogue de l'exposition Berthe Morisot de 1896, chez Durand-Ruel.
— Paul Valéry, préface au catalogue de l'exposition de 1941, au musée de l'Orangerie.
— Louis Rouart, *Berthe Morisot*, Paris, Librairie Plon, 1941.
— Denis Rouart, *Correspondance de Berthe Morisot*, Paris, Quatre-Chemins Editart, 1950.
— Julie Manet, *Journal* (1893-1899), Paris, Scala, 1987.

Voici, à ce jour, les précédentes biographies de Berthe Morisot que j'ai pu consulter :
— Guillaume Jeanneau, *Berthe Morisot*, Paris, 1921.
— Armand Fourreau, *Berthe Morisot*, Paris, F. Rieder, 1925.

— Monique Angoulvent, *Berthe Morisot*, Paris, Editions Albert Morancé, 1933.

— Philippe Huisman, *Morisot Charmes*, Lausanne, International Art Books, 1962.

— Jean-Dominique Rey, *Berthe Morisot*, Paris, Flammarion, 1989.

— Anne Higonnet, *Berthe Morisot, une biographie*, traduit de l'américain par Isabelle Chapman, Adam Biro, 1989.

— Margaret Shennan, *Berthe Morisot, the First Lady of Impressionism*, Sutton Publishing Ltd., 1996.

Parmi les innombrables essais ou biographies consacrés à la peinture et en particulier à l'Impressionnisme, je citerai le tout premier :

Théodore Duret, *Histoire des peintres impressionnistes*, Paris, 1878.

Puis les noms de Tabarant, Proust (Antonin), Rivière, Ephrussi, Fénéon, Halévy, Huysmans, Marx, Mauclair, Maus, Moreau-Nélaton, Régnier, Vaudoyer (*Les Impressionnistes de Manet à Cézanne*, Paris, Les Nouvelles Editions françaises, 1948) ou Wilson-Barreau, auxquels je suis redevable ; les Mémoires de Jacques-Emile Blanche (*La Pêche aux souvenirs*, Paris, Flammarion, 1949 et *Les Dames de la grande rue* dans *Ecrits nouveaux*, 1920), de Jean Renoir (*Renoir par Jean Renoir*, Paris, Hachette, 1962), d'Ambroise Vollard (les *Souvenirs d'un marchand de tableaux*, Paris, Albin Michel, 1937) ; les lettres de Degas, publiées dans les Cahiers Rouges de Grasset.

Trois biographies de Manet : celle de Pierre Daix (*La Vie de peintre d'Edouard Manet*, 1983), celle de Françoise Cachin (*Manet*, Découvertes Gallimard, 1994), celle de Beth Archer Brombert (*Manet, Rebel in a frock coat*, The University of Chicago Press 1996).

Pour Degas : Henri Loyrette (Fayard, 1991) et Pierre Cabanne (*Monsieur Degas*, J.-Cl. Lattès, 1989).

Pour Monet : Sylvie Patin, *Monet* (Découvertes Gallimard, 1991).

Pour Fantin-Latour : Jean-Jacques Lévêque.

Pour Corot : Jean Selz.

Pour Mallarmé : Jean-Luc Steinmetz, *L'Absolu au jour le jour,* Fayard, 1998, et l'édition des œuvres complètes dans la Bibliothèque de la Pléiade (Gallimard).

La correspondance de Berthe Morisot et de Mallarmé a été éditée par la Bibliothèque des arts, Lausanne, 1995.

Divers volumes des éditions Skira sont consacrés à Degas, Manet (par Georges Bataille), Renoir (par Denis Rouart), etc., et deux volumes à l'impressionnisme par Jean Leymarie.

Il y a encore *La Vie quotidienne des impressionnistes* de Jean-Paul Crespelle, Hachette, 1981 ; *Au temps de l'impressionnisme* de Dominique Lobstein, Découvertes Gallimard ; et *Impression, Impressionnisme* de Sylvie Patin, aux mêmes éditions « Texto ».

J'ai consulté bien d'autres livres, revues et gazettes, dont je n'ai cité ici que les principaux. Je voudrais rendre un hommage particulier au catalogue de l'exposition Berthe Morisot, superbe rétrospective organisée en 1987 par le Mount Holyoke College Art Museum et la National Gallery of Art de Washington, puis présentée dans plusieurs villes américaines. Le texte de Charles F. Stuckey et celui de William P. Scott ont été depuis traduits par Marie-Odile Probst et publiés par Herscher. Il existe une cassette de cette exposition, *Berthe Morisot the forgotten Impressionist,* EFP Services Boston/Amherst, qui permet de se promener dans l'univers du peintre, en attendant celle, prestigieuse, de la Fondation Pierre Gianadda, à Martigny, prévue pour 2002.

Table

Du même auteur :

LES HEURES VOLÉES, *roman*. Mercure de France, 1981.

ARGENTINA, *roman*. Mercure de France, 1984.

ROMAIN GARY, *biographie*. Mercure de France, 1987.
(Grand Prix de la biographie de l'Académie française.)

LES YEUX NOIRS OU LES VIES EXTRAORDINAIRES DES
SŒURS HEREDIA, *biographie*. J.-Cl. Lattès, 1990.

MALIKA, *roman*. Mercure de France, 1992. (Prix Interallié.)

GALA, *biographie*. Flammarion, 1995.

STEFAN ZWEIG, L'AMI BLESSÉ, *biographie*. Plon, 1996.

LE MANUSCRIT DE PORT-EBÈNE, *roman*. Grasset, 1998.
(Prix Renaudot.)